La ilustre fregona
El casamiento engañoso
Coloquio de los perros

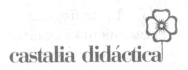

castalia didáctica

Director:
Pedro Álvarez de Miranda

Colaboradores de los volúmenes publicados:

MIGUEL DE CERVANTES

Novelas ejemplares

La ilustre fregona
El casamiento engañoso
Coloquio de los perros

*Con cuadros cronológicos,
introducción, bibliografía, textos íntegros,
notas y llamadas de atención, documentos
y orientaciones para el estudio,
a cargo de*

Antonio Orejudo

EDITORIAL CASTALIA

Copyright © Editorial Castalia, 1997
Zurbano, 39 - 28010 Madrid - Tel. 319 58 57 - Fax 310 24 42

Cubierta de Víctor Sanz

Impreso en España - Printed in Spain

I.S.B.N.: 84-7039-735-2
Depósito legal: M. 5.359-1997

SUMARIO

CERVANTES Y SU TIEMPO

Año	Acontecimientos históricos	Vida cultural y artística
1547	Victoria de Carlos V en la batalla de Mühlberg. Muerte de Francisco I de Francia. Comienzan las hambrunas en Castilla.	Nace Mateo Alemán. Se publica el primer índice español de obras prohibidas. Miguel Ángel recibe el encargo de dirigir la construcción de San Pedro en Roma. Traducción castellana de *La Arcadia* de Sannazaro.
1552	Tratado de Passau: Carlos V concede libertad religiosa a los príncipes protestantes de la Liga de Smalkalda. Tratado de Chambord: Mauricio de Sajonia y Enrique II de Francia se alían contra Carlos V.	Segunda edición del libro *Book of Common Prayer*, que contiene los 42 artículos de la Iglesia Anglicana. Pierre de Ronsard: *Amour*, sonetos que serán continuados en 1555.
1554	Carlos V cede el reino de Nápoles y el ducado de Milán a su hijo Felipe II.	*Lazarillo de Tormes*. Traducción castellana de la *Historia etiópica de Teógenes y Cariclea*, de Heliodoro.
1556	Abdicación de Carlos V. Felipe II, nuevo rey de España.	Fray Luis de Granada: *Guía de pecadores*.
1561	Felipe II traslada la corte a Madrid.	Nacen Góngora y Bartolomé Leonardo de Argensola. *El Abencerraje*.
1562	Comienzan las guerras de religión en Francia.	Nace Lope de Vega.
1566	Rebelión de los Países Bajos contra la Corona española. El sínodo de Amberes crea la Iglesia calvinista de los Países Bajos.	Muerte del padre Las Casas. Jean Bodin publica su *Methodum ad facilem historiarum cognitionem*, primera metodología histórica.
1569	Se prohíbe la industria textil en las colonias españolas.	Alonso de Ercilla: primera parte de *La Araucana*. Nace Guillén de Castro.

Vida y obra de Miguel de Cervantes
Nace en Alcalá de Henares, probablemente el 29 de septiembre.
Traslado de la familia a Valladolid. Su padre es encarcelado.
La familia se traslada a Madrid.
Publica cuatro poemas dedicados a la Reina Isabel de Valois, que había muerto un año antes. Se marcha a Roma, probablemente huyendo de la justicia por haber herido a Antonio de Segura.

Año	Acontecimientos históricos	Vida cultural y artística
1570	Boda de Felipe II y Ana de Austria. Termina la rebelión morisca.	Antonio de Torquemada: *Jardín de flores curiosas.*
1571	Termina la guerra de las Alpujarras con la derrota de los moriscos. Victoria de la Liga Santa (Papado, España y Venecia) sobre los turcos en la batalla de Lepanto.	François Vieta introduce la manera de escribir decimales. Muere Juan de Mal Lara.
1572	La Noche de San Bartolomé: matanza de protestantes en París.	Fray Luis de León es encarcelado. Nace Agustín Rojas Villandrando.
1573	Don Juan de Austria conquista Túnez y La Goleta.	Nace Rodrigo Caro.
1575	Felipe II declara la segunda bancarrota. El índice demográfico se estanca.	Juan Huarte de San Juan: *Examen de ingenios.*
1576	España pierde las provincias bajas de Flandes. Saqueo de Amberes por los tercios españoles.	Fray Luis de León sale de la cárcel.
1577	Francis Drake emprende su vuelta alrededor del mundo.	San Juan de la Cruz es apresado por el Santo Oficio.
1578	Felipe II consiente el asesinato de Escobedo, secretario de Juan de Austria.	Muere Francisco de Aldana. Alonso de Ercilla: segunda parte de *La Araucana.*
1580	El ejército español invade Portugal.	Nace Quevedo. Fernando de Herrera: *Anotaciones a Garcilaso de la Vega.*

Vida y obra de Miguel de Cervantes
Embarca en la galera *Marquesa*, que forma parte de la Armada cristiana mandada por don Juan de Austria.
Es herido en la batalla de Lepanto, a consecuencia de lo cual perderá la mano izquierda.
Curado de sus heridas, se incorpora a la vida militar en la compañía de Manuel Ponce de León, del tercio de Lope de Figueroa, mitificado en *El Alcalde de Zalamea* de Calderón.
Participa en la conquista de Navarino, Túnez, Corfú y La Goleta.
Zarpa desde Italia junto a su hermano Rodrigo en la goleta *Sol* rumbo a España, para obtener un ascenso en su carrera militar. La nave es capturada por el ejército turco a la altura del cabo de Rosas y los soldados son conducidos a Argel.
Primer intento de fuga, que se ve frustrado por el arrepentimiento del musulmán que guiaba a los escapados.
Segundo intento de fuga, frustrado por la traición de su cómplice. Su hermano Rodrigo es rescatado.
Tercer intento de fuga, frustrado por la captura del mensajero que llevaba sus planes a Orán.
Tras un cuarto intento de fuga, que falla a causa de otra traición, es liberado gracias a un rescate reunido por frailes trinitarios.

Año	Acontecimientos históricos	Vida cultural y artística
1581	Felipe II es proclamado rey de Portugal.	Nace Alonso J. de Salas Barbadillo.
1582	Gregorio XIII reforma el calendario.	Luis Gálvez de Montalvo: *Pastor de Fílida*. Muere Santa Teresa.
1583	Primera imprenta en Perú.	Fray Luis de León: *La perfecta casada* y *De los nombres de Cristo*.
1584	Ruptura de relaciones diplomáticas entre Inglaterra y España. Asesinato de Guillermo de Orange; constitución de las Provincias Unidas. El duque de Parma conquista Flandes y Brabante.	Nace Castillo Solórzano. Se termina El Escorial.
1585	Caída de Amberes. Fundación en París de la segunda Liga. Revueltas campesinas en Aragón.	El Duque Carlos de Estiria funda la Universidad Católica de Graz. Juan de Herrera comienza la Catedral de Valladolid.
1586	Isabel de Inglaterra se alía con las Provincias Unidas. Francis Drake conquista las plazas comerciales españolas en Santo Domingo y Cartagena.	El Greco comienza *El entierro del Conde de Orgaz*.
1587	María Estuardo es ejecutada. Comienza la guerra de España contra Inglaterra que durará hasta 1604. Francis Drake saquea Cádiz.	Muere Lucas Gracián Dantisco.

Vida y obra de Miguel de Cervantes
Se traslada a la corte de Felipe II en Portugal y se le confía una misión secreta en Orán. A finales de este año se encuentra de vuelta en Madrid.
Intenta por primera vez obtener un cargo en América. Su solicitud es denegada.
Se dedica al teatro y logra que se representen algunas de sus obras.
Nace su hija natural, Isabel de Saavedra, fruto de sus relaciones con una mujer casada, Ana Franca o Villafranca de Rojas. Al poco tiempo, el 12 de diciembre, contrae matrimonio en Esquivias con Catalina de Salazar Palacios, que cuenta diecinueve años.
En marzo se publica *La Galatea* en Alcalá de Henares. Firma un contrato con el empresario teatral Gaspar de Porres en el que se compromete a entregarle dos comedias. Firma un documento de reconocimiento de deuda a favor de Inés Osorio, madre de Elena, por entonces amante de Lope de Vega.
Se publica el *Cancionero* de López Maldonado, con dos poemas preliminares de Cervantes.
Obtiene un empleo como proveedor de la Armada Invencible. Fija su residencia en Sevilla, mientras su mujer permanece en Esquivias.

Año	Acontecimientos históricos	Vida cultural y artística
1588	Destrucción de la Armada Invencible.	Muere fray Luis de Granada. Lope de Vega es confinado en Valencia. Libros de la Madre Teresa de Jesús (*Vida, Camino de perfección* y *Moradas*).
1590	Antonio Pérez escapa de la cárcel.	Nueva edición de la *Vulgata* en Roma.
1592	Clemente VIII, nuevo Papa.	Shakespeare: *Ricardo III*.
1593	Conversión de Enrique IV al catolicismo.	Lucas Gracián Dantisco: *Galateo español*.
1594	Los jesuitas son expulsados de Francia.	Góngora compone el soneto «Descaminado, enfermo, peregrino».
1595	Quiebra del banquero sevillano Simón Freire de Lima. Bancarrota nacional.	Shakespeare: *Romeo y Julieta*. Ginés Pérez de Hita: primera parte de las *Guerras civiles de Granada*.
1596	El Conde de Essex saquea Cádiz durante 24 días ante la pasividad del ejército español.	Nace Descartes. Alonso López Pinciano: *Philosophía antigua poética*. Juan Rufo: *Las seiscientas apotegmas*.
1597	Felipe II cede Flandes a su hija Isabel.	Muere Fernando de Herrera.
1598	Muere Felipe II. Felipe III, nuevo rey de España. Juan de Oñate conquista Nuevo México.	Nace Zurbarán. Lope de Vega incluye a Cervantes entre los poetas esculpidos en el palacio de la poesía de su *Arcadia*. Sus relaciones con él no se habían deteriorado todavía.

Vida y obra de Miguel de Cervantes
En este año se fechan dos canciones, todavía optimistas, heroicas e imperialistas, dedicadas a la Armada Invencible.
Vuelve a solicitar una de las vacantes en América, que de nuevo le es denegada. «Busque por acá en qué se le haga merced», le contestan.
Firma un contrato con el empresario teatral Rodrigo Osorio, y dos meses después es encarcelado en Castro del Río, acusado por Francisco Moscos, corregidor de Écija, de irregulares requisas de trigo. La denuncia no prosperó y fue puesto en libertad.
Vive en Sevilla. Declara a favor de Tomás Gutiérrez, acusado de cristiano nuevo.
Obtiene la comisión de cobrar atrasos de alcabalas y otros impuestos en el reino de Granada. Deposita lo recaudado en la casa de banca de Simón Freire de Lima.
Gana el primer premio en las justas poéticas de Zaragoza, organizadas por los frailes dominicos para celebrar la canonización de San Jacinto. El premio consiste en tres cucharas de plata.
Compone el irónico soneto titulado «A la entrada del Duque de Medina», donde se burla con finura del comportamiento del ejército español durante el saqueo de la ciudad de Cádiz.
El banquero Freire de Lima quiebra. Cervantes, al no poder hacer efectivas las cantidades recaudadas, es encarcelado en Sevilla.
Compone el soneto «¡Voto a Dios que me espanta esta grandeza!»

Año	Acontecimientos históricos	Vida cultural y artística
1599	Comienza la privanza del Duque de Lerma.	Mateo Alemán: primera parte del *Guzmán de Alfarache*. Nace Diego de Velázquez.
1600	Termina la gran epidemia de peste que marca el declive demográfico y económico de Castilla en el siglo XVII.	Nace Pedro Calderón de la Barca. Muere el Brocense.
1601	Se traslada la corte a Valladolid.	Nace Baltasar Gracián.
1602	Holanda funda su Compañía de las Indias orientales.	Nace Juan Pérez de Montalbán.
1603	Prohibición de importar productos holandeses en América. La Reina Isabel I de Inglaterra muere sin hijos: fin de la dinastía Tudor.	Carlos Maderna termina la fachada lateral de Santa Susana en Roma. Rojas Villandrando: *El viaje entretenido*.
1604	Insurrección húngara contra Austria al mando de István Bocskai.	Mateo Alemán: segunda parte del *Guzmán de Alfarache*.
1605	Fernández de Quirós llega a Australia. Bocskai es proclamado príncipe de Transilvania y Hungría.	Kepler: *Astronomía Nova*. Francisco López de Úbeda: *La Pícara Justina*.
1606	La Corte vuelve a Madrid.	Nace Rembrandt.
1607	España sufre una nueva bancarrota.	Juan de Jáuregui: traducción de la *Aminta* de Torquato Tasso. Nace Rojas Zorrilla.
1608	Se forma la Unión Evangélica Luterana en Alemania.	Nacen Milton y Francisco Manuel de Melo.

Vida y obra de Miguel de Cervantes
Vive entre Toledo y Madrid, y se le supone redactando la primera parte del *Quijote*.
Se le supone en Esquivias, escribiendo el *Quijote*.
Escribe un soneto laudatorio para *La hermosura de Angélica*, de Lope de Vega. Las relaciones entre ellos son buenas todavía.
Reside en Valladolid con su familia, compuesta de mujeres: su esposa (40 años), sus hermanas Andrea (60 años) y Magdalena (51 años), su sobrina Constanza (37 años) y su hija natural (20 años), conocidas despectivamente en Valladolid como «las Cervantas». Tiene algunos enfrentamientos con Lope de Vega.
Carta de Lope de Vega criticando el *Quijote*, lo que ha dado pie a suponer la existencia de una primera edición de esta obra este mismo año. Se inician las malas relaciones entre los dos escritores.
Publicación de la primera parte del *Quijote*. Gaspar de Ezpeleta es herido de muerte en la puerta de la casa de Cervantes, por lo que él y sus familiares, que auxilian al herido, son encarcelados injustamente por un juez prevaricador que pretende ocultar al verdadero asesino: un escribano amigo suyo.
Se traslada, con la corte, a Madrid.
Reedición en Bruselas de la primera parte del *Quijote*.
Su hija se casa con Diego Sanz del Águila.

Año	Acontecimientos históricos	Vida cultural y artística
1609	Felipe III expulsa a los moriscos. Tregua de los doce años entre España y las Provincias Unidas.	Lope de Vega: *Arte nuevo de hacer comedias en este tiempo.*
1610	El intercambio comercial con las colonias entra en recesión. Asesinato de Enrique IV de Francia. Regencia de María de Médicis.	Gaspar de Aguilar: *Expulsión de los moriscos de España.*
1611	Muere Carlos IX de Suecia: asume el gobierno su hijo Gustavo Adolfo II.	Sebastián de Covarrubias: *Tesoro de la lengua castellana o española.*
1613	Francis Bacon es nombrado primer abogado de la Corona de Inglaterra. Comienza el imperio de la casa Romanov en Rusia.	Góngora difunde en Madrid sus *Soledades* y el *Polifemo.* Muere Lupercio Leonardo de Argensola.
1614	Guerra de sucesión en el Ducado de Jülich, en la que interviene España. Santa Teresa es beatificada.	Alonso Fernández de Avellaneda: *El Quijote.* Lope termina *Fuenteovejuna.*
1615	California se convierte en posesión española.	Lope de Vega: *Quinta parte de comedias.*
1616	Edward Coke, juez supremo de la Corona británica, es depuesto por Bacon, representante del centralismo monárquico.	Muere Shakespeare. El Santo Oficio de Roma condena las teorías copernicanas.

Vida y obra de Miguel de Cervantes
Ingresa en la congregación de esclavos del Santísimo Sacramento. Muere su hermana Andrea.
Se traslada a Barcelona con el fin de solicitar personalmente al Conde de Lemos su inclusión entre los escritores que el virrey de Nápoles piensa llevarse a Italia. Lupercio Leonardeo de Argensola, secretario del virrey, impide la entrevista.
Muere su hermana Magdalena.
Recibe el hábito de hermano tercero de San Francisco. Se publican las *Novelas ejemplares*
Se publica el *Viaje del Parnaso*.
Publicación de la segunda parte del *Quijote,* así como de un volumen que incluía sus ocho comedias y ocho entremeses.
Profesa en la orden de San Francisco en Madrid, redacta tres días antes de morir la dedicatoria del *Persiles* al Conde de Lemos y muere el 23 de abril. Al año siguiente se publica *Los trabajos de Persiles y Sigismunda.*

Introducción

Semblanza vital

Aunque Miguel de Cervantes fue un hombre sin suerte, nunca tuvo una visión trágica de su propia vida. Ni siquiera el desengaño ideológico que sus biógrafos sitúan hacia 1598 tuvo los tintes amargos de un Quevedo: cuando todos sus sueños de fama se habían disuelto, Cervantes supo contemplar la decadencia del imperio y su fracaso personal desde una posición entre irónica y entrañable que ha quedado resumida en su famoso soneto «¡Voto a Dios que me espanta esta grandeza!».

Su tardía dedicación a las letras fue consecuencia de su poca fortuna como militar. Las guerras sólo le granjearon la pérdida de la mano izquierda y un largo cautiverio en Argel. De nada le valió haber participado en la batalla de Lepanto, pese a que siempre presumió de ello, ya que tras su liberación sólo pudo encontrar ocupación como recaudador de impuestos, trabajo que le proporcionó poco dinero y demasiados problemas con la justicia. En un par de ocasiones intentó cambiar de fortuna y marcharse a América; pero en ambas le fue denegado el permiso. En lo personal tampoco fue muy afortunado. Tuvo amoríos con una portuguesa llamada Ana Franca o Villafranca de Rojas, de los que nació una hija natural, Isabel. Se casó tarde y mal con otra mujer, Catalina de Salazar, que nunca le sirvió de inspiración para las heroínas de sus novelas; y con el matrimonio vivieron en Madrid y en Valladolid las hermanas y sobrina de él, no muy bien reputadas y conocidas entre los vecinos como «las Cervantas». En cuanto a su fortuna literaria, ésta nunca alcanzó las cotas de su antipático vecino madrileño Lope de Vega. Cervantes fue conocido y algo admirado, pero tarde, sólo a partir de 1605, después de la publicación de la primera parte del *Quijote,* cuando contaba cincuenta y ocho años. Antes había publicado con discreto éxito un libro de pastores, *La Galatea,* y representado unas cuantas comedias. Pese a ser ya por entonces un hombre maduro, no publicó inmediatamente después del éxito del primer *Quijote,* sino que dejó pasar nueve años, hemos de suponer que voluntariamente, antes de sacar a la luz en 1613 una nueva obra, las *Novelas ejemplares.* Le quedaban solamente tres de vida. En 1614 publicó el *Viaje del Parnaso,* y al año siguiente la segunda parte del *Quijote* así como las *Ocho comedias y ocho entremeses.* Murió en 1616. Un año después, por iniciativa de su viuda, apareció *Los trabajos de Persiles y Sigismunda.*

El contexto literario

Teoría y práctica de la novela en los siglos XVI y XVII

Durante la Antigüedad estaba muy extendida la idea de que los textos escritos en prosa no eran literarios, es decir, se pensaba que el verso era la verdadera marca formal de la literatura: entonces se llamaba *poesía* y *poeta* a lo que hoy nosotros denominamos respectivamente *literatura* y *escritor.* Con todo, ya había quien se preguntaba si ciertas obras en prosa no podrían considerarse *poesía,* es decir, literatura. De hecho, Aristóteles había afirmado en su *Poética* que una obra podía considerarse *poesía* (entendamos a partir de ahora: literatura) si imitaba la vida real, la naturaleza, independientemente de que estuviera escrita en verso o en prosa.

Los autores, italianos en su mayoría, que en el siglo XVI se ocuparon de la disciplina que hoy conocemos como Teoría de la Literatura estaban divididos: había quien, como Tasso, no dudaba en considerar *poesía* las novelas de aventuras, llamadas también bizantinas; y quien, como Escalígero, pensaba que sólo era literatura lo que se escribía en verso. Los autores españoles del siglo XVII fueron más flexibles. En general, aceptaron que ciertos textos en prosa pudieran considerarse literatura y colocarse al lado de los grandes poemas épicos como la *Ilíada* y la *Eneida*. Uno de estos teóricos, López Pinciano, descubrió que una extensa narración en prosa como la célebre *Historia etiópica de los amores de Teógenes y Cariclea*, escrita hacia el siglo IV por Heliodoro y traducida al castellano en 1554, relataba, como lo hacían los citados poemas épicos, una historia imaginaria, y que por tanto podía considerarse Literatura con mayúsculas, independientemente de su forma. Así lo escribió en su libro *Philosophía antigua poética* (1596), que, según algunos críticos actuales, influyó notablemente en las ideas literarias de Cervantes.

Sea como fuere, lo que parece deducirse de esta situación es que los autores de Teoría de la Literatura de los siglos XVI y XVII no otorgaron demasiada importancia a las obras de ficción en prosa, o al menos no tanta como a las que estaban escritas en verso; y consiguientemente, no les dedicaron mucho espacio en sus estudios. Se produjo de este modo un vacío teórico, cuya manifestación más visible fue la profusión de términos para designar lo que hoy conocemos simplemente como *novela*. Así, las novelas de caballerías se llamaban *libros de caballerías;* las de carácter sentimental eran *tratados;* una obra como *La lozana andaluza* se denominó *retrato;* y las novelas picarescas se titulaban *vidas*. El término *novela* significaba entonces «relato breve», y tendía a sustituir a la palabra *patraña*, con la que se conocía en español este tipo de narraciones. La palabra *novela* venía del italiano *novella*, vocablo que designaba en esta lengua un tipo de ficción en prosa, de extensión corta, cuyo máximo exponente era el *Decamerón* de Boccaccio.

Pese a esta laguna terminológica, las ficciones en prosa

eran numerosas a mediados del siglo XVI; y, de hecho, pueden agruparse en dos tendencias que la lengua española, al contrario que otros idiomas europeos, no distingue con palabras diferentes. A la primera de estas tendencias pertenecerían los relatos de carácter idealista (*roman* en francés o *romance* en inglés), que provenían de la Edad Media y cuyas características podrían resumirse en las siguientes:

1) Solían ser historias de amor, de aventuras o de ambas cosas a un tiempo.
2) A menudo presentaban un viaje, una búsqueda o una prueba.
3) Tenían un carácter más arquetípico o mítico que realista.
4) Estaban abiertos a la aparición de lo sobrenatural.
5) En ellos el tiempo y el espacio no estaban limitados a reglas empíricas.
6) Sus héroes y heroínas estaban idealizados (eran bellos, jóvenes, ricos...) y estilizados (más que personajes podrían considerarse arquetipos).
7) La psicología de los personajes era simple.
8) No planteaban cuestiones morales complejas y siempre triunfaban los personajes virtuosos, aunque el final no hubiera de ser feliz necesariamente.
9) Su estructura era simple: sucesión de episodios engarzados como cuentas de collar.
10) La acción y el desenlace estaban regidos por formidables casualidades o accidentes inesperados.
11) Estaban cercanos a los sueños, especialmente a aquellos que satisfacen deseos profundos.
12) Solían incluir numerosos detalles descriptivos y sensuales.
13) Su estilo era elevado y no contenían diálogos realistas.
14) Seguían muy de cerca el gusto de la época, por lo que solían quedar obsoletos en cuanto pasaba de moda la sensibilidad que los había engendrado.
15) En ellos la Naturaleza era la máxima expresión de la armonía espiritual, un espacio donde existía un orden racional, cuyo escalón más alto correspondía a Dios.

De esta vena idealista participaban géneros diferentes: libros de caballerías como el *Amadís de Gaula* (1508); tratados de amor idealizado como el *Siervo libre de Amor* (1449-1453); libros de pastores como *La Diana* (1559), de Jorge de Montemayor; libros de moriscos como el *Abencerraje* (1561); y libros bizantinos que siguen el modelo de la mencionada *Historia etiópica de los amores de Teógenes y Cariclea,* de Heliodoro, conocida como *Historia etiópica.*

La otra variante de ficción en prosa estaba constituida por los relatos de carácter realista (*nouvelle* en francés, *novel* en inglés), tendentes a lo cómico y a lo picaresco, y en los que desaparecía todo tipo de idealización y de fantasías. En este grupo también encontramos varios géneros: obras dialogadas de tradición celestinesca como el mencionado retrato titulado *La lozana andaluza* (1528) y escrito por Francisco Delicado; diálogos y coloquios como el *Viaje de Turquía;* relatos lucianescos como *El Crotalón,* de Cristóbal de Villalón; y, especialmente, novela picaresca, cuyos rasgos genéricos no debemos buscar en el *Lazarillo de Tormes,* sino en una obra posterior titulada *Guzmán de Alfarache* (1599), de Mateo Alemán. Las características de los relatos picarescos pueden servirnos para entender la ideología de esta segunda vertiente de ficción en prosa:

1) Las narraciones picarescas son cerradas y no admiten interpretaciones del lector, ya que están escritas para mostrar una verdad apriorística: la libertad de elección no existe y el pícaro está abocado desde su nacimiento a serlo. Para alcanzar su propósito, la historia utiliza una prehistoria (padres borrachos, madres prostitutas....) que se presenta como causa determinante del fin. La estructura de los libros de pícaros es un círculo cerrado que va desde una definición («el mundo es malo») a lo definido («¿lo quieres ver? Pues mira»).

2) El pícaro no dialoga realmente con los demás hombres a causa de la recíproca desconfianza que le une a ellos. No es que no hable con nadie, sí habla; pero no dialoga, ya que su punto de vista no es puesto nunca en cuestión por otras perspectivas.

Todo lo contrario: son sus propias ideas las que filtran el punto de vista de los demás personajes antes de que llegue hasta nosotros. De ese aislamiento provienen sus definiciones dogmáticas del mundo y sus retratos sin perspectiva de otros hombres. El pícaro pretende hacer pasar su verdad por la única verdad, y para ello ha de manipular a los lectores. El ejemplo más diáfano de esta manipulación consiste en relatar los sucesos de su vida, como hacen todas las novelas picarescas, desde un único punto de vista, imponiendo una sola versión de los hechos y no permitiendo que los lectores puedan formarse su propia opinión libremente. La picaresca necesita la primera persona del singular, ya que la expresión de otras ideologías podría contradecir el único mensaje que el autor-protagonista pretende transmitir a sus lectores desde la primera página: el mundo es malo.

3) Este empeño por demostrar desde el desengaño la maldad intrínseca del mundo le obliga a presentar sólo una parte del mismo: la más sucia, aquella en la que reinan el egoísmo y el engaño. La picaresca es en ese sentido una idealización inversa del mundo, puesto que emplea los mismos recursos que los romances caballerescos y los libros de pastores, sólo que con unas intenciones radicalmente opuestas.

4) La picaresca mantiene implícitamente la siguiente idea: la verosimilitud en literatura depende de la relación de los hechos con la realidad, esto es, cuanto más cercanos estén de nuestra experiencia cotidiana, más verosímiles resultarán. Según esto, las narraciones imaginarias nunca serán tan verosímiles como las verdades naturalistas de la picaresca.

5) En este tipo de obras la Naturaleza es entendida como lucha permanente, como un lugar donde reinan los instintos y la pasión sobre cualquier tipo de orden.

Aunque el español, ya se ha mencionado, no diferencia léxicamente entre ambas clases de literatura («romance» designa en nuestra lengua una determinada composición poética), nos convendría manejar los términos *romance* y *novela* porque no hay duda de que Cervantes sí distinguía, con estos nombres o con otros, entre esos dos modos de ficción en prosa. Es más, la actitud literaria de la que hace gala en las *Novelas ejemplares* sólo se entenderá si la situamos entre estas dos tendencias narrativas.

Cervantes entre el romance *y la* novela

En el panorama literario descrito no encontró Cervantes ninguna obra que le satisficiera a la vez artística e intelectualmente. El *romance* colmaba sus necesidades idealistas, pero no las intelectuales; y una obra como *La Celestina*, aunque le atraía intelectualmente, le desagradaba estéticamente por sus excesos naturalistas. La primera y la última de las obras publicadas por Cervantes —*La Galatea* (1585) y *Los trabajos de Persiles y Sigismunda* (1617)— son *romances*. Entre medias, Cervantes cultivó prácticamente todos los géneros existentes en su momento; pero la mayoría de los estudiosos coincide en que lo hizo siempre con un talante crítico y superador. Buen ejemplo de esta actitud es el modo en que utilizó la forma de uno de estos *romances*, el caballeresco, para hacer algo radicalmente distinto. En el *Quijote*, además, Cervantes incluyó *romances* moriscos como «La historia del cautivo» (1605) y «El amante liberal» (1613).

Aunque el nombre de Cervantes se une ya de modo inconsciente al *romance* (en especial al caballeresco), el crítico francés Marcel Bataillon señaló que las ideas literarias de Cervantes se perciben mejor estudiando su actitud frente a la novela (en especial la picaresca). Todo parece indicar que Cervantes no se sentía cómodo con el tipo de realismo que Mateo Alemán cultivaba en su *Guzmán de Alfarache*. Ya hemos dicho que era esta obra, y no el *Lazarillo de Tormes* (que fue muy leído sólo después de que el *Guzmán* se convirtiera en un éxito de imprenta), la considerada por nuestro escritor paradigma esencial del género picaresco y encarnación de todos los defectos narrativos que él achacaba a esta clase de novelas.

El mundo cervantino, el que aparece en las *Novelas ejemplares,* no es el del *romance,* aquel en el que el universo esta bien hecho, ni tampoco el de la novela picaresca, donde todo es violencia y suciedad. Cervantes, ya lo adelanto, funde ambos modos de narrar en sus *Novelas ejemplares,* y entiende la Naturaleza como un espacio en el que simultáneamente existen el orden y el caos, la armonía y la lucha. En sus *Novelas ejemplares,* expresión literaria de esta ideología integradora, no encontraremos *romances* en estado puro ni auténticas *novelas,* sino híbridos literarios, mezcla, contaminación y, por lo tanto, superación de los modos narrativos que había heredado al comienzo de su carrera literaria.

Las *Novelas ejemplares*

La cronología

Cervantes tiene 66 años y una cierta fama de escritor ingenioso cuando en 1613, tres años antes de su muerte, publica su tercer libro, cuyo título primitivo pudo ser *Novelas ejemplares de honestísima recreación.* Se trata de una colección de doce breves narraciones de ficción en prosa y de extensión más bien breve, sobre todo si las comparamos con sus dos obras anteriores, *La Galatea* y la primera parte del *Quijote.*

Es un hecho generalmente aceptado que Cervantes no las escribió de una vez, con un mismo propósito sostenido durante un prolongado período de tiempo, sino que estas piezas que conformaron finalmente el volumen y seguramente otras que incluyó en el *Quijote* —como *El curioso impertinente*— fueron compuestas a lo largo de su vida. Esta hipótesis está avalada por la existencia del llamado *Códice de Porras,* un manuscrito compuesto en 1604 por Francisco Porras de la Cámara, racionero de la Catedral de Sevilla, en el que éste copió para entretenimiento de su Arzobispo, Fernando Niño de Guevara, una serie de cuentos, cartas jocosas, agudezas, etc., y en el que también se incluían tres novelas inéditas y anónimas tituladas *La tía fingida* —atribuida a Cervantes durante algún tiempo—, *Rinconete y Cortadillo* y *El celoso extremeño*. El códice, que fue descubierto en 1788, está hoy perdido, aunque se ha salvado una copia del texto. Este códice pone de manifiesto que a principios del siglo XVII dos de las novelas que Cervantes iba a incluir diez o doce años más tarde en las *Ejemplares* eran ya de dominio público. No es muy aventurado concluir, por tanto, que Cervantes llevaba peleando con el novísimo género de la novela corta desde el comienzo de su carrera literaria. Que además pasaran ocho años desde el éxito del *Quijote* hasta que consideró acabado el volumen de las *Ejemplares,* cuando lo fácil hubiera sido aprovechar la buena racha, nos da pie para pensar que el resultado (número y clase de novelas, orden de las mismas dentro del libro, elementos que unifican las diferentes piezas, etc.) no fue fruto del azar o de la improvisación, sino de una consciente meditación literaria. Así parece ponerlo de manifiesto la seguridad con la que Cervantes afirma estar creando un nuevo género literario:

> Yo soy el primero que he novelado en lengua castellana, que las muchas novelas que en ella andan impresas todas son traducidas de lenguas extranjeras, y éstas son mías propias, no imitadas ni hurtadas: mi ingenio las engendró y las parió mi pluma y van creciendo en los brazos de la estampa.

De lo que ya no podemos estar tan seguros es del orden en el que las doce novelas fueron compuestas. Sobre este particular hay diferentes teorías, que varían según el perfil que cada hispanista desea e imagina para Cervantes, pero que en ningún caso han podido ser demostradas de modo concluyente. Algunos historiadores de la literatura, como Amezúa, creen que los *romances* fueron escritos antes que las *novelas,* de modo que Cervantes se dibuja como el creador de la novela moderna, entendiendo por tal la novela realista del siglo XIX, lo cual es también discutible. Hispanistas como El Saffar afirmaron, por el contrario, que Cervantes escribió primero las novelas más realistas (*El casamiento engañoso* y el *Coloquio de los perros,* por ejemplo) y que, según envejeció, fue haciéndose en lo ideológico más conservador, y escribiendo las novelas más idealistas de la colección, en las que el orden social apenas se cuestionaba *(La ilustre fregona).* El estudio de las correcciones operadas sobre la primera versión de novelas emblemáticas, como *Rinconete y Cortadillo* o la de *El celoso extremeño,* conservadas en el manuscrito de Porras, revelan, según esta otra teoría, una tendencia hacia el rebajamiento del tono crítico.

Sea como fuere, los análisis de la trayectoria literaria e ideológica de Cervantes enfocados desde estos puntos de vista chocan siempre con el mismo hecho: la primera y la última obra de Cervantes —*La Galatea* y el *Persiles*— pertenecen, como se ha dicho, a la categoría de literatura idealizada que hemos llamado *romance.*

Un modo de no tropezar en este escollo sería pensar, como hemos adelantado, que Cervantes no trató nunca de cultivar un género y de rechazar su contrario, y que por tanto nunca existió evolución de uno a otro, sino más bien un permanente intento de fundir los maravillosos sucesos de la literatura idealista, de los *romances,* con la verosimilitud de la *novela* más realista. Estamos ante la mezcla dialógica del mundo material y el espiritual, ante una obra que satisface la dimensión espiritual del hombre; pero que no olvida su necesidad de placer honesto, que tiene en suma muy presente la virtud clásica de la eutrapelia.

La eutrapelia

Uno de los primeros lectores de las *Novelas ejemplares* fue el fraile Juan Bautista, censor encargado de aprobar el texto cervantino. Fue él quien en 1612 escribió lo siguiente:

> He visto y leído las doce novelas ejemplares compuestas por
> Miguel de Cervantes Saavedra, y supuesto que es sentencia llana

del angélico doctor Santo Tomás que la eutropelia es virtud, la que consiste en un entretenimiento honesto, juzgo que la verdadera eutropelia está en estas novelas.

Con la palabra *eutrapelia* Aristóteles había designado en una obra suya, *Ética a Nicómaco,* una virtud que, según él, debían tener todos los hombres: la virtud de saberse divertir moderadamente. Para Aristóteles, el hombre ideal era aquel capaz de abandonar sus actividades serias para divertirse sin excesos y volver con fuerzas renovadas al trabajo. De hecho, Cervantes declaraba la naturaleza lúdica de su obra:

> Mi intento ha sido poner en la plaza de nuestra república una mesa de trucos donde cada uno pueda llegar a entretenerse sin daño de barras (...) Sí, que no siempre se está en los templos, no siempre se ocupan los oratorios, no siempre se asiste a los negocios por calificados que sean. Horas hay de recreación donde el afligido espíritu descanse. Para este efeto se plantan las alamedas, se buscan las fuentes, se allanan las cuestas y se cultivan con curiosidad los jardines.

En el siglo XVII la palabra se deformó: de *eutrapelia* pasó a *eutropelia,* y con esta forma aparece en el *Tesoro de la lengua castellana o española,* el diccionario de Covarrubias, publicado en 1611. La nueva palabra se define aquí como «un entretenimiento de burlas graciosas y sin perjuizio como son los juegos de mastrecoral». El cambio de vocal, como vemos, indica una modificación semántica: la palabra *eutropelia* ya no designa, en general, como lo hacía el término griego *eutrapelia,* la virtud de la diversión moderada que había postulado Aristóteles, sino un tipo específico de entretenimiento: el que produce el juego de mastrecoral, llamado hoy *juego de manos* o de *prestidigitación.* Junto a *eutropelia,* corría por aquellos mismos años una versión aún más deformada de la palabra, en la que se había eliminado el prefijo: se trata de la voz *tropelia* o *tropelía,* que no tenía el significado que hoy conocemos, sino que hacía referencia a las manipulaciones que hacen parecer unas cosas por otras. La palabra *tropelía* había perdido toda referencia a la virtud del entretenimiento moderado de su origen etimológico, para designar exclusivamente la manipulación en sí misma. Con este significado aparece en el *Coloquio de los perros,* cuando la bruja Cañizares le revela al perro Berganza que en realidad no es un can, sino un ser humano:

> Sé que eres persona racional y te veo en semejanza de perro, si ya no es que esto se hace con aquella ciencia que llaman tropelía, que hace parecer una cosa por otra.

No sólo el *Coloquio,* sino también *El casamiento engañoso* y, en general, todas las *Novelas ejemplares* muestran universos tropélicos en los que continuamente se hacen pasar unas cosas por otras. Encontramos jóvenes aristócratas que se hacen pasar por pícaros o por gitanos, hombres que son mujeres, nobles que parecen fregonas, señoras que parecen ligeras sin serlo y otras que no lo aparentan, pero lo son. Según Bruce Wardropper, las *Novelas ejemplares* utilizan la tropelía, es decir, el recurso de hacer parecer una cosa por otra, para divertir con moderación a los lectores. Debemos imaginar a Cervantes como un prestidigitador que sólo busca entretener a su público con inofensivos juegos de manos, mediante los que cualquier imposible es, durante los instantes de la lectura, posible y verosímil. Wardropper sugiere que el fraile Juan Bautista usó en su *Aprobación* el término *eutropelia,* en vez de *eutrapelia,* conocedor de la evolución de la palabra y consciente de que las *Ejemplares* buscaban aquel divertimento honesto, del cual hablaba Aristóteles *(eutrapelia),* mediante una especie de juego de mastrecoral o juego de manos, a través de una técnica de prestidigitación literaria, de una serie de tropelías que hacían parecer unas cosas por otras.

La admiración verosímil

Una de las ideas más extendidas entre teóricos y escritores del Siglo de Oro era que la literatura, al margen ya de que fuera verso o prosa, debía provocar admiración, pero que —esto era lo importante— debía conseguirlo con sucesos verosímiles. La raíz de esta idea hay que buscarla en Aristóteles y en su libro de la *Poética,* donde afirmaba que los escritores, al contrario que los historiadores, no debían contar la historia como ésta había sucedido, sino como podría o debería haber ocurrido. De ahí que para Aristóteles hubiera dos tipos de textos: por una parte, los históricos, que serían verdaderos en tanto en cuanto relataran hechos verdaderos; y por otra los textos literarios, que serían verdaderos, es decir, aceptables literariamente, en tanto en cuanto relataran los sucesos de un modo verosímil.

A nadie se le escapa la dificultad de conseguir que un suceso disparatado parezca verosímil. De las ideas expuestas por Aristóteles parecía deducirse que para conseguir la verosimilitud el artista no debía exceder los límites de la naturaleza. Pero imitar la naturaleza no significa copiarla. La naturaleza no es arte, y la transcripción de la realidad no es, por sí misma, artística. Cervantes sabía que ningún personaje, ninguna escena extraída de la vida era más estimable estéticamente porque tuviera origen real. Para él, lo posible y lo imposible, lo verosímil y lo inverosímil no eran conceptos objetivos y absolutos, sino relativos; conceptos que nacían de la relación entre el sujeto y el objeto, es decir, del modo y de la perspectiva desde la que se miraran las cosas, igual que sucede en los espectáculos de prestidigitación, en las tropelías.

En sus *Novelas ejemplares* demostró que los episodios en una obra de ficción no resultaban verosímiles por su relación con la experiencia del lector, sino que podían hacerse verosímiles desde el interior de la obra si se jugaba de modo adecuado con los elementos propios de la ficción. Pongamos un ejemplo: un coloquio entre dos perros resulta inverosímil porque semejante suceso no se encuentra entre nuestras experiencias como lectores ni como seres humanos, es decir, porque no imita a la naturaleza; pero basta con que esta conversación canina se presente como la narración de un personaje un tanto sospechoso, para que resulte aceptable y verosímil, ya que la inverosimilitud pasa de este modo a formar parte de la ficción. Conclusión: la verosimilitud de un suceso no depende de su relación con la realidad, sino de la manera de presentarlo, de una serie de contrastes y efectos de perspectiva. Podemos comprender mejor la técnica de Cervantes si la comparamos, como se ha dicho más arriba, con la del prestidigitador que sabe hacer posibles sucesos imposibles, como encontrar una paloma en el interior de una chistera o que un noble español se enamore perdidamente de una fregona toledana. Cervantes era muy consciente de lo que había conseguido con sus *Novelas ejemplares,* y así lo manifiesta en su largo poema *Viaje del Parnaso:*

> Yo he abierto en mis *Novelas* un camino
> por do la lengua castellana puede
> mostrar con propiedad un desatino.

> (IV, 25-28)

Como dicen Sevilla y Rey, Cervantes consigue que *romances* como *La ilustre fregona* tengan mucho en común con novelas como *El casamiento engañoso* o el *Coloquio de los perros.* En todos los casos un suceso imposible parece ser posible. Estas *Novelas* son ejemplares no porque aleccionen moralmente, sino porque todas ellas muestran de qué modo la tropelía puede ser utilizada como técnica literaria para conseguir una admiración verosímil que provoque diversión eutrapélica. Divertimento que, como bien han visto los dos investigadores citados, también debe mucho al carácter laberíntico de su construcción. Visto así, desde el punto de vista de la eutrapelia, Cervantes consigue superar la radical diferencia entre el *romance* y la *novela* no sólo en el interior de cada novela, sino en un plano exterior, demostrando que decía la verdad cuando

en el prólogo prometía honesto fruto de la lectura individual
y de la de todas en su conjunto.

La unidad y la variedad

Otra de las ideas en las que coincidían casi todos los teóricos y escritores áureos fue la de que las obras literarias debían
tener variedad de elementos, pero sin llegar a perder nunca
su carácter unitario. Esta idea también venía de Aristóteles,
que en su *Poética* había equiparado la ficción perfecta al
cuerpo de un animal bien formado; y la imperfecta a la de
un monstruo constituido por miembros de distintos animales. El Pinciano pensaba que aunque una historia estuviera
compuesta de varios elementos y sucesos, todos ellos debían
girar alrededor de una acción o un suceso principal que los
unificara.

Aparentemente, las doce narraciones incluidas en las
Novelas ejemplares eran muy diferentes entre sí; algunas podían
considerarse novelas realistas (*El licenciado Vidriera, El celoso
extremeño* o *El casamiento engañoso*) y otras parecían claramente *romances* idealizados (*El amante liberal);* había historias de
jóvenes aristócratas, que se hacían pasar por pícaros para
conseguir el amor de mujeres de ínfima extracción social,
que al final resultaban ser de alto linaje (*La gitanilla, La ilustre fregona);* había novelas aparentemente picarescas (*Rinconete y Cortadillo);* y había narraciones bizantinas (*La española
inglesa*) al lado de otras que recreaban la inverosimilitud
artística de las comedias de capa y espada (*La fuerza de la sangre, La señora Cornelia, Las dos doncellas*). Esta mezcla de realismo e idealismo llegaba a encontrarse incluso, como se ha
dicho, en el interior de una misma narración, como era el
caso del *Coloquio de los perros,* donde se recreaba el sórdido
mundo picaresco mediante una animada y poco realista
charla entre dos perros.

Entre tanta variedad, llamó la atención de sus contemporáneos la ausencia de un marco que agrupara, como en el
Decamerón de Boccaccio, todas las narraciones. Éste era

generalmente el esquema seguido por las obras compuestas de relatos cortos de Tirso de Molina, Lope de Vega, María de Zayas, Salas Barbadillo, Castillo Solórzano o Céspedes y Meneses. Tirso de Molina llega a decir en sus *Cigarrales de Toledo* que las *Novelas ejemplares* de Cervantes están «ensartadas unas tras otras como procesión de disciplinantes», puesto que no percibe entre ellas «argumento que lo comprenda todo».

Sin embargo, la intención de proporcionar al conjunto una apariencia de unidad resulta patente hasta en el número de novelas elegido. Pudiendo haber considerado *El casamiento engañoso* y el *Coloquio de los perros* una sola novela, Cervantes decidió desdoblarlas para obtener de este modo doce piezas y no once. Nuestro escritor quería evidentemente dar de este modo un carácter unitario a su libro: doce novelas ejemplares del mismo modo que hay doce meses, doce signos del Zodiaco o doce apóstoles.

Además, en el prólogo con el que se abría el volumen, Cervantes afirmaba que, por encima de las diferencias, había un principio que unificaba las novelas; y añadía:

> Si no fuera por no alargar este sujeto, quizá te mostrara el sabroso y honesto fruto que se podría sacar así de todas juntas.

Se ha escrito mucho acerca de ese misterioso, «sabroso y honesto fruto» de las *Novelas ejemplares* que se podía extraer «de todas juntas». Muchos investigadores actuales han buscado el común denominador de todas las historias, elaborando en algunos casos complicadas teorías y forzadas interpretaciones como la de Casalduero, para quien las *Novelas ejemplares* giraban en torno al tema del amor y del matrimonio. Para Walter Pabst, en cambio, era la última novela, el *Coloquio de los perros,* la que servía de marco unificador. En su conversación, Cipión y Berganza revisan todos los tipos literarios que han protagonizado las novelas anteriores (gitanas, estudiantes, aristócratas) con el fin de desenmascarar su naturaleza literaria.

Los profesores Sevilla y Rey han notado recientemente que, si esto fuera así, Cervantes estaría obligándonos a leer cuidadosamente y por su orden todas y cada una de las novelas, ya que la lectura desordenada o incompleta de la colección impediría percibir que el *Coloquio de los perros* es, como quiere Pabst, marco de todas las ficciones anteriores. Y nada hay, sin embargo, más alejado del talante cervantino que coartar la libertad de sus lectores, obligar o dirigir sus lecturas, impedirles que lean cualquier novela al azar o que cierren el libro cuando les venga en gana. La unidad de la colección cervantina, dicen estos investigadores, no viene tanto de un marco cuanto de una serie de múltiples conexiones temáticas, argumentales, estructurales y arquitectónicas, que no condicionan a priori la lectura ni exigen que ésta se haga de un modo determinado. Los esquemas argumentales, las características de los personajes, los nombres de algunos protagonistas o los puntos de vista se repiten, se invierten o se duplican, aparecen y desaparecen, formando un tejido textual que mantiene unida la colección sin restarle un ápice de libertad al lector. Algunos ejemplos de esta intertextualidad cervantina son las evidentes similitudes entre Preciosa, la protagonista de *La gitanilla,* y Constanza, la ilustre fregona; así como las de sus respectivas parejas; los cambios que sufren algunos protagonistas (Carriazo y Avendaño se transforman en pícaros, Cipión y Berganza son niños transformados en perros, etc.); o la coincidencia de muchas novelas en presentar parejas de personajes en vez de un solo protagonista, que, como hemos visto en el caso de la picaresca, obligaría a presentar los sucesos desde un único punto de vista. Lo esencial es que esta peculiar manera de unificar las novelas respeta la libertad de cada lector de establecer tales nexos, ya que unos percibirían las conexiones estructurales, otros las argumentales, y otros, finalmente, podrían darse cuenta de que las doce novelas tenían también como denominadores comunes la eutrapelia y la ejemplaridad.

La ejemplaridad

¿De qué daban ejemplo las *Novelas ejemplares?* Cervantes había dicho en su prólogo:

> Heles dado nombre de ejemplares, y si bien lo miras, no hay ninguna de quien no se pueda sacar algún ejemplo provechoso.

Resultaba verosímil pensar que la ejemplaridad moral fuera el propósito de estas novelas, razón que, por otra parte, explicaría su título. Esta hipótesis parecía confirmarse con otras palabras del prólogo cervantino:

> Los requiebros amorosos que en algunos hallarás son tan honestos y tan medidos con la razón y discurso cristiano que no podrán mover a mal pensamiento al descuidado o cuidadoso que las leyere (...) Una cosa me atreveré a decirte, que si por algún modo alcanzara que la lección destas novelas pudiera inducir a quien las leyera a algún mal deseo o pensamiento, antes me cortara la mano con que las escribí, que sacarlas en público.

No debemos olvidar, sin embargo, la necesidad que tenían los escritores de hacer este tipo de declaraciones de cara a la censura, especialmente si el género en el que se alineaba la colección —la novela— hacía pensar en la *novella* italiana, caracterizada en algunos casos por su subido tono erótico. No sería de extrañar que el título del libro cervantino —*Novelas ejemplares*—, oído de primeras, sonara como una paradoja. Sin embargo, ninguna de las novelas sigue el esquema de libros moralizantes como el *Guzmán de Alfarache* o *La Pícara Justina;* y con excepción de dos o tres novelas, la ejemplaridad de la colección es muy discutible.

Américo Castro pensaba que la insistencia de Cervantes en el carácter moralizante de las *Novelas ejemplares* —ausente en el prólogo del primer *Quijote*— se explicaría por una evolución ideológica de su autor hacia posturas más conservadoras. Según él, Cervantes era cristiano nuevo, y tras el éxito de la primera parte del *Quijote,* habría abandonado sus ideas críticas acerca del orden social español y asimilado los intereses de la casta dominante, haciéndose más conformista. Pero no hay pruebas suficientes para considerar a Cervantes cristiano nuevo y, si bien lo miramos, sus últimas obras, aquellas que según Castro deberían mostrar un espíritu más conservador, pueden considerarse tan críticas como la primera parte del *Quijote.*

Antonio Rey ha desarrollado de modo brillante una idea que había sido sugerida por otros críticos: la ejemplaridad a la que se refiere Cervantes es estética y no moral. Efectivamente, nada impide interpretar de este modo las palabras anteriores de Cervantes y pensar que escribió estas novelas como ejemplo del modo en que debían escribirse las novelas; como si para él en el arte no existiera otra moral que la moral estética, o como si una obra ejemplar estéticamente fuera siempre una obra ejemplar moralmente.

Se ha subrayado también la libertad que Cervantes da al lector para que perciba tal ejemplaridad. Con la frase «si bien lo miras, no hay ninguna de quien no se pueda sacar algún ejemplo provechoso», escrita en su prólogo, no sólo dejaba en nuestras manos la posibilidad de aprovecharnos de la supuesta ejemplaridad de sus *Novelas,* sino que se nos invitaba a participar activamente en la formación del sentido de las mismas. Esta demanda de un lector activo, tan moderna para nosotros, tiene su origen en la concepción erasmista del hombre, celosa del libre albedrío y de la libertad humana.

El estilo dialógico de Cervantes

Es difícil hablar del estilo de una novela o de un autor sin cometer el frecuente error de confundirlo con el estilo de algún personaje o incluso con el del narrador. Este peligro es mayor si nos las vemos con un escritor como Cervantes, que posee una genial habilidad para desaparecer en sus escritos, cargando siempre toda responsabilidad estilística en sucesivos narradores. Como a principios del siglo XX mostraron los trabajos del ruso Mijail Bajtin, hay tantos lenguajes como grupos sociales. Existe un lenguaje de los presos, un lenguaje de los colegiales y un lenguaje de las amas de casa. El lenguaje de los gitanos, de las mozas de mesón, el lenguaje de los aristócratas o el de los presentadores de televisión convive con el de los agricultores, con el lenguaje de los políticos o con el de los banqueros. Todos hemos tenido alguna vez la certeza de estar utilizando un verbo o un sustantivo que no nos pertenecía o la sensación de que alguien usaba una palabra que olía a algo o a alguien. Las palabras y los lenguajes no son entes inmaculados, neutrales o inocentes, sino que remiten a una situación social y, en consecuencia, a un modo de pensar y de ver el mundo: a una ideología. Las palabras no son objetos puros y neutros que una persona pueda poseer, sin más; todo lo contrario: en las palabras que utilizamos permanecen, a veces a nuestro pesar, los restos ideológicos que han dejado los usuarios de otro tiempo o de otra posición social. Los lenguajes sociales conviven en permanente combate, robándose palabras y contaminándose mutuamente. El mundo moderno no es monoglósico, sino heteroglósico, es decir, no contiene un solo lenguaje, sino que en él conviven, estableciendo relaciones de poder entre ellos, diferentes lenguajes sociales: palabras, expresiones, incluso géneros literarios que hoy están de moda, pueden estar mañana desprestigiados socialmente.

Cervantes fue muy consciente de que vivía en un mundo heteroglósico, en medio de una gigantesca conversación. *El Quijote* es probablemente la obra que mejor recoge este fenómeno. En el nivel más básico, esta novela es una larga conversación entre dos hombres que recorren La Mancha. Es evidente que Don Quijote y Sancho Panza hablan el mismo idioma; lo que no está tan claro es que compartan el mismo lenguaje: Don Quijote es un hidalgo contaminado por la literatura caballeresca y Sancho es un campesino que podría expresarse exclusivamente a base de refranes. No entienden el mundo del mismo modo, no comparten la misma ideología y sus lenguajes son diferentes: lo que para Sancho son molinos de viento para Don Quijote son gigantes. A lo largo de la novela, como sucede a lo largo de la vida entre personas que conviven, sus respectivos lenguajes se van contaminando el uno del otro. Digamos ya de entrada que no vamos a encontrar en las *Novelas ejemplares* este tipo de contaminación de lenguajes, cuya expresión necesita una narración más extensa. Sí observaremos en ellas la dispersión de lenguajes sociales que conviven en permanente diálogo. La algarabía de la posada del Sevillano en *La ilustre fregona* es un buen ejemplo de ello.

El talento dialógico de Cervantes se percibe mejor en otro nivel. Más arriba, al hablar del *romance* y la *novela,* se ha querido transmitir la idea de que un género es siempre la expresión literaria de una manera de entender el mundo, es decir, de una ideología. Podríamos decir que los géneros son las formas literarias que adoptan ciertos lenguajes sociales. Entendidos el *romance* y la *novela* de este modo, sí encontraremos en estas novelas ejemplos de diálogo entre diferentes lenguajes sociales, entre distintos modos de percibir el universo. Cervantes heredó, como se ha dicho, dos géneros monoglósicos y opuestos, el *romance* y la *novela.* Ninguno de ellos coincidía con sus presupuestos genéricos, ni le sirvió para contener su imagen de la vida. Frente a la monoglosia del *romance* y la monoglosia de la novela picaresca, Cervantes intentó resolver el problema —que es un problema a la vez literario e ideológico— en las *Novelas ejemplares,* donde se oye al mismo tiempo la voz idealista y clara del *romance* y el ronco sonido de la *novela.* Ante una divergencia estética e ideológica, Cervantes no opta por ninguna solución autoritaria y monoglósica, sino por el diálogo entre ambas.

La ilustre fregona

La historia central de esta novela (un joven aristócrata se enamora de una fregona que sirve en una posada) no es muy complicada y tampoco era muy original, ya que el tema del amor o de las relaciones entre personajes de diferente clase social aparecía frecuentemente en el folklore y en la literatura con diversas variantes. Después de la publicación de *La ilustre fregona* han existido varios intentos de dramatizar la historia. Avalle Arce da cuenta de una comedia del mismo título, atribuida a Lope de Vega e imitada por Diego de Figueroa y Córdoba en otra, titulada *La hija del mesonero*. Existe finalmente otra versión de José de Cañizares titulada *La más ilustre fregona*.

Puesto que la historia no tiene en sí mayor importancia, debemos prestar atención al modo en que Cervantes relata una fábula tan sencilla y tan conocida, al modo en que entrelaza otras historias con la trama central y al contraste que se establece entre ellas. De entrada, lo primero que llamará nuestra atención será la inclusión de una historia de amor en lo que durante las primeras páginas nos parecerá una novela picaresca. Pero incluso esta pretendida historia picaril nos admirará porque en ella los protagonistas no son pícaros que se hacen pasar por nobles, como era habitual, sino aristócratas que se fingen pícaros.

El casamiento engañoso y el *Coloquio de los perros*

Aunque en muchas ocasiones se ha considerado el *Coloquio de los perros* una novela independiente, lo cierto es que para alcanzar su sentido completo debe leerse siempre junto a *El casamiento engañoso*. Pero en este punto, como en tantos otros, Cervantes tampoco es radical: aunque es evidente que las dos novelas forman un todo, también quiso considerarlas unidades independientes, y las tituló de modo diferente para que en vez de once fueran doce, por las razones que se han mencionado más arriba. De hecho, podría decirse que para alcanzar el sentido unitario que poseen deben leerse como novelas independientes.

La historia de *El casamiento...* tampoco es muy original, ya que puede documentarse en varios cuentecillos que circularon durante el Siglo de Oro. Algunos críticos han llegado a decir que si no existiera el *Coloquio, El casamiento* no pasaría de ser un buen relato sobre el conocido tema del engañador engañado. En la primera de esta doble novela dos amigos, Campuzano y Peralta, se encuentran a la puerta de un hospital de sifilíticos, de donde en ese momento sale el primero. Preguntado por Peralta, el otro le da cuenta de los sucesos que le han llevado allí. Al cabo del relato, Campuzano dice haber oído una noche hablar a los dos perros que cuidan el hospital, haber retenido el coloquio en la memoria y haberlo escrito. Acto seguido, se lo entrega a Peralta para que lo lea. El verdadero título del *Coloquio* es: «Novela y coloquio que pasó entre Cipión y Berganza, perros del Hospital de la Resurrección, que está en la ciudad de Valladolid, fuera de la Puerta del Campo, a quien comúnmente llaman los perros de Mahudes». Peralta, un tanto incrédulo, lo lee a la vez que nosotros lo hacemos. En él, Berganza, siguiendo la tradición picaresca, hace una relación de los distintos amos que ha tenido. El hecho de que se trate de una conversación entre dos perros que esperan convertirse en hombres lo emparenta por una parte con el diálogo de tradición erasmiana —género muy célebre durante el Renacimiento—; y por otra con la llamada fábula milesia, cuyo modelo más conocido fue *El asno de oro,* de Apuleyo.

En las tres novelas veremos personajes de ficción situados en lugares reales y conviviendo con personas que existieron en verdad. Así, hubo efectivamente en Toledo una posada del Sevillano *(La ilustre fregona),* un Hospital de la Resurrección en Valladolid *(El casamiento engañoso),* y existieron Mahudes y sus perros y una bruja —la Camacha— condenada por la Inquisición *(Coloquio de los perros).* Sobre el alcance de éste y otros aspectos mencionados a lo largo de esta introducción reflexionaremos en las «Orientaciones para el estudio».

Bibliografía[1]

Amezúa y Mayo, Agustín G. de: *Cervantes, creador de la novela corta española. Introducción a la edición crítica y comentada de las Novelas ejemplares*, Madrid, Consejo Superior de Investigaciones Científicas, 1956. Obra monumental que contiene abundantísima información sobre el contexto literario de Cervantes, así como sobre la transmisión y recepción de su obra.

Anthropos. Miguel de Cervantes. La invención poética de la novela moderna. Estudios de su vida y obra. XCVIII-XCIX (1989). Contiene diversos trabajos sobre las diferentes obras cervantinas. En lo referente a la que nos ocupa, destaca el trabajo de Alberto Blecua, «Las *Novelas ejemplares*», pp. 73-76.

Casalduero, Joaquín: *Sentido y forma de las Novelas ejemplares*, Madrid, Gredos, 1962. Libro clásico, de obligada cita en cualquier trabajo sobre el particular a causa de sus brillantes intuiciones; en muchos aspectos está, sin embargo, superado.

Castro, Américo: *El pensamiento de Cervantes*, Barcelona, Noguer, 1980. Muchos de los planteamientos y de las ideas actuales sobre Cervantes y sobre las *Novelas ejemplares* están insinuados en este libro. Conviene relativizar la idea de que Cervantes era converso.

---

[1] Utilícense también las referencias bibliográficas del apartado «Documentos y juicios críticos».

Miguel de Cervantes: *Novelas ejemplares,* edición de Juan Bautista Avalle Arce, Madrid, Castalia, 1987 (3 vols.). Esta edición, que se abre con una introducción muy clara y muy completa, contiene las novelas apócrifas que aparecían en el manuscrito de Porras.

Pabst, Walter: *La novela corta en la teoría y en la creación literaria,* Madrid, Gredos, 1972. Dedica un apartado a las *Novelas ejemplares* de Cervantes dentro de un estudio más amplio que abarca Portugal, Francia e Italia, remontándose a los *exempla* medievales.

Riley, E. C.: *Teoría de la novela en Cervantes,* Madrid, Taurus, 1989, 3.ª reimpresión. A través del estudio de la teoría literaria implícita y explícita en las diferentes obras cervantinas, se nos proporciona una introducción muy completa a sus ideas sobre la verosimilitud, la variedad, la imitación, y otros aspectos de la novela.

Suma Cervantina, Ed. J. B. Avalle Arce, and E. C. Riley, London: Tamesis Books, 1973, pp. 81-118. Destacan los artículos de Peter Dunn: «Las *Novelas ejemplares*», pp. 81-118, y de Marcel Bataillon: «Relaciones literarias», pp. 215-232.

Retrato apócrifo de
Miguel de Cervantes,
por Juan de Jáuregui,
1600. Real Academia
Española, Madrid.

Fragmento de un documento autógrafo de Cervantes, con su firma.

NOVELAS
EXEMPLARES
DE MIGVEL DE
Ceruantes Saauedra.

DIRIGIDO A DON PEDRO FERNAN-
dez de Castro, Conde de Lemos, de Andrade, y de Villalua,
Marques de Sarria, Gentilhombre de la Camara de su
Magestad, Virrey, Gouernador, y Capitan General
del Reyno de Napoles, Comendador de la En-
comienda de la Zarça de la Orden
de Alcantara.

Año 1613.

Cō priuilegio de Castilla, y de los Reynos de la Corona de Aragō.
EN MADRID, Por Iuan de la Cuesta.

Vendese en casa de Frācisco de Robles, librero del Rey nrō Señor.

TABLA DE
las Nouelas.

¶ 1   FEE

Portada y tabla, o índice, de la primera edición de las *Novelas ejemplares,* impresa por Juan de la Cuesta, Madrid, 1613.

Grabado de *La ilustre fregona,*
edición de Antonio de Sancha, Madrid, 1783.

Ilustración de *El casamiento engañoso,*
edición de Antonio de Sancha, Madrid, 1783.

Ilustración del *Coloquio de los perros*,
edición de Antonio de Sancha, Madrid, 1783.

Monumento a Cervantes.
Alcalá de Henares.

Cervantes soldado (el primero por la izquierda), con otros personajes
célebres de su época, entre ellos Alonso de Ercilla y Lope de Vega.
Azulejos del palacio de los marqueses de Santa Cruz.

Nota previa

No es este tipo de ediciones el más apropiado para hacer contribuciones a la crítica textual cervantina. Aquí, por tanto, me limito a reproducir *La ilustre fregona*, *El casamiento engañoso* y el *Coloquio de los perros* según la primera edición de las *Novelas ejemplares*, publicada en Madrid por Juan de la Cuesta en 1613. Sabemos que este texto no reproduce la ortografía de Cervantes, sino más bien los hábitos del cajista que lo compuso. Carece, pues, de sentido transcribirlo tal cual, sobre todo tratándose de una colección de esta naturaleza. Aunque he tratado de facilitar su lectura, no he querido que el lector al que se dirige esta edición tuviera la impresión de que Cervantes escribía en una suerte de español del siglo XX. Así pues, he modernizado con moderación el texto del facsímil publicado por la Real Academia Española (Madrid, 1981), simplificando, de acuerdo con criterios actuales, oposiciones gráficas sin valor fonológico (*pasaron* en vez de *passaron*; *fuerza* en vez de *fuerça*; *volvían* en vez de *boluian*; *lejos* en vez de *lexos*, etcétera), desarrollando las abreviaturas, corrigiendo las erratas de imprenta, puntuando y acentuando según la norma actual. Se han respetado, en cambio, las peculiaridades de la lengua del siglo XVII, tales como la permanencia de *ciertos* grupos cultos de consonantes (mantengo *respecto*; pero no *asumpto* o *prompto*, que se transcriben *asunto* y *pronto*, como probablemente ya se pronunciaban entonces), o su ausencia (*efeto* por *efecto*). Se conservan asimismo las aglutinaciones de la preposición *de* con pronombres y demostrativos (*dél*, *desta*...), las vacilaciones de timbre (*recebir*), la asimilación de *r* en los infinitivos con pronombre personal (*recebillo*) y, en general, todos los rasgos característicos de esta lengua (*priesa*, *trujo*...), haciendo uso de las notas cuando la forma del texto dificulte su prensión. Para las notas me he valido de los diccionarios habituales (*Tesoro de la lengua castellana o española,* de Sebastián de Covarrubias, y *Diccionario de Autoridades*), así como de las ediciones de las *Novelas ejemplares* llevadas a cabo por Harry Sieber, Juan Bautista Avalle Arce y por Florencio Sevilla y Antonio Rey.

NOVELA
DE LA ILUSTRE FREGONA

En Burgos, ciudad ilustre y famosa, no ha[1] muchos años que en ella vivían dos caballeros principales y ricos: el uno se llamaba don Diego de Carriazo, y el otro, don Juan de Avendaño. El don Diego tuvo tuvo un hijo, a quien llamó de su mismo nombre, y el don Juan otro, a quien puso don Tomás de Avendaño. A estos dos caballeros mozos, como quien[2] han de ser las principales personas deste cuento, por excusar y ahorrar letras, les llamaremos con solos los nombres de Carriazo y de Avendaño.[(1)]

Trece años, o poco más, tendría Carriazo cuando, llevado de una inclinación picaresca, sin forzarle a ello algún mal tratamiento que sus padres le hiciesen, sólo por su gusto y antojo, se desgarró,[3] como dicen los muchachos, de casa de sus

---

[1] *ha:* hace.   [2] *como quien:* como quienes.   [3] *se desgarró:* se apartó.

(1) *La ilustre fregona* comienza, como el *Quijote,* con dos complementos circunstanciales, uno de lugar —en Burgos— y otro de tiempo —no ha muchos años—, que sitúan la acción en un lugar real y en un tiempo cercano. El suceso parece ofrecerse como un suceso verdadero históricamente (véase Introducción). Dos líneas más abajo estas expectativas historicistas son defraudadas al reconocer el narrador que Carriazo y Avendaño son «las principales personas deste cuento», es decir, personajes de ficción. Además, el narrador llega a un acuerdo con los lectores: les llamaremos, dice (él y nosotros), Carriazo y Avendaño. Nosotros, los lectores, nos vemos involucrados en el juego, desempeñando el papel de cómplices y espectadores.

padres, y se fue por ese mundo adelante, tan contento de la
vida libre, que en la mitad de las incomodidades y miserias
que trae consigo no echaba menos[4] la abundancia de la casa
de su padre, ni el andar a pie le cansaba, ni el frío le ofendía,
ni el calor le enfadaba. Para él todos los tiempos del año le
eran dulce y templada primavera; tan bien dormía en par-
vas[5] como en colchones; con tanto gusto se soterraba[6] en un
pajar de un mesón como si se acostara entre dos sábanas
de holanda.[7] Finalmente, él salió tan bien[8] con el asunto de
pícaro, que pudiera leer cátedra en la facultad al famoso
de Alfarache.[9] (2)

En tres años que tardó en parecer[10] y volver a su casa
aprendió a jugar a la taba[11] en Madrid, y al rentoy[12] en las
Ventillas de Toledo,[13] y a presa y pinta[14] en pie en las barbacanas[15] de Sevilla; pero con serle anejo a este género de
vida la miseria y estrecheza, mostraba Carriazo ser un príncipe[16] en sus cosas: a tiro de escopeta,[17] en mil señales, descubría ser bien nacido, porque era generoso y bien partido[18]
con sus camaradas. Visitaba pocas veces las ermitas de Baco,[19]
y aunque bebía vino, era tan poco, que nunca pudo entrar en
el número de los que llaman desgraciados, que con alguna
cosa que beban demasiada, luego[20] se les pone el rostro

---

    [4] *echaba menos:* echaba de menos.   [5] *parvas:* cereal esparcido por el suelo de la
era.   [6] soterraba: enterraba.   [7] *holanda:* tela muy fina.   [8] *salió tan bien:* llegó a ser
tan diestro.   [9] *Alfarache:* Guzmán de Alfarache, protagonista de la novela picaresca
del mismo nombre escrita por Mateo Alemán. De 1599 es la primera parte y de 1604
la segunda.   [10] *parecer:* aparecer.   [11] *taba:* juego que consiste en tirar al aire una
taba −un pequeño hueso de la rodilla de los carneros− como si fuera un dado.
[12] *rentoy:* juego de cartas.   [13] *Ventillas de Toledo:* ventas situadas en el camino de Madrid
a Toledo, que servían a los pícaros de centro de reunión.   [14] *presa y pinta:* juego de
naipes.   [15] *barbacanas:* murallas pequeñas colocadas delante de las murallas principales.   [16] *príncipe:* noble.   [17] *a tiro de escopeta:* de lejos.   [18] *partido:* quien reparte con
otros lo que tiene.   [19] *ermitas de Baco:* tabernas.   [20] *luego:* inmediatamente.

(2) Cervantes quiere darle una lección al *Guzmán de Alfarache* y al
género que representa. Lo que a Cervantes le atrae de la vida picaresca
es lo que tiene de «vida libre». Del mundo picaresco cervantino ha desaparecido todo rastro de suciedad y de incomodidad.

como si se le hubiesen jalbegado[21] con bermellón y almagre.[22] En fin, en Carriazo vio el mundo un pícaro virtuoso,
limpio, bien criado y más que medianamente discreto.[23]
Pasó por todos los grados de pícaro hasta que se graduó de
maestro en las almadrabas[24] de Zahara, donde es el *finibusterrae*[25] de la picaresca.

¡Oh, pícaros de cocina,[26] sucios, gordos y lucios,[27] pobres
fingidos, tullidos falsos, cicateruelos[28] de Zocodover y de la
plaza de Madrid, vistosos oracioneros,[29] esportilleros[30] de
Sevilla, mandilejos[31] de la hampa, con toda la caterva[32] inu-
merable que se encierra debajo deste nombre pícaro! Bajad
el toldo,[33] amainad el brío, no os llaméis pícaros si no habéis
cursado dos cursos en la academia de la pesca de los atunes.[34]
¡Allí, allí, que está en su centro el trabajo junto con la poltronería![35] Allí está la suciedad limpia, la gordura rolliza, la
hambre pronta,[36] la hartura abundante, sin disfraz el vicio, el
juego siempre, las pendencias por momentos, las muertes por
puntos,[37] las pullas[38] a cada paso, los bailes como en bodas, las
seguidillas[39] como en estampa,[40] los romances con estribos, la
poesía sin acciones.[41] Aquí se canta, allí se reniega, acullá se
riñe, acá se juega, y por todo se hurta. Allí campea la libertad

---

[21] *jalbegado:* maquillado. [22] *bermellón y almagre:* sustancias de color rojizo que
sirven para teñir. [23] *discreto:* cuerdo, de buen juicio. [24] *almadrabas:* lugares de la
costa mediterránea dedicados a la pesca del atún, que, como las Ventillas de
Toledo, eran lugar de encuentro de pícaros. [25] *el finibusterrae:* el no va más.
[26] *pícaros de cocina:* pinches de cocina que comían las sobras. [27] *lucios:* lustrosos.
[28] *cicateruelos:* ladrones de bolsas de dineros. [29] *oracioneros:* los pícaros que se
dedicaban a decir oraciones por limosna. [30] *esportilleros:* mozos de reparto.
[31] *mandilejos:* diminutivo de mandil, es decir, criado de rufián o prostituta.
[32] *caterva:* multitud. [33] *Bajad el toldo:* rebajad el engreimiento. [34] *cursado... atunes:* trabajado en las almadrabas (véase nota 24). [35] *poltronería:* pereza. [36] *pronta:* lista, ligera. [37] *muertes por puntos:* Cervantes juega con los tres significados de
esta expresión: muerte a causa del tanteo en un juego, por heridas de arma blanca o por sorpresa. [38] *pullas:* obscenidades. [39] *seguidillas:* composiciones métri-
cas de carácter satírico. [40] *en estampa:* impresas. [41] *los romances... acciones:* juego
de palabras basado en la doble significación poética y ecuestre de *estribos:* estribi-
llo/lugar donde el jinete apoya el pie; y *acción,* voz casi homónima de *ación,* que es
la cinta que une el estribo a la silla.

y luce el trabajo; allí van, o envían, muchos padres principales a buscar a sus hijos, y los hallan; y tanto sienten sacarlos de aquella vida como si los llevaran a dar la muerte.

Pero toda esta dulzura que he pintado tiene un amargo acíbar[42] que la amarga, y es no poder dormir sueño seguro sin el temor de que en un instante los trasladan[43] de Zahara a Berbería.[44] Por esto las noches se recogen a unas torres de la marina,[45] y tienen sus atajadores[46] y centinelas, en confianza de cuyos ojos cierran ellos los suyos, puesto que tal vez[47] ha sucedido que centinelas y atajadores, pícaros, mayorales,[48] barcos y redes, con toda la turbamulta[49] que allí se ocupa, han anochecido en España y amanecido en Tetuán.[(3)] Pero no fue parte[50] este temor para que nuestro Carriazo dejase de acudir allí tres veranos a darse buen tiempo. El último verano le dijo tan bien la suerte,[51] que ganó a los naipes cerca de setecientos reales, con los cuales quiso vestirse y volverse a Burgos y a los ojos de su madre, que habían derramado por él muchas lágrimas. Despidióse de sus amigos, que los tenía muchos y muy buenos; prometióles que el verano siguiente sería con ellos, si enfermedad o muerte no lo estorbase. Dejó con ellos la mitad de su alma, y todos sus deseos entregó a aquellas secas arenas, que a él le parecían más frescas y verdes que los Campos Elíseos. Y por estar ya acostumbrado de caminar a pie, tomó el camino en la mano[52] y sobre

---

[42] *acíbar:* disgusto, amargura.   [43] *trasladan:* debe entenderse en subjuntivo: trasladen.   [44] *Berbería:* la parte NO de África, entre el Mediterráneo y el Sáhara (hoy: Marruecos, Argelia y Túnez), cuyos habitantes eran muy temidos como piratas.   [45] *marina:* la parte de la tierra próxima al mar.   [46] *atajadores:* centinelas de la costa.[47] *tal vez:* alguna vez.   [48] *mayorales:* en lenguaje germanesco, alguaciles.   [49] *turbamulta:* muchedumbre.   [50] *parte:* motivo.   [51] *le dijo... suerte:* tuvo tanta suerte.   [52] *acostumbrado... mano:* juego de palabras para expresar que no se lo pensó dos veces a la hora de echarse a andar.

(3) Un buen ejemplo del realismo cervantino lo tenemos en la caracterización de Carriazo como pícaro y en esta larga descripción de las almadrabas. Llama la atención la gran cantidad de contrastes y paradojas que se utilizan en ambas pinturas.

dos alpargates[53] se llegó desde Zahara hasta Valladolid, cantando «Tres ánades, madre».[54] Estúvose allí quince días para reformar la color del rostro, sacándola de mulata a flamenca,[55] y para trastejarse[56] y sacarse del borrador de pícaro y ponerse en limpio de caballero.

Todo esto hizo según y como le dieron comodidad[57] quinientos reales con que llegó a Valladolid, y aun dellos reservó ciento para alquilar una mula y un mozo, con que se presentó a sus padres honrado y contento. Ellos le recibieron con mucha alegría, y todos sus amigos y parientes vinieron a darles el parabién de la buena venida del señor don Diego de Carriazo, su hijo. Es de advertir que en su peregrinación don Diego mudó el nombre de Carriazo en el de Urdiales, y con este nombre se hizo llamar de los que el suyo no sabían.[(4)] Entre los que vinieron a ver el recién llegado fueron don Juan de Avendaño y su hijo don Tomás, con quien Carriazo, por ser ambos de una misma edad y vecinos, trabó y confirmó una amistad estrechísima.

Contó Carriazo a sus padres y a todos mil magníficas y luengas mentiras de cosas que le habían sucedido en los tres años de su ausencia; pero nunca tocó, ni por pienso, en las

---

[53] *alpargates:* alpargatas. [54] *cantando «Tres ánades, madre»:* con alegría. «Tres ánades, madre» es el título de una copla popular. [55] *sacándola... flamenca:* esperando a que se atenuase el color moreno de su rostro. [56] *trastejarse:* arreglarse, acicalarse. [57] *según... comodidad:* gracias a.

(4) Uno de los puntos de conexión que unifican la variedad de las *Novelas ejemplares* son las transformaciones o tropelías de sus protagonistas. En muchas novelas los protagonistas pierden su identidad provisionalmente, voluntaria o involuntariamente, antes de entrar en la fábula. Carriazo ha de desprenderse de sus señas de identidad aristocráticas y llamarse Urdiales primero y Lope Asturiano después, para vivir en la «suciedad limpia» de las almadrabas. Lo mismo le ocurrirá a su amigo Avendaño, que debe renunciar a su familia y adoptar la identidad de Tomás Pedro. Costanza, involuntariamente, ha perdido asimismo los nexos con sus orígenes, bien es cierto que provisionalmente. Es en ese espacio ficcional donde sucede lo que, a la postre, transformará radicalmente sus vidas reales (véase **15**).

almadrabas,[58] puesto que en ellas tenía de contino[59] puesta la imaginación, especialmente cuando vio que se llegaba el tiempo donde[60] había prometido a sus amigos la vuelta. Ni le entretenía la caza, en que su padre le ocupaba, ni los muchos, honestos y gustosos convites que en aquella ciudad se usan le daban gusto. Todo pasatiempo le cansaba, y a todos los mayores[61] que se le ofrecían anteponía el que había recebido[62] en las almadrabas.

Avendaño, su amigo, viéndole muchas veces melancólico e imaginativo,[62] fiado en su amistad, se atrevió a preguntarle la causa, y se obligó a remediarla, si pudiese y fuese menester,[64] con su sangre misma. No quiso Carriazo tenérsela encubierta, por no hacer agravio a la grande amistad que profesaban; y así, le contó punto por punto la vida de la jábega[65] y cómo todas sus tristezas y pensamientos nacían del deseo que tenía de volver a ella; pintósela de modo que Avendaño, cuando le acabó de oír, antes alabó que vituperó su gusto.

En fin, el de la plática[66] fue disponer Carriazo la voluntad de Avendaño de manera que determinó de irse con él a gozar un verano de aquella felicísima vida que le había descrito, de lo cual quedó sobre modo[67] contento Carriazo, por parecerle que había ganado un testigo de abono[68] que calificase[69] su baja determinación. Trazaron[70] ansimismo de juntar todo el dinero que pudiesen; y el mejor modo que hallaron fue que de allí a dos meses había de ir Avendaño a Salamanca, donde por su gusto tres años había estado estudiando las lenguas griega y latina, y su padre quería que pasase adelante y estudiase la facultad[71] que él quisiese; y que del dinero que le diese habría para lo que deseaban.

---

[58] *nunca... almadrabas:* nunca mencionó las almadrabas. [59] *de contino:* continuamente. [60] *donde:* en el que. [61] *los mayores:* los mayores pasatiempos. [62] *recebido:* recibido. [63] *imaginativo:* pensativo. [64] *fuese menester:* fuera necesario. [65] *la vida de la jábega:* la vida de la almadraba. La jábega es una red. [66] *el de la plática:* el fin de la plática. [67] *sobre modo:* en extremo. [68] *testigo de abono:* testigo intachable. [69] *califícase:* ennobleciese. [70] *Trazaron:* pusieron medio para. [71] *facultad:* carrera universitaria.

En este tiempo propuso Carriazo a su padre que tenía voluntad de irse con Avendaño a estudiar a Salamanca. Vino su padre con tanto gusto en ello, que hablando al de Avendaño, ordenaron de ponerles juntos casa en Salamanca, con todos los requisitos que pedían ser hijos suyos.

Llegóse el tiempo de la partida, proveyéronles de dineros y enviaron con ellos un ayo[72] que los gobernase, que tenía más de hombre de bien que de discreto.[73] Los padres dieron documentos[74] a sus hijos de lo que habían de hacer y de cómo se habían de gobernar para salir aprovechados en la virtud y en las ciencias, que es el fruto que todo estudiante debe pretender sacar de su trabajos y vigilias, principalmente los bien nacidos. Mostráronse los hijos humildes y obedientes; lloraron las madres; recibieron la bendición de todos; pusiéronse en camino con mulas propias y con dos criados de casa, amén del ayo, que se había dejado crecer la barba porque[75] diese autoridad a su cargo.

En llegando a la ciudad de Valladolid, dijeron al ayo que querían estarse en aquel lugar dos días para verle, porque nunca se habían visto ni estado en él. Reprehendiólos[76] mucho el ayo, severa y ásperamente, la estada,[77] diciéndoles que los que iban a estudiar con tanta priesa[78] como ellos no se habían de detener una hora a mirar niñerías, cuanto más dos días, y que él formaría escrúpulo[79] si los dejaba detener un solo punto, y que se partiesen luego[80], y si no, que sobre eso, morena.[81] Hasta aquí se extendía la habilidad del señor ayo, o mayordomo, como más nos diese gusto llamarle. Los mancebitos, que tenían ya hecho su agosto y su vendimia,[82] pues habían ya robado cuatrocientos escudos de oro que llevaba su mayor, dijeron que sólo los dejase aquel día, en el

---

[72] *ayo:* tutor.   [73] *discreto:* cuerdo, de buen juicio.   [74] *documentos:* enseñanzas.
[75] *porque:* para que.   [76] *reprehendiólos:* reprendiólos.   [77] *estada:* demora.   [78] *priesa:* prisa.   [79] *formaría escrúpulo:* dudaría.   [80] *se partiesen luego:* se marchasen inmediatamente.   [81] *que sobre eso, morena:* que actuaría en consecuencia.   [82] *su agosto y su vendimia:* habían hecho la cosecha de agosto y, sin esperar, la de septiembre, es decir, habían robado todos los dineros rápidamente.

cual querían ir a ver la fuente de Argales, que la comenzaban a conducir a la ciudad por grandes y espaciosos acueductos. En efecto, aunque con dolor de su ánima, les dio licencia, porque él quisiera excusar el gasto de aquella noche y hacerle en Valdeastillas,[83] y repartir las diez y ocho leguas que hay desde Valdeastillas a Salamanca en dos días, y no las veinte y dos que hay desde Valladolid; pero, como uno piensa el bayo y otro el que le ensilla,[84] todo le sucedió al revés de lo que él quisiera.[(5)]

Los mancebos, con sólo un criado y a caballo en dos muy buenas y caseras mulas, salieron a ver la fuente de Argales, famosa por su antigüedad y sus aguas, a despecho del Caño Dorado y de la reverenda Priora, con paz sea dicho de Leganitos y de la extremadísima fuente Castellana, en cuya competencia pueden callar Corpa y la Pizarra de la Mancha.[85] Llegaron a Argales, y cuando creyó el criado que sacaba Avendaño de las bolsas del cojín[86] alguna cosa con que beber, vio que sacó una carta cerrada, diciéndole que luego al punto[87] volviese a la ciudad y se la diese a su ayo, y que en dándosela les esperase en la puerta del Campo.[88]

Obedeció el criado, tomó la carta, volvió a la ciudad, y ellos volvieron las riendas, y aquella noche durmieron en Mojados,[89] y de allí a dos días en Madrid, y en otros cuatro se vendieron las mulas en pública plaza, y hubo quien les

---

[83] *Valdeastillas:* pueblo al sur de Valladolid.   [84] *uno... ensilla:* el caballo tiene un pensamiento y el que lo ensilla, otro diferente.   [85] *Caño Dorado... Mancha:* diferentes fuentes de Madrid y provincia.   [86] *cojín:* tipo de silla para montar caballerías.   [87] *luego al punto:* inmediatamente.   [88] *puerta del Campo:* una de las cuatro puertas de Valladolid.   [89] *Mojados:* pueblo de Valladolid.

(5) Ésta es la primera de las muchas ocasiones en las que, a lo largo de esta novela, los planes de los personajes se ven defraudados por la realidad. Pensándolo bien, ninguno de los personajes de *La ilustre fregona* consigue alcanzar los objetivos que se fija al comienzo de su actuación. El futuro está abierto, y los proyectos futuros de los personajes son frágiles castillos de naipes derribados por el curso de la vida imprevista.

fiase por seis escudos de prometido,[90] y aun quien les diese el dinero en oro por sus cabales.[91] Vistiéronse a lo payo[92] con capotillos de dos haldas,[93] zahones o zaragüelles[94] y medias de paño pardo. Ropero hubo que por la mañana les compró sus vestidos y a la noche los había mudado de manera que no los conociera la propia madre que los había parido.

Puestos, pues, a la ligera[95] y del modo que Avendaño quiso y supo, se pusieron en camino de Toledo ad *pedem literae*[96] y sin espadas; que también el ropero, aunque no atañía a su menester,[97] se las había comprado.

Dejémoslos ir, por ahora, pues van contentos y alegres, y volvamos a contar lo que el ayo hizo cuando abrió la carta que el criado le llevó y halló que decía desta manera:

«Vuesa merced será servido, señor Pedro Alonso, de tener paciencia y dar la vuelta a Burgos, donde dirá a nuestros padres que, habiendo nosotros sus hijos, con madura consideración, considerado cuán más propias son de los caballeros las armas que las letras, habemos determinado de trocar a Salamanca por Bruselas y a España por Flandes. Los cuatrocientos escudos llevamos; las mulas pensamos vender. Nuestra hidalga intención y el largo camino es bastante disculpa de nuestro yerro, aunque nadie le juzgará por tal, si no es cobarde. Nuestra partida es ahora; la vuelta será cuando Dios fuere servido,[98] el cual guarde a vuesa merced como puede y estos sus menores discípulos deseamos. De la fuente de Argales, puesto ya el pie en el estribo[99] para caminar a Flandes.

Carriazo y Avendaño.»

---

[90] *hubo... prometido:* vendieron las mulas por seis escudos. El prometido es la cantidad de dinero con la que un objeto sale a subasta. [91] *por sus cabales:* cabalmente, en su justo precio. [92] *a lo payo:* como la gente de pueblo. [93] *capotillos de dos haldas:* casaca abierta por los lados, típica de los campesinos manchegos y andaluces. [94] *zahones o zaragüelles:* calzón ancho. [95] *a la ligera:* con menos lujo del que corresponde a su dignidad. [96] *se pusieron... literae:* se pusieron en camino puntualmente. En sentido jocoso: se pusieron en camino a pie. [97] *no atañía a su menester:* no pertenecía a su oficio. [98] *cuando Dios fuere servido:* cuando Dios quiera. [99] *puesto... estribo:* con esta misma frase se despide Cervantes de la vida pocos días antes de morir, en la dedicatoria del *Persiles*.

Quedó Pedro Alonso suspenso en leyendo la epístola y acudió presto a su valija, y el hallarla vacía le acabó de confirmar la verdad de la carta; y luego al punto,[100] en la mula que le había quedado, se partió a Burgos a dar las nuevas a sus amos con toda presteza, porque[101] con ella pusiesen remedio y diesen traza de[102] alcanzar a sus hijos. Pero destas cosas no dice nada el autor desta novela,[(6)] porque así como dejó puesto a caballo a Pedro Alonso, volvió a contar de lo que les sucedió a Avendaño y a Carriazo a la entrada de Illescas, diciendo que al entrar de la puerta de la villa encontraron dos mozos de mulas, al parecer andaluces, en calzones de lienzo anchos, jubones acuchillados de anjeo,[103] sus coletos[104] de ante, dagas de ganchos[105] y espadas sin tiros;[106] al parecer, el uno venía de Sevilla y el otro iba a ella. El que iba estaba diciendo al otro:[(7)]

—Si no fueran mis amos tan adelante, todavía me detuviera algo más, a preguntarte mil cosas que deseo saber; porque me has maravillado mucho con lo que has contado de que el Conde ha ahorcado a Alonso Genís y a Ribera,[107] sin querer otorgarles la apelación.[(8)]

---

[100] *luego al punto:* inmediatamente.   [101] *porque:* para que.   [102] *diesen traza de:* pusiesen medio para.   [103] *jubones... anjeo:* vestidos de medio cuerpo para arriba, ajustados y con faldilla con aberturas, como acuchillada, de ahí su nombre. El anjeo era una especie de lienzo basto.   [104] *coletos:* casacas.   [105] *dagas de ganchos:* puñales.   [106] *tiros:* el lugar de donde cuelga la espada.   [107] *el Conde... Ribera:* don Francisco Arias de Bobadilla, Conde de Puñonrostro, personaje real, que desde su

(6) Estamos ante un recurso genuinamente cervantino, del que el autor ya había hecho uso en el *Quijote*. La voz que parecía pertenecer al narrador original de la historia resulta ser la de un segundo narrador que está re-creando la historia original relatada por «el autor desta novela». Asimismo, en el *Quijote*, el narrador que durante los primeros capítulos aparece como original resulta ser el traductor de un texto en arábigo, escrito por Cide Hamete.

(7) Esta conversación, que los dos amigos escuchan por pura casualidad, marcará a la postre sus vidas. De nuevo el destino se presenta como algo incierto (véase **5**).

(8) Además de situar su novela en Burgos y en un tiempo cercano al

—¡Oh pecador de mí! —replicó el sevillano—. Armóles el Conde zancadilla, y cogiólos debajo de su jurisdición, que eran soldados, y por contrabando se aprovechó dellos, sin que la Audiencia se los pudiese quitar.[108] Sábete, amigo, que tiene un Bercebú[109] en el cuerpo este Conde de Puñonrostro, que nos mete los dedos de su puño en el alma. Barrida está Sevilla y diez leguas a la redonda de jácaros;[110] no para ladrón en sus contornos. Todos le temen como al fuego, aunque ya se suena que dejará presto el cargo de Asistente,[111] porque no tiene condición para verse a cada paso en dimes ni diretes[112] con los señores de la Audiencia.[(9)]

—¡Vivan ellos mil años —dijo el que iba a Sevilla—, que son padres de los miserables y amparo de los desdichados! ¡Cuántos pobretes están mascando barro[113] no más de por la cólera de un juez absoluto, de un corregidor,[114] o mal informado, o bien apasionado! Más ven muchos ojos que dos: no se apodera tan presto el veneno de la injusticia de muchos corazones como se apodera de uno solo.

—Predicador te has vuelto[(10)] —dijo el de Sevilla—, y según llevas la retahíla, no acabarás tan presto, y yo no te

---

cargo en la Audiencia de Sevilla mandó ahorcar a estos dos famosos delincuentes de la época. [108] *armóles... quitar:* cayeron en la trampa tendida por el Conde, y éste los acusó de contrabando sin que pudiera intervenir la Audiencia. [109] *Bercebú:* Belcebú, Satanás. [110] *jácaros:* pendencieros. [111] *Asistente:* corregidor (véase nota 114). [112] *no tiene... diretes:* es insobornable. [113] *mascando barro:* enterrados. [114] *corregidor:* el representante del rey en una ciudad o villa.

narrador (véase 1), Cervantes incluye en sus narraciones sucesos reales y personajes de carne y hueso, como el Conde de Puñonrostro, con la evidente intención de verosimilizar la novela, de darle apariencia de Historia.

(9) No puede decirse que la picaresca esté idealizada en esta novela. Como se ve, en ningún momento se oculta la cara trágica de este modo de vida: junto a la libertad convive la muerte. Más adelante veremos a Carriazo-Lope Asturiano ser apaleado por los aguadores de Toledo y encarcelado.

(10) Todas las opiniones de los personajes son siempre replicadas por otro, ya que Cervantes no concibe la expresión de una idea sin la manifestación de su contraria. Ningún punto de vista es para él incuestionable; cada opinión es contemplada con distancia y situada en perspectiva,

puedo aguardar; y esta noche no vayas a posar donde sueles, sino en la posada del Sevillano, porque verás en ella la más hermosa fregona que se sabe; Marinilla la de la venta Tejada es asco en su comparación; no te digo más sino que hay fama que el hijo del Corregidor bebe los vientos por ella.[115] Uno desos mis amos que allá van jura que al volver que vuelva al Andalucía[116] se ha de estar dos meses en Toledo y en la misma posada, sólo por hartarse de mirarla. Ya le dejo yo en señal un pellizco, y me llevo en contracambio un gran torniscón.[117] Es dura como un mármol, y zahareña[118] como villana de Sayago,[119] y áspera como una ortiga; pero tiene una cara de pascua[120] y un rostro de buen año: en una mejilla tiene el sol y en la otra la luna; la una es hecha de rosas y la otra de claveles, y en entrambas hay también azucenas y jazmines. No te digo más sino que la veas, y verás que no te he dicho nada, según lo que te pudiera decir, acerca de su hermosura. En las dos mulas rucias[121] que sabes que tengo mías la dotara[122] de buena gana si me la quisieran dar por mujer; pero yo sé que no me la darán: que es joya para un arcipreste o para un conde. Y otra vez torno a decir que allá lo verás. Y adiós, que me mudo.(11)

---

[115] *bebe los vientos por ella:* la desea vehementemente. [116] *al volver que vuelva:* cuando vuelva. [117] *torniscón:* bofetada con el revés de la mano. [118] *zahareña:* desdeñosa, intratable. [119] *Sayago:* pueblo de la provincia de Zamora. [120] *cara de pascua:* rostro apacible y risueño. [121] *rucias:* pardas claras o canosas. [122] *dotara:* diera dinero o presentes antes de la boda.

al lado de otras diferentes. En este caso concreto, la crítica a la falta de objetividad de la justicia es contestada con sorna por otro mozo. Préstese atención sobre todo a las conversaciones que sostendrán Carriazo y Avendaño, elogiando el amor a la vida picaresca y el amor a la belleza idealizada, respectivamente.

(11) Estas palabras son una muestra de la técnica utilizada por Cervantes para caracterizar el personaje de Costanza: construirlo de modo indirecto mediante las palabras de los que la rodean. Los elogios hiperbólicos con que describen a Costanza todos los que la han conocido subirán de tono a lo largo de la novela. Este recurso es el más efectivo de todos cuantos utiliza Cervantes para hacer verosímil la maravilla de

Con esto se despidieron los dos mozos de mulas, cuya plática y conversación dejó mudos a los dos amigos que escuchado la habían, especialmente a Avendaño, en quien la simple relación que el mozo de mulas había hecho de la hermosura de la fregona despertó en él un intenso deseo de verla. También le despertó en Carriazo; pero no de manera que no desease más llegar a sus almadrabas que detenerse a ver las pirámides de Egipto, o otra de las siete maravillas, o todas juntas.

En repetir las palabras de los mozos y en remedar y contrahacer[123] el modo y los ademanes con que las decían entretuvieron el camino hasta Toledo; y luego, siendo la guía Carriazo, que ya otra vez había estado en aquella ciudad, bajando por la Sangre de Cristo,[124] dieron con la posada del Sevillano; pero no se atrevieron a pedirla allí, porque su traje no lo pedía.[125]

Era ya anochecido, y aunque Carriazo importunaba a Avendaño que fuesen a otra parte a buscar posada, no le pudo quitar de la puerta de la del Sevillano, esperando si acaso parecía[126] la tan celebrada fregona. Entrábase la noche y la fregona no salía; desesperábase Carriazo, y Avendaño se estaba quedo;[127] el cual, por salir con su intención, con excusa de preguntar por unos caballeros de Burgos que iban a la ciudad de Sevilla, se entró hasta el patio de la posada; y apenas hubo entrado, cuando de una sala que en el patio estaba vio salir una moza, al parecer de quince años, poco más o menos, vestida como labradora, con una vela encendida en un candelero. No puso Avendaño los ojos en el vestido y traje

---

[123] *remedar y contrahacer:* imitar. [124] *Sangre de Cristo:* se refiere a un lugar de Toledo conocido como Arco de la Sangre de Cristo. [125] *su traje no lo pedía:* su traje no era adecuado, iban vestidos de criados. [126] *parecía:* apareció. [127] *quedo:* quieto.

que un noble se enamore de una fregona: crea la necesidad de que una noticia súbita (Aristóteles y El Pinciano llamaban a este suceso inesperado *agnición* o *reconocimiento*) corrija un desequilibrio que debería de resultar insoportable: que una criatura tan ilustre como Costanza sea una simple fregona.

de la moza, sino en su rostro, que le parecía ver en él los que
suelen pintar de los ángeles. Quedó suspenso y atónito de su
hermosura, y no acertó a preguntarle nada, tal era su suspensión[128] y embelesamiento. La moza, viendo a aquel hombre delante de sí, le dijo:

—¿Qué busca, hermano? ¿Es por ventura criado de alguno de los huéspedes[129] de casa?

—No soy criado de ninguno, sino vuestro —respondió
Avendaño, todo lleno de turbación y sobresalto.

La moza, que de aquel modo se vio responder, dijo:

—Vaya, hermano, norabuena,[130] que las que servimos no
hemos menester[131] criados.

Y llamando a su señor, le dijo:

—Mire, señor, lo que busca este mancebo.

Salió su amo y preguntóle qué buscaba. Él respondió que
a unos caballeros de Burgos que iban a Sevilla, uno de los
cuales era su señor, el cual le había enviado delante por
Alcalá de Henares, donde había de hacer un negocio que les
importaba; y que junto con esto le mandó que se viniese a
Toledo y le esperase en la posada del Sevillano, donde ven-
dría a apearse, y que pensaba que llegaría aquella noche o
otro día a más tardar. Tan buen color[132] dio Avendaño a su
mentira, que a la cuenta del huésped[133] pasó por verdad,
pues le dijo:

—Quédese, amigo, en la posada, que aquí podrá esperar
a su señor hasta que venga.

—Muchas mercedes,[134] señor huésped —respondió
Avendaño—, y mande vuesa merced que se me dé un aposento para mí y un compañero que viene conmigo, que está allí
fuera, que dineros traemos para pagarlo tan bien como otro.

---

[128] *suspensión:* admiración. [129] *huéspedes:* en el s. XVII la palabra *huésped* podía
designar indistintamente al dueño de la casa o posada al que se alojaba en
ella. En este caso, Costanza se refiere a los invitados. [130] *Vaya, hermano, norabuena:*
váyase, hermano, en buena hora. [131] *menester:* necesidad de. [132] *tan buen color:* tan
buena apariencia de verdad. [133] *huésped:* Véase nota 129. En este caso se refiere al
dueño de la posada. Esta voz no volverá a anotarse, salvo en casos de manifiesta confusión. [134] *muchas mercedes:* muchas gracias.

—En buen hora —respondió el huésped.

Y volviéndose a la moza, dijo:

—Costancica, di a Argüello que lleve a estos galanes al aposento del rincón y que les eche sábanas limpias.

—Sí haré, señor —respondió Costanza, que así se llamaba la doncella.

Y haciendo una reverencia a su amo, se les quitó delante, cuya ausencia fue para Avendaño lo que suele ser al caminante ponerse el sol y sobrevenir la noche lóbrega y escura.[135] Con todo esto, salió a dar cuenta a Carriazo de lo que había visto y de lo que dejaba negociado; el cual por mil señales conoció cómo su amigo venía herido de la amorosa pestilencia; pero no le quiso decir nada por entonces, hasta ver si lo merecía la causa de quien nacían las extraordinarias alabanzas y grandes hipérboles[136] con que la belleza de Costanza sobre los mismos cielos levantaba.(12)

Entraron, en fin, en la posada, y la Argüello, que era una mujer de hasta cuarenta y cinco años, superintendente de las camas y aderezo de los aposentos, los llevó a uno que ni era de caballeros ni de criados, sino de gente que podía hacer medio entre los dos extremos.(13) Pidieron de cenar; respondióles Argüello que en aquella posada no daban de comer a nadie,

---

[135] *escura*: oscura. [136] *hipérboles*: exageraciones.

(12) El tema del amor es, como recuerda Avalle Arce, esencialmente antipicaresco, y está excluido en este tipo de novelas. El género está incapacitado para mostrar la vertiente sublime de la existencia humana, puesto que el narrador picaresco está más interesado en mostrar la abyección de mundo y de los hombres.

(13) La habitación asignada a Carriazo y Avendaño (ni de caballeros ni de criados) sitúa a nuestros protagonistas en un terreno templado, alejado de los extremos bien definidos. No son señores ni criados. Mucho mejor: son al mismo tiempo señores y criados, y se comportarán como lo uno o como lo otro según convenga. La situación proporciona al narrador una libertad ilimitada a la hora de inventar episodios y de trabajar la variedad de la fábula.

puesto que guisaban y aderezaban lo que los huéspedes traían de fuera comprado; pero que bodegones y casas de estado[137] había cerca, donde sin escrúpulo de conciencia podían ir a cenar lo que quisiesen. Tomaron los dos el consejo de Argüello, y dieron con sus cuerpos en un bodego, donde Carriazo cenó lo que le dieron y Avendaño lo que con él llevaba, que fueron pensamientos e imaginaciones.

Lo poco o nada que Avendaño comía admiraba mucho a Carriazo. Por enterarse del todo de los pensamientos de su amigo, al volverse a la posada le dijo:

—Conviene que mañana madruguemos, porque antes que entre la calor estemos ya en Orgaz.[138]

—No estoy en eso —respondió Avendaño—, porque pienso antes que desta ciudad me parta ver lo que dicen que hay famoso en ella, como es el Sagrario, el artificio de Juanelo, las Vistillas de San Agustín, la Huerta del Rey y la Vega.[139]

—Norabuena[140] —respondió Carriazo—; eso en dos días se podrá ver.

—En verdad que lo he de tomar de espacio,[141] que no vamos a Roma a alcanzar alguna vacante.[142]

—¡Ta, ta! —replicó Carriazo—. A mí me maten, amigo, si no estáis vos con más deseo de quedaros en Toledo que de seguir nuestra comenzada romería.

—Así es la verdad —respondió Avendaño—; y tan imposible será apartarme de ver el rostro desta doncella como no es posible ir al cielo sin buenas obras.

—¡Gallardo encarecimiento[143] —dijo Carriazo— y determinación digna de un tan generoso pecho como el vuestro! ¡Bien cuadra un don Tomás de Avendaño, hijo de don Juan de Avendaño, caballero, lo que es bueno; rico, lo que basta; mozo, lo que alegra; discreto,[144] lo que admira, con enamorado y

---

[137] *casas de estado:* tabernas.   [138] *Orgaz:* población situada a 30 kilómetros al SE de Toledo.   [139] *el sagrario... la Vega:* todos ellos son lugares u objetos célebres de Toledo. El artificio de Juanelo era una noria.   [140] *norabuena:* en hora buena. [141] *de espacio:* despacio.   [142] *vacante:* plaza vacante.   [143] *gallardo encarecimiento:* bonita exageración.   [144] *discreto:* cuerdo, de buen juicio.

perdido por una fregona que sirve en el mesón del Sevillano![145]

—Lo mismo me parece a mí que es —respondió Avendaño— considerar un don Diego de Carriazo, hijo del mismo, caballero del hábito de Alcántara[146] el padre, y el hijo a pique de[147] heredarle con su mayorazgo, no menos gentil en el cuerpo que en el ánimo, y con todos estos generosos atributos, verle enamorado, ¿de quién, si pensáis? ¿De la Reina Ginebra?[148] No, por cierto, sino de la almadraba de Zahara, que es más fea, a lo que creo, que un miedo de santo Antón.[149]

—¡Pata es la traviesa,[150] amigo! —respondió Carriazo—. Por los filos que te herí me has muerto;[151] quédese aquí nuestra pendencia, y vámonos a dormir, y amanecerá Dios, y medraremos.[152] (14)

—Mira, Carriazo; hasta ahora no has visto a Costanza; en viéndola,[153] te doy licencia para que me digas todas las injurias o reprehensiones[154] que quisieres.

—Ya sé yo en qué ha de parar esto —dijo Carriazo.

—¿En qué? —replicó Avendaño.

—En que yo me iré con mi almadraba y tú te quedarás con tu fregona —dijo Carriazo.

—No seré yo tan venturoso[155] —dijo Avendaño.

---

[145] *¡Bien cuadra... Sevillano!:* Carriazo afirma con ironía que es muy lógico que un caballero rico, mozo y discreto se haya enamorado de una fregona. [146] *caballero... Alcántara:* miembro de esa orden militar. [147] *a pique de:* cerca de. [148] *Reina Ginebra:* esposa del Rey Arturo. [149] *miedo de santo Antón:* las visiones que San Antonio Abad tuvo durante su estancia en el desierto. [150] *¡Pata es la traviesa:* frase que se dice cuando dos se engañan mutuamente. [151] *por los filos... muerto:* has utilizado los mismos argumentos que yo he esgrimido contra ti. [152] *amanecerá Dios y medraremos:* mañana mejorarán las cosas. [153] *en viéndola:* después de verla. [154] *reprehensiones:* reprensiones. [155] *venturoso:* dichoso.

---

(14) Tan inverosímil resultaba el amor de Avendaño por la fregona como el de Carriazo por el mundo picaril, ya que ambos suponían un descenso voluntario en una sociedad, la del siglo XVII, muy jerarquizada (véase **10**).

—Ni yo tan necio —respondió Carriazo— que por seguir tu mal gusto deje de conseguir el bueno mío.

En estas pláticas llegaron a la posada, y aun se les pasó en otras semejantes la mitad de la noche. Y habiendo dormido, a su parecer, poco más de una hora, los despertó el son de muchas chirimías[156] que en la calle sonaban. Sentáronse en la cama y estuvieron atentos, y dijo Carriazo:

—Apostaré que es ya de día y que debe de hacerse alguna fiesta en un monasterio de Nuestra Señora del Carmen que está aquí cerca, y por eso tocan estas chirimías.

—No es eso —respondió Avendaño—, porque no ha[157] tanto que dormimos que pueda ser ya de día.

Estando en esto, sintieron llamar a la puerta de su aposento, y preguntando quién llamaba, respondieron de fuera diciendo:

—Mancebos, si queréis oír una brava[158] música, levantaos y asomaos a una reja que sale a la calle, que está en aquella sala frontera, que no hay nadie en ella.

Levantáronse los dos, y cuando abrieron no hallaron persona ni supieron quién les había dado el aviso; mas porque oyeron el son de una arpa, creyeron ser verdad la música, y así, en camisa como se hallaron, se fueron a la sala, donde ya estaban otros tres o cuatro huéspedes puestos a las rejas; hallaron lugar, y de allí a poco, al son de la arpa y de una vihuela,[159] con maravillosa voz oyeron cantar este soneto, que no se le pasó de la memoria a Avendaño:

> Raro, humilde sujeto, que levantas
> a tan excelsa cumbre la belleza
> que en ella se excedió naturaleza
> a sí misma y al cielo la adelantas;
>
> si hablas, o si ríes, o si cantas,
> si muestras mansedumbre o aspereza

---

[156] *chirimías:* trompetas hechas de madera.   [157] *ha:* hace.   [158] *brava:* magnífica, excelente.   [159] *vihuela:* instrumento de cuerda antiguo, parecido a la guitarra.

(efeto[160] sólo de tu gentileza),
las potencias del alma[161] nos encantas.

Para que pueda ser más conocida
la sin par hermosura que contienes
y la alta honestidad de que blasonas,[162]

deja el servir, pues debes ser servida
de cuantos ven sus manos y sus sienes
resplandecer por cetros y coronas.

No fue menester que nadie les dijese a los dos que aquella música se daba por Costanza, pues bien claro lo había descubierto el soneto, que sonó de tal manera en los oídos de Avendaño, que diera por bien empleado, por no haberle oído, haber nacido sordo y estarlo todos los días de la vida que le quedaba, a causa que desde aquel punto la comenzó a tener tan mala[163] como quien se halló traspasado el corazón de la rigurosa lanza de los celos. Y era lo peor que no sabía de quién debía o podía tenerlos. Pero presto le sacó deste cuidado uno de los que a la reja estaban, diciendo:

—¡Que tan simple sea este hijo del Corregidor que se ande dando músicas a una fregona...! Verdad es que ella es de las más hermosas muchachas que yo he visto, y he visto muchas; mas no por esto había de solicitarla con tanta publicidad.

A lo cual añadió otro de los de la reja:

—Pues en verdad que he oído yo decir por cosa muy cierta que así hace ella cuenta dél como si no fuese nadie: apostaré que se está ella agora[164] durmiendo a sueño suelto[165] detrás de la cama de su ama, donde dicen que duerme, sin acordársele de músicas ni canciones.

---

[160] *efeto:* efecto. [161] *potencias del alma:* memoria, entendimiento y voluntad.
[162] *blasonas:* haces ostentación. [163] *la comenzó a tener tan mala:* se refiere a la vida.
[164] *agora:* ahora. [165] *a sueño suelto:* profundamente.

—Así es la verdad —replicó el otro—, porque es la más honesta doncella que se sabe. Y es maravilla que con estar en esta casa de tanto tráfago, y donde hay cada día gente nueva, y andar por todos los aposentos, no se sabe della el menor desmán del mundo.

Con esto que oyó Avendaño tornó a revivir y a cobrar aliento para poder escuchar otras muchas cosas, que al son de diversos instrumentos los músicos cantaron, todas encaminadas a Costanza, la cual, como dijo el huésped, se estaba durmiendo sin ningún cuidado.

Por venir el día, se fueron los músicos, despidiéndose con las chirimías. Avendaño y Carriazo se volvieron a su aposento, donde durmió el que pudo hasta la mañana, la cual venida, se levantaron los dos, entrambos[166] con deseo de ver a Costanza; pero el deseo del uno era deseo curioso, y el del otro, deseo enamorado. Pero a entrambos se los cumplió Costanza saliendo de la sala de su amo tan hermosa, que a los dos les pareció que todas cuantas alabanzas le había dado el mozo de mulas eran cortas y de ningún encarecimiento.

Su vestido era una saya[167] y corpiños[168] de paño verde, con unos ribetes[169] del mismo paño. Los corpiños eran bajos; pero la camisa, alta, plegado el cuello, con un cabezón[170] labrado de seda negra; puesta una gargantilla de estrellas de azabache sobre un pedazo de una coluna[171] de alabastro, que no era menos blanca su garganta; ceñida con un cordón de San Francisco[172] y de una cinta pendiente, al lado derecho, un gran manojo de llaves. No traía chinelas,[173] sino zapatos de dos suelas, colorados, con unas calzas[174] que no se le parecían[175] sino cuanto por un perfil mostraban también ser coloradas. Traía tranzados[176] los cabellos con unas cintas

---

[166] *entrambos:* ambos.   [167] *saya:* falda.   [168] *corpiños:* blusa sin mangas.
[169] *ribetes:* los adornos que se colocan en la extremidad de la ropa.   [170] *cabezón:* cinta que se prende con botones al cuello de la camisa.   [171] *coluna:* columna.
[172] *cordón de San Francisco:* tipo de cinto.   [173] *chinelas:* zapatos sin talón.   [174] *calzas:* especie de calzones estrechos.   [175] *no se le parecían:* no se le veían.   [176] tranzados: trenzados.

blancas de hiladillo;[177] pero tan largo el tranzado, que por las espaldas le pasaba de la cintura; el color salía de castaño y tocaba en rubio; pero, al parecer,[178] tan limpio, tan igual y tan peinado, que ninguno, aunque fuera de hebras de oro, se le pudiera comparar. Pendíanle de las orejas dos calabacillas de vidrio, que parecían perlas; los mismos cabellos le servían de garbín[179] y de tocas.[180]

Cuando salió de la sala se persignó y santiguó, y con mucha devoción y sosiego hizo una profunda reverencia a una imagen de Nuestra Señora que en una de las paredes del patio estaba colgada; y alzando los ojos, vio a los dos que mirándola estaban, y apenas los hubo visto, cuando se retiró y volvió a entrar en la sala, desde la cual dio voces a Argüello que se levantase.

Resta ahora por decir qué es lo que le pareció a Carriazo de la hermosura de Costanza; que de lo que le pareció a Avendaño ya está dicho, cuando la vio la vez primera. No digo más sino que a Carriazo le pareció tan bien como a su compañero, pero enamoróle mucho menos; y tan menos, que quisiera no anochecer en la posada, sino partirse luego[181] para sus almadrabas.

En esto, a las voces de Costanza salió a los corredores la Argüello, con otras dos mocetonas, también criadas de casa, de quien se dice que eran gallegas, y el haber tantas lo requería la mucha gente que acude a la posada del Sevillano, que es una de las mejores y más frecuentadas que hay en Toledo. Acudieron también los mozos de los huéspedes a pedir cebada. Salió el huésped[182] de casa a dársela, maldiciendo a sus mozas, que por ellas se le había ido un mozo que la solía dar con muy buena cuenta y razón, sin que le hubiese hecho menos,[183] a su parecer, un solo grano. Avendaño, que oyó esto, dijo:

—No se fatigue, señor huésped, déme el libro de la cuenta,[184] que los días que hubiere de estar aquí yo la tendré tan

---

[177] *de hiladillo:* de hilo.   [178] *al parecer:* en apariencia.   [179] *garbín:* cofia hecha de red.   [180] *tocas:* adornos para cubrir la cabeza.   [181] *luego:* inmediatamente.   [182] *huéspedes... huésped:* véase nota 129.   [183] *hecho menos:* echado de menos.   [184] *libro de la cuenta:* libro de cuentas.

buena en dar la cebada y paja que pidieren que no eche
menos al mozo que dice que se le ha ido.

—En verdad que os lo agradezca, mancebo —respondió el
huésped—, porque yo no puedo atender a esto, que tengo
otras muchas cosas a que acudir fuera de casa. Bajad; daros
he el libro, y mirad que estos mozos de mulas son el mismo
diablo y hacen trampantojos[185] un celemín[186] de cebada con
menos conciencia que si fuese de paja.

Bajó al patio Avendaño y entregóse en el[187] libro, y comenzó
a despachar celemines como agua, y a asentarlos[188] por tan
buena orden,[189] que el huésped, que lo estaba mirando, quedó
contento; y tanto, que dijo:

—Pluguiese[190] a Dios que vuestro amo no viniese y que a
vos os diese gana de quedaros en casa, que a fe que otro gallo
os cantase, porque el mozo que se me fue vino a mi casa,
habrá[191] ocho meses, roto y flaco, y ahora lleva dos pares de
vestidos muy buenos y va gordo como una nutria. Porque
quiero que sepáis, hijo, que en esta casa hay muchos prove-
chos, amén de los salarios.

—Si yo me quedase —replicó Avendaño— no repararía
mucho en la ganancia, que con cualquiera cosa me conten-
taría a trueco de estar en esta ciudad que me dicen que es la
mejor de España.

—A lo menos —respondió el huésped— es de las mejores
y más abundantes que hay en ella; mas otra cosa nos falta
ahora, que es buscar quien vaya por agua al río; que también
se me fue otro mozo que con un asno que tengo famoso[192]
me tenía rebosando las tinajas y hecha un lago de agua la casa.
Y una de las causas porque los mozos de mulas se huelgan de
traer sus amos a mi posada es por la abundancia de agua que
hallan siempre en ella; porque no llevan su ganado al río, sino
dentro de casa beben las cabalgaduras en grandes barreños.

---

[185] *trampantojos:* trampas.   [186] *celemín:* medida de peso antigua.   [187] *entregóse en*
el: se entregó al.   [188] *asentarlos:* anotarlos en el libro de cuentas.   [189] *por tan buena*
orden: tan ordenadamente.   [190] *Pluguiese:* placiese.   [191] *habrá:* hará.   [192] *famoso:*
de buena calidad.

Todo esto estaba oyendo Carriazo, el cual, viendo que ya Avendaño estaba acomodado y con oficio en casa, no quiso él quedarse a buenas noches,[193] y más que consideró el gran gusto que haría a Avendaño si le seguía el humor;[194] y así, dijo al huésped:

—Venga el asno, señor huésped, que tan bien sabré yo cinchalle y cargalle[195] como sabe mi compañero asentar en el libro su mercancía.

—Sí —dijo Avendaño—, mi compañero Lope Asturiano[196] servirá de traer agua como un príncipe, y yo le fío.[197]

La Argüello, que estaba atenta desde el corredor a todas estas pláticas, oyendo decir a Avendaño que él fiaba a su compañero, dijo:

—Dígame, gentilhombre, ¿y quién le ha de fiar a él? Que en verdad que me parece que más necesidad tiene de ser fiado que de ser fiador.

—Calla, Argüello —dijo el huésped—, no te metas donde no te llaman; yo los fío a entrambos, y por vida de vosotras que no tengáis dares ni tomares[198] con los mozos de casa, que por vosotras se me van todos.

—Pues qué —dijo otra moza—, ¿ya se quedan en casa estos mancebos? Para mi santiguada[199] que si yo fuera camino[200] con ellos, que nunca les fiara la bota.[201]

—Déjese de chocarrerías,[202] señora Gallega —respondió el huésped—, y haga su hacienda,[203] y no se entremeta con los mozos, que la moleré a palos.

—¡Por cierto sí! —replicó la Gallega—. ¡Mirad qué joyas para codiciallas! Pues en verdad que no me ha hallado el señor mi amo tan juguetona con los mozos de casa, ni de

---

[193] *quedarse a buenas noches:* quedarse sin nada.   [194] *si le seguía el humor:* si hacía lo que él quería.   [195] *cinchalle y cargalle:* cincharle y cargarle. Cinchar es poner la silla al burro.   [196] *Lope Asturiano:* Avendaño acaba de cambiarle el nombre a Carriazo sin previo aviso.   [197] *le fío:* respondo por él.   [198] *dares ni tomares:* incidentes, enfrentamientos.   [199] *para mi santiguada:* por mi fe, por la cruz, con seguridad.   [200] *si yo fuera camino:* si yo fuera caminando.   [201] *nunca les fiara la bota:* no me fiaría de ellos.   [202] *chocarrerías:* tonterías.   [203] *haga su hacienda:* haga sus cosas.

fuera, para tenerme en la mala piñón[204] que me tiene: ellos
son bellacos y se van cuando se les antoja, sin que nosotras
les demos ocasión[205] alguna. ¡Bonica gente es ella, por cierto, para tener necesidad de apetites[206] que les inciten a dar
un madrugón[207] a sus amos cuando menos se percatan!

—Mucho habláis, Gallega hermana —respondió su
amo—; punto en boca,[208] y atended a lo que tenéis a vuestro cargo.

Ya en esto tenía Carriazo enjaezado[209] el asno, y subiendo
en él de un brinco, se encaminó al río, dejando a Avendaño
muy alegre de haber visto su gallarda resolución.

He aquí: tenemos ya —en buena hora se cuente— a
Avendaño hecho mozo del mesón, con nombre de Tomás
Pedro, que así dijo que se llamaba, y a Carriazo, con el de
Lope Asturiano, hecho aguador:[(15)] transformaciones dignas
de anteponerse a las del narigudo poeta.[210] [(16)]

A malas penas acabó de entender la Argüello que los dos
se quedaban en casa, cuando hizo designio sobre el
Asturiano,[211] y le marcó por suyo, determinándose a regalarle de suerte que, aunque él fuese de condición esquiva y reti-
rada, le volviese más blando que un guante.

---

[204] *piñón:* opinión. La Argüello pronuncia mal. [205] *ocasión:* motivos. [206] *apetites:* atractivos. [207] *dar un madrugón:* engañar. [208] *punto en boca:* interjección para
pedir silencio. [209] *enjaezado:* preparado. [210] *transformaciones... poeta:* referencia a
las *Metamorfosis* de Ovidio. [211] *hizo... Asturiano:* eligió al Asturiano.

(15) El narrador se ha dirigido con rapidez a este punto («en buena
hora se cuente»), porque el mecanismo de la acción sólo puede activar-
se una vez que se produzcan las transformaciones de Carriazo y
Avandaño (véase **4**): lo que sucede en *La ilustre fregona* sucede a partir de
aquí, y sólo puede ocurrir una vez que los personajes hayan abandonado
su nobleza y se hayan hecho mozos de mesón.

(16) ¿Cómo se explica que Cervantes esté tan seguro de sus *Novelas*
como para afirmar que éstas pueden anteponerse a las *Metamorfosis* de
Ovidio? Porque siendo su obra a primera vista tan disparatada como la
del poeta latino, la suya puede pasar por histórica y verdadera, es
decir, resulta verosímil. No sucede así, en cambio, con su antecedente
literario.

El mismo discurso hizo la Gallega melindrosa sobre Avendaño,[212] y como las dos, por trato y conversación y por dormir juntas, fuesen grandes amigas, al punto declaró la una a la otra su determinación amorosa, y desde aquella noche determinaron de dar principio a la conquista de sus dos desapasionados amantes. Pero lo primero que advirtieron[213] fue en que les habían de pedir que no las habían de pedir celos[214] por cosas que las viesen hacer de sus personas, porque mal pueden regalar[215] las mozas a los de dentro si no hacen tributarios[216] a los de fuera de casa. «Callad, hermanos —decían ellas, como si los tuvieran presentes y fueran ya sus verdaderos mancebos o amancebados—;[217] callad y tapaos los ojos, y dejad tocar el pandero a quien sabe y que guíe la danza quien la entiende, y no habrá par de canónigos en esta ciudad más regalados[218] que vosotros lo seréis destas tributarias vuestras».

Éstas y otras razones desta sustancia y jaez[219] dijeron la Gallega y la Argüello, y en tanto, caminaba nuestro buen Lope Asturiano la vuelta del río, por la cuesta del Carmen, puestos los pensamientos en sus almadrabas y en la súbita mutación de su estado. O ya fuese por esto o porque la suerte así lo ordenase, en un paso estrecho, al bajar de la cuesta, encontró con un asno de un aguador, que subía cargado; y como él descendía y su asno era gallardo, bien dispuesto y poco trabajado, tal encuentro dio al cansado y flaco que subía, que dio con él en el suelo, y por haberse quebrado los cántaros se derramó también el agua, por cuya desgracia el aguador antiguo, despechado y lleno de cólera, arremetió al aguador moderno,[220] que aun se estaba caballero,[221] y antes que se desenvolviese y apease[222] le había pegado

---

[212] *melindrosa sobre Avendaño:* mostrándose excesivamente delicada con Avendaño.   [213] *advirtieron:* decidieron.   [214] *que... celos:* que no fuesen celosos.   [215] *regalar:* atender.   [216] *hacen tributarios:* prestan atención.   [217] *mancebos o amancebados:* mancebo es un hombre joven. Amancebado es quien mantiene relaciones sexuales habituales con una mujer sin estar casado con ella.   [218] *regalados:* agasajados.   [219] *jaez:* modo, calidad.   [220] *aguador antiguo... aguador moderno:* el aguador que choca contra Avendaño y éste respectivamente.   [221] *se estaba caballero:* estaba montado en el asno.   [222] *apease:* en la primera edición se lee *apeado*.

y asentado una docena de palos tales, que no le supieron bien al Asturiano.

Apeóse, en fin; pero con tan malas entrañas, que arremetió a su enemigo, y asiéndole con ambas manos por la garganta dio con él en el suelo, y tal golpe dio con la cabeza sobre una piedra, que se la abrió por dos partes, saliendo tanta sangre, que pensó que le había muerto.

Otros muchos aguadores que allí venían, como vieron a su compañero tan mal parado, arremetieron a Lope y tuviéronle asido fuertemente, gritando:

—¡Justicia, justicia! ¡Que este aguador ha muerto a un hombre!

Y a vuelta destas razones y gritos, le molían a mojicones[223] y a palos. Otros acudieron al caído, y vieron que tenía hendida la cabeza y que casi estaba expirando. Subieron las voces de boca en boca por la cuesta arriba, y en la plaza del Carmen dieron en los oídos de un alguacil, el cual, con dos corchetes,[224] con más ligereza que si volara, se puso en el lugar de la pendencia, a tiempo que ya el herido estaba atravesado sobre su asno, y el de Lope asido, y Lope rodeado de más de veinte aguadores, que no le dejaban rodear, antes le brumaban[225] las costillas de manera que más se pudiera temer de su vida que la del herido, según menudeaban sobre él los puños y las varas aquellos vengadores de la ajena injuria.

Llegó el alguacil, apartó la gente, entregó a sus corchetes al Asturiano, y antecogiendo[226] a su asno, y al herido sobre el suyo, dio con ellos en la cárcel, acompañado de tanta gente y de tantos muchachos que le seguían, que apenas podía hender[227] por las calles.

Al rumor de la gente, salió Tomás Pedro y su amo a la puerta de casa, a ver de qué procedía tanta grita,[228] y descubrieron a Lope entre los dos corchetes, lleno de sangre el

---

[223] *mojicones:* puñetazos. [224] *corchetes:* ayudantes del alguacil. [225] *brumaban:* oprimían. [226] *antecogiendo:* cogiendo por delante. [227] *hender:* hacerse hueco entre la gente. [228] *grita:* insultos de muchas personas contra uno.

rostro y la boca; miró luego[229] por su asno el huésped, y viole en poder de otro corchete que ya se les había juntado; preguntó la causa de aquellas prisiones; fuele respondida la verdad del suceso; pesóle por su asno, temiendo que le había de perder, o a lo menos hacer más costas[230] por cobrarle que él valía.

Tomás Pedro siguió a su compañero, sin que le dejasen llegar a hablarle una palabra, tanta era la gente que lo impedía y el recato de los corchetes y del alguacil que le llevaba. Finalmente, no le dejó hasta verle poner en la cárcel, y en un calabozo, con dos pares de grillos,[231] y al herido en la enfermería, donde se halló a verle curar, y vio que la herida era peligrosa, y mucho, y lo mismo dijo el cirujano.

El alguacil se llevó a su casa los dos asnos, y más cinco reales de a ocho que los corchetes habían quitado a Lope.

Volvióse a la posada lleno de confusión y de tristeza; halló al que ya tenía por amo con no menos pesadumbre que él traía, a quien dijo de la manera que quedaba su compañero, y del peligro de muerte en que estaba el herido, y del suceso de su asno. Díjole más: que a su desgracia se le había añadido otra de no menor fastidio, y era que un grande amigo de su señor le había encontrado en el camino y le había dicho que su señor, por ir muy de priesa[232] y ahorrar dos leguas de camino, desde Madrid había pasado por la barca de Aceca,[233] y que aquella noche dormía en Orgaz, y que le había dado doce escudos que le diese, con orden de que se fuese a Sevilla, donde le esperaba.

—Pero no puede ser así —añadió Tomás—, pues no será razón que yo deje a mi amigo y camarada en la cárcel y en tanto peligro. Mi amo me podrá perdonar por ahora; cuanto más que él es tan bueno y honrado, que dará por bien cualquier falta que le hiciere, a trueco que no la haga a mi camarada. Vuesa merced, señor, me la haga[234] de tomar este dinero y

---

[229] *luego:* inmediatamente.   [230] *hacer... costas:* pagar los gastos de un juicio civil.   [231] *grillos:* grilletes.   [232] *de priesa:* deprisa.   [233] *había... Aceca:* había cruzado el Tajo por Aceca.   [234] *me la haga:* me haga merced, me haga el favor.

acudir a este negocio; y en tanto que esto se gasta, yo escribiré a mi señor amo lo que pasa, y sé que me enviará dineros que basten a sacarnos de cualquier peligro.

Abrió los ojos de un palmo el huésped, alegre de ver que en parte iba saneando la pérdida de su asno. Tomó el dinero y consoló a Tomás, diciéndole que él tenía personas en Toledo de tal calidad que valían mucho[235] con la justicia, especialmente una señora monja, parienta del Corregidor, que le mandaba con el pie;[236] y que una lavandera del monasterio de la tal monja tenía una hija que era grandísima amiga de una hermana de un fraile muy familiar y conocido del confesor de la dicha monja, la cual lavandera lavaba la ropa en casa.

—Y como ésta pida a su hija, que sí pedirá, hable a la hermana del fraile que hable a su hermano que hable al confesor, y el confesor a la monja, y la monja guste de dar un billete[237] (que será cosa fácil) para el Corregidor, donde le pida encarecidamente mire por el negocio de Tomás, sin duda alguna se podrá esperar buen suceso. Y esto ha de ser con tal que el aguador no muera y con que no falte ungüento para untar[238] a todos los ministros de la justicia; porque si no están untados, gruñen más que carretas de bueyes.

En gracia le cayó a Tomás los ofrecimientos del favor que su amo le había hecho y los infinitos y revueltos arcaduces[239] por donde había derivado; y aunque conoció que antes lo había dicho de socarrón[240] que de inocente, con todo eso, le agradeció su buen ánimo y le entregó el dinero, con promesa que no faltaría mucho más, según él tenía la confianza en su señor, como ya le había dicho.

La Argüello, que vio atraillado[241] a su nuevo cuyo,[242] acudió luego[243] a la cárcel a llevarle de comer; mas no se le dejaron

---

[235] *valían mucho:* tenían mucha influencia. [236] *le mandaba con el pie:* tenía influencia sobre él. [237] *billete:* papel pequeño con algo escrito. [238] *ungüento para untar:* dinero para sobornar. [239] *arcaduces:* vías, recovecos. [240] *socarrón:* astuto. [241] *atraillado:* atado. En sentido figurado, afligido. [242] *cuyo:* galán. [243] *luego:* inmediatamente.

ver, de que ella volvió muy sentida y mal contenta; pero no por esto disistió[244] de su buen propósito.[(17)]

En resolución, dentro de quince días estuvo fuera de peligro el herido, y a los veinte declaró el cirujano que estaba del todo sano, y ya en este tiempo había dado traza Tomás cómo le viniesen cincuenta escudos[245] de Sevilla, y sacándolos él de su seno, se los entregó al huésped con cartas y cédula fingida de su amo; y como al huésped le iba poco[246] en averiguar la verdad de aquella correspondencia, cogía el dinero, que por ser en escudos de oro le alegraba mucho.

Por seis ducados se apartó de la querella[247] el herido; en diez y en el asno y las costas, sentenciaron al Asturiano. Salió de la cárcel; pero no quiso volver a estar con su compañero, dándole por disculpa que en los días que había estado preso le había visitado la Argüello y requerídole de amores,[248] cosa para él de tanta molestia y enfado, que antes se dejara ahorcar que corresponder con el deseo de tan mala hembra; que lo que pensaba hacer era, ya que él estaba determinado de seguir y pasar adelante con su propósito, comprar un asno y usar el oficio de aguador en tanto que estuviesen en Toledo; que con aquella cubierta[249] no sería juzgado ni preso por vagamundo,[250] y que con sola una carga de agua se podía andar todo el día por la ciudad a sus anchuras,[251] mirando bobas.

---

[244] *disistió:* desistió. [245] *había... escudos:* había ideado el modo de justificar la posesión de cincuenta escudos. [246] *le iba poco:* le importaba poco. [247] *se apartó de la querella:* retiró la querella. [248] *requerídole de amores:* le manifestó su pasión amorosa. [249] *cubierta:* simulación. [250] *vagamundo:* vagabundo. Debido a la gran cantidad de pordioseros las leyes contra ellos se endurecieron durante el siglo XVII. [251] *a sus anchuras:* libremente.

---

(17) Nótese la complejidad psicológica de los personajes cervantinos. Si hubiera sido Quevedo quien hubiese creado un personaje como Argüello, éste habría sido caricaturizado hasta la humillación. Cervantes, en cambio, construye un personaje de maneras vulgares, una sirvienta grotesca, pero capaz de conmoverse con la desgracia del Asturiano, es decir, una mujer de buen propósito.

—Antes mirarás hermosas que bobas en esta ciudad, que tiene fama de tener las más discretas[252] mujeres de España, y que andan a una su discreción con su hermosura;[253] y si no, míralo por Costancica, de cuyas sobras de belleza puede enriquecer no sólo a las hermosas desta ciudad, sino a las de todo el mundo.

—Paso,[254] señor Tomás —replicó Lope—; vámonos poquito a poquito en esto de las alabanzas de la señora fregona, si no quiere que, como le tengo por loco, le tenga por hereje.

—¿Fregona has llamado a Costanza, hermano Lope? —respondió Tomás—. Dios te lo perdone y te traiga a verdadero conocimiento de tu yerro.

—Pues ¿no es fregona? —replicó el Asturiano.

—Hasta ahora le tengo por ver fregar el primer plato.

—No importa —dijo Lope— no haberle visto fregar el primer plato, si le has visto fregar el segundo y aun el centésimo.

—Yo te digo, hermano —replicó Tomás—, que ella no friega ni entiende en otra cosa que en su labor, y en ser guarda de la plata labrada[255] que hay en casa, que es mucha.

—Pues ¿cómo la llaman por toda la ciudad —dijo Lope— la fregona ilustre, si es que no friega? Mas sin duda debe de ser que como friega plata, y no loza, la dan nombre de ilustre. Pero, dejando esto aparte, dime, Tomás: ¿en qué estado están tus esperanzas?

—En el de perdición —respondió Tomás—; porque en todos estos días que has estado preso nunca la he podido hablar una palabra, y a muchas que los huéspedes le dicen, con ninguna otra cosa responde que con bajar los ojos y no desplegar los labios; tal es su honestidad y su recato, que no menos enamora con su recogimiento que con su hermosura. Lo que me trae alcanzado[256] de paciencia es saber que el hijo del Corregidor, que es mozo brioso y algo atrevido, muere por ella y la solicita con músicas, que pocas noches se

---

[252] *discretas:* cuerdas, de buen juicio.   [253] *andan... hermosura:* de buen juicio y hermosas a partes iguales.   [254] *paso:* despacio.   [255] *labrada:* trabajada a mano.   [256] *alcanzado:* falto.

pasan sin dársela, y tan al descubierto, que en lo que cantan la nombran, la alaban y la solenizan.[257] Pero ella no las oye, ni desde que anochece hasta la mañana no sale del aposento de su cama, escudo que no deja que me pase el corazón la dura saeta de los celos.

—Pues ¿qué piensas hacer con el imposible que se te ofrece en la conquista desta Porcia, desta Minerva y desta nueva Penélope,[258] que en figura de doncella y de fregona te enamora, te acobarda y te desvanece?

—Haz la burla que de mí quisieres, amigo Lope, que yo sé que estoy enamorado del más hermoso rostro que pudo formar naturaleza y de la más incomparable honestidad que ahora se puede usar en el mundo. Costanza se llama, y no Porcia, Minerva o Penélope; en un mesón sirve, que no lo puedo negar; pero ¿qué puedo yo hacer, si me parece que el destino con oculta fuerza me inclina y la elección con claro discurso me mueve a que la adore? Mira, amigo: no sé cómo te diga —prosiguió Tomás— de la manera con que amor el bajo sujeto[259] desta fregona, que tú llamas, me le encumbra y levanta tan alto, que viéndole no le vea y conociéndole le desconozca. No es posible que, aunque lo procuro, pueda un breve término contemplar, si así se puede decir, en la bajeza de su estado,[260] porque luego[261] acuden a borrarme este pensamiento su belleza, su donaire,[262] su sosiego, su honestidad y recogimiento, y me dan a entender que debajo de aquella rústica corteza debe de estar encerrada y escondida alguna mina de gran valor y de merecimiento grande.[18] Finalmente, sea lo que se fuere, yo la quiero bien, y no con

---

[257] *solenizan:* solemnizan. [258] *Porcia... Penélope:* tres mujeres de la mitología clásica, célebres por su castidad. [259] *sujeto:* ser, espíritu. [260] *no es posible... estado:* no es posible contemplar ni por un instante los signos de su humilde extracción social. [261] *luego:* inmediatamente. [262] *donaire:* gracia.

(18) Con esta afirmación se verosimiliza el amor de Avendaño, ya que se sigue insistiendo en la falta de correspondencia entre la condición de Costanza y su aspecto extraordinario. Por otra parte, se va adelantando el final para que éste tampoco resulte inverosímil. Debe prestarse

aquel amor vulgar con que a otras he querido, sino con amor tan limpio, que no se extiende a más que a servir y a procurar que ella me quiera, pagándome con honesta voluntad lo que a la mía, también honesta, se debe.

A este punto, dio una gran voz el Asturiano y, como exclamando, dijo:

—¡Oh amor platónico! ¡Oh fregona ilustre! ¡Oh felicísimos tiempos los nuestros, donde vemos que la belleza enamora sin malicia, la honestidad enciende sin que abrase, el donaire da gusto sin que incite, y la bajeza del estado humilde obliga y fuerza a que le suban sobre la rueda de la que llaman Fortuna![263] ¡Oh pobres atunes míos, que os pasáis este año sin ser visitados deste tan enamorado y aficionado vuestro! Pero el que viene yo haré la enmienda de manera que no se quejen de mí los mayorales de las mis deseadas almadrabas.[264]

A esto dijo Tomás:

—Ya veo, Asturiano, cuán al descubierto te burlas de mí. Lo que podías hacer es irte norabuena[265] a tu pesquería,[266] que yo me quedaré en mi caza,[267] y aquí me hallarás a la vuelta. Si quisieres llevarte contigo el dinero que te toca, luego[268] te lo daré, y ve en paz, y cada uno siga la senda por donde su destino le guiare.

—Por más discreto[269] te tenía —replicó Lope—; y ¿tú no ves que lo que digo es burlando? Pero ya que sé que

---

[263] *la rueda de... Fortuna:* referencia a la idea que asocia la fortuna, la suerte, a una rueda que se mueve caprichosamente, de modo que lo que hoy está arriba mañana está abajo. Carriazo se burla de que el amor platónico de Avendaño quiere mover la rueda para situar el humilde origen de Costanza en lo alto de la misma.   [264] *haré... almadrabas:* iré a las almadrabas.   [265] *norabuena:* en hora buena.   [266] *pesquería:* la almadraba.   [267] *tu pesquería... mi caza:* juego de ideas entre pescar en las almadrabas y cazar a Costanza.   [268] *luego:* inmediatamente.   [269] *discreto:* cuerdo, de buen juicio.

atención al diálogo que sigue, donde la declaración de amor puro e idealizado de Avendaño es inmediatamente puesta en cuestión por Carriazo, cuyas palabras son, a su vez, motivo de ironía. El diálogo, en su sentido más profundo, está imbricado en la materia narrativa de *La ilustre fregona* (véanse **10** y **14**).

tú hablas de veras, de veras te serviré en todo aquello que fuere de tu gusto. Una cosa sola te pido, en recompensa de las muchas que pienso hacer en tu servicio, y es que no me pongas en ocasión[270] de que la Argüello me requiebre ni solicite;[271] porque antes romperé con tu amistad que ponerme a peligro de tener la suya. Vive Dios, amigo, que habla más que un relator[272] y que le huele el aliento a rasuras[273] desde una legua; todos los dientes de arriba son postizos, y tengo para mí que los cabellos son cabellera;[274] y para adobar y suplir estas faltas, después que me descubrió su mal pensamiento, ha dado en afeitarse[275] con albayalde,[276] y así se jalbega[277] el rostro, que no parece sino mascarón de yeso puro.

—Todo eso es verdad —replicó Tomás—, y no es tan mala la Gallega que a mí me martiriza. Lo que se podrá hacer es que esta noche sola estés en la posada, y mañana comprarás el asno que dices y buscarás dónde estar, y así, huirás los encuentros de Argüello y yo quedaré sujeto a los de la Gallega y a los irreparables de los rayos de la vista de mi Costanza.

En esto se convinieron los dos amigos, y se fueron a la posada, adonde de la Argüello fue con muestras de mucho amor recebido[278] el Asturiano. Aquella noche hubo un baile a la puerta de la posada, de muchos mozos de mulas que en ella y en las convecinas había. El que tocó la guitarra fue el Asturiano; las bailadoras, amén de las dos gallegas y de la Argüello, fueron otras tres mozas de otra posada. Juntáronse muchos embozados,[279] con más deseo de ver a Costanza que el baile, pero ella no pareció ni salió a verle, con que dejó burlados muchos deseos.

De tal manera tocaba la guitarra Lope, que decían que la hacía hablar. Pidiéronle las mozas, y con más ahínco la

---

[270] *en ocasión:* en peligro.   [271] *me requiebre ni solicite:* me intente seducir.   [272] *relator:* la persona que relata la causa en un juicio.   [273] *rasuras:* los desperdicios en la elaboración del vino.   [274] *cabellera:* cabello postizo.   [275] *afeitarse:* maquillarse.   [276] *albayalde:* polvo para maquillar la cara hecho con plomo y vinagre.   [277] *se jalbega:* se embadurna.   [278] *recebido:* recibido.   [279] *embozados:* personas con el rostro tapado hasta la nariz por el embozo de la capa para no ser reconocidas.

Argüello, que cantase algún romance; él dijo que como[280]
ellas le bailasen al modo como se canta y baila en las comedias,
que le cantaría, y que para que no lo errasen, que hiciesen
todo aquello que él dijese cantando, y no otra cosa.

Había entre los mozos de mulas bailarines, y entre las mozas,
ni más ni menos. Mondó[281] el pecho Lope, escupiendo dos
veces, en el cual tiempo pensó lo que diría, y como era de presto, fácil y lindo ingenio, con una felicísima corriente, de
improviso comenzó a cantar desta manera:[(19)]

Salga la hermosa Argüello,
moza una vez, y no más,
y haciendo una reverencia,
dé dos pasos hacia atrás.

De la mano la arrebate
el que llaman Barrabás,
andaluz mozo de mulas,
canónigo del Compás.[282]
De las dos mozas gallegas
que en esta posada están,
salga la más carigorda
en cuerpo y sin devantal.[283]
Engarráfela[284] Torote,
y todos cuatro a la par,
con mudanzas y meneos
den principio a un contrapás.[285]

---

[280] *como:* si. [281] *mondó:* limpió. [282] *Compás:* el Compás de Sevilla era punto de
reunión de pícaros. Al llamarlo canónigo del Compás está haciendo referencia a su
veteranía y experiencia como pícaro. [283] *devantal:* delantal. [284] *engarráfela:* agá-
rrela. [285] *contrapás:* paso de danza de origen italiano.

(19) Poco después del sangriento episodio del apaleamiento de
Carriazo-Asturiano encontramos este otro, que ilumina la cara optimis-
ta y festiva de la vida picaresca, que no aparece nunca en las novelas del
género.

Todo lo que iba cantando el Asturiano hicieron al pie de la letra ellos y ellas; mas cuando llegó a decir que diesen principio a un contrapás, respondió Barrabás, que así le llamaban por mal nombre al bailarín mozo de mulas:

—Hermano músico, mire lo que canta y no moteje[286] a naide[287] de mal vestido, porque aquí no hay naide con trapos[288] y cada uno se viste como Dios le ayuda.

El huésped, que oyó la ignorancia del mozo, le dijo:

—Hermano mozo, contrapás es un baile extranjero, y no motejo de mal vestidos.

—Si eso es —replicó el mozo—, no hay para qué nos metan en dibujos;[289] toquen sus zarabandas, chaconas y folías[290] al uso, y escudillen[291] como quisieren, que aquí hay presonas[292] que les sabrán llenar las medidas hasta el gollete.[293] **(20)**

El Asturiano, sin replicar palabra, prosiguió su canto, diciendo:

> Entren, pues, todas las ninfas[294]
> y los ninfos que han de entrar,
> que el baile de la chacona[295]
> es más ancho que la mar.

> Requieran las castañetas[296]
> y bájense a refregar

---

[286] *moteje:* insulte.   [287] *naide:* forma vulgar de *nadie*.   [288] *con trapos:* Barrabás desconoce la palabra *contrapás*, y cree que Carriazo se ríe de que él vaya *con trapos*. [289] *no hay... dibujos:* no hay necesidad de decir las cosas de modo confuso.   [290] *zarabandas, chaconas y folías:* diferentes tipos de bailes populares.   [291] *escudillen:* manden.   [292] *presonas:* forma vulgar de *personas*.   [293] *llenar... gollete:* la frase tiene un sentido literal: llenar la botella hasta arriba y dos sentidos figurados: adular al máximo y ser extremadamente claro.   [294] *ninfas:* seres mitológicos con cuerpo de mujer, que vivían en los ríos. En este contexto hay que entender la palabra como sinónimo de bailadoras.   [295] *chacona:* tipo de baile popular.   [296] *castañetas:* castañuelas.

(20) Genuina broma sociolingüística de Cervantes, que marca a través del lenguaje las diferencias sociales de los participantes en la fiesta, sin necesidad de que intervenga el narrador.

las manos por esa arena
o tierra del muladar.

Todos lo han hecho muy bien,
no tengo qué les rectar;[297]
santígüense, y den al diablo
dos higas[298] de su higueral.

Escupan al hideputa[299]
porque[300] nos deje holgar,[301]
puesto que de la chacona
nunca se suele apartar.

Cambio el son, divina Argüello,
más bella que un hospital;
pues eres mi nueva musa,
tu favor me quieras dar.

> *El baile de la chacona*
> *encierra la vida bona.*[302]

Hállase allí el ejercicio
que la salud acomoda,
sacudiendo de los miembros
a la pereza poltrona.[303]

Bulle la risa en el pecho
de quien baila y de quien toca,
del que mira y del que escucha
baile y música sonora.

Vierten azogue[304] los pies,
derrítese la persona

---

[297] *rectar:* rectificar, enmendar.   [298] *den al diablo dos higas:* desprecien al diablo.
[299] *hideputa:* hijo de puta.   [300] *porque:* para que.   [301] *holgar:* divertirse.   [302] *bona:* buena.   [303] *poltrona:* perezosa.   [304] *azogue:* metal de color blanco y estado líquido.

y con gusto de sus dueños
las mulillas[305] se descorchan.

El brío y la ligereza
en los viejos se remoza,
y en los mancebos se ensalza
y sobre modo[306] se entona.

　　Que el baile de la chacona
　　encierra la vida bona.

¡Qué de veces ha intentado
aquesta noble señora,[307]
con la alegre zarabanda,[308]
el pésame y perra mora,[309]

entrarse por los resquicios
de las casas religiosas
a inquietar la honestidad
que en las santas celdas mora!

¡Cuántas fue vituperada
de los mismos que la adoran!
Porque imagina el lascivo
y al que es necio se le antoja,

　　Que el baile de la chacona
　　encierra la vida bona.

Esta indiana amulatada,[310]
de quien la fama pregona

---

[305] *mulillas:* tipo de calzado.　[306] *sobre modo:* en extremo. *Modo* es también un cierto tipo de armonía musical. Es un juego de palabras.　[307] *aquesta noble señora:* se refiere a la chacona. Toda la canción es un elogio del baile.　[308] *zarabanda:* baile popular.　[309] *el pésame y perra mora:* dos tipos de baile.　[310] *indiana amulata-da:* se refiere a la chacona, que procedía de América.

que ha hecho más sacrilegios
e insultos que hizo Aroba;[311]

ésta, a quien es tributaria
la turba de las fregonas,
la caterva de los pajes
y de lacayos las tropas,

dice, jura y no revienta,
que, a pesar de la persona
del soberbio zambapalo,[312]
ella es la flor de la olla,[313]

y que sola la chacona
encierra la vida bona.[(21)]

En tanto que Lope cantaba, se hacían rajas bailando[314] la
turbamulta[315] de los mulantes[316] y fregatrices del baile, que
llegaban a doce; y en tanto que Lope se acomodaba a pasar
adelante cantando otras cosas de más tomo[317], sustancia
y consideración de las cantadas, uno de los muchos embozados[318] que el baile miraban dijo, sin quitarse el embozo:[319]
  —¡Calla, borracho! ¡Calla, cuero! ¡Calla, odrina,[320] poeta
de viejo, músico falso!

---

[311] *Aroba:* no se ha podido saber a quién se refiere.   [312] *zambapalo:* otro tipo de
baile.   [313] *la flor de la olla:* la mejor de todas.   [314] *se hacían rajas bailando:* bailaban
con viveza.   [315] *turbamulta:* multitud.   [316] *mulantes:* muleros.   [317] *tomo:* valor,
importancia.   [318] *embozados:* personas con el rostro tapado hasta la nariz por el
embozo de la capa para no ser reconocidas.   [319] *embozo:* véase nota 318.
[320] *cuero... odrina:* ambos significan borracho.

(21) Para entender cabalmente este elogio de las danzas populares
hay que tener en cuenta las censuras del baile y de los entretenimientos
en general formuladas por los moralistas más reaccionarios de la España
contrarreformista, quienes atacaban no sólo la chacona y la zarabanda,
sino también las fiestas de los toros y las representaciones teatrales. Véase
el prólogo de Cervantes a las *Novelas ejemplares* (documento n.° 2).

Tras esto, acudieron otros diciéndole tantas injurias y muecas, que Lope tuvo por bien de callar; pero los mozos de mulas lo tuvieron tan mal, que si no fuera por el huésped, que con buenas razones los sosegó, allí fuera la de Mazagatos;[321] y aun con todo eso, no dejaran de menear las manos si a aquel instante no llegara la justicia y los hiciera recoger a todos.

Apenas se habían retirado, cuando llegó a los oídos de todos los que en el barrio despiertos estaban una voz de un hombre que, sentado sobre una piedra, frontero de la posada del Sevillano, cantaba con tan maravillosa y suave armonía, que los dejó suspensos y les obligó a que le escuchasen hasta el fin. Pero el que más atento estuvo fue Tomás Pedro, como aquel a quien más le tocaba, no sólo el oír la música, sino entender la letra, que para él no fue oír canciones, sino cartas de excomunión[322] que le acongojaban el alma; porque lo que el músico cantó fue este romance:[(22)]

---

[321] *fuera la de Mazagatos:* se organizara una gran pelea [322] *cartas de excomunión:* documentos en los que se comunica la exclusión de algún fiel de la Iglesia Católica.

(22) El poema, como muy bien explica Avalle-Arce en su edición de las *Ejemplares,* es una descripción del universo según la vieja idea que se tenía de su estructura, en donde Costanza —la «esfera de la hermosura»— ocupa el centro, y todos los planetas —las esferas— giran en torno a ella. Según esta vieja idea, el universo comenzaba por la residencia de Dios *(caelum ipsum),* llamada en este poema «Cielo impíreo». Tras ella había un planeta conocido como *primum mobile,* que se movía gracias a Dios y que, a su vez, daba movimiento a todos los demás planetas. Este planeta aparece en el poema como «primer moble». A continuación se encontraba el *stellatum,* denominado en esta composición «nuevo hermoso firmamento/donde dos estrellas juntas». Le seguía Saturno, a quien este poeta se refiere más abajo como «del padre que da a sus hijos /en su vientre sepultura», haciendo referencia a la idea mitológica según la cual Saturno devoraba a sus hijos. A continuación se encontraba Júpiter, que aquí aparece como «el gran Jove», a quien seguía Marte («adúltero guerrero»), Apolo, es decir, el Sol, y Venus, a quienes se referirá este poeta como «cuarto cielo y sol segundo». Tras ellos encontramos a Mercurio

¿Dónde estás, que no pareces,[323]
esfera de la hermosura,
belleza a la vida humana
de divina compostura?
Cielo impíreo,[324] donde amor
tiene su sustancia segura;
primer moble[325] que arrebata
tras sí todas las venturas;
lugar cristalino donde
transparentes aguas puras
enfrían de amor las llamas,
las acrecientan y apuran;
nuevo hermoso firmamento,
donde dos estrellas juntas,[326]
sin tomar la luz prestada,
al cielo y al suelo alumbran;
alegría que se opone
a las tristezas confusas
del padre que da a sus hijos
en su vientre sepultura;[327]
humildad que se resiste
de la alteza con que encumbran
el gran Jove,[328] a quien influye
su benignidad, que es mucha.
Red invisible y sutil,
que pone en prisiones duras
al adúltero guerrero
que de las batallas triunfa[329]
cuarto cielo y sol segundo,[330]

---

[323] *pareces:* aparece.   [324] *Cielo impíreo:* la residencia de Dios, el comienzo del universo.   [325] *primer moble: primum mobile* (véase **22**).   [326] *nuevo... juntas: stellatum* (véase **22**).   [327] *del padre... sepultura:* Saturno (véase **22**).   [328] *el gran Jove:* Júpiter (véase **22**).   [329] *al adúltero... triunfa:* Marte (véase **22**).   [330] *cuarto cielo y sol segundo:* el Sol y Venus (véase **22**).

(«grave embajador»), la Luna («segundo cielo»), y por último la Tierra
(«y del primero, no más/que el resplandor de la luna»).

que el primero deja a escuras[331]
cuando acaso deja verse;
que el verle es caso y ventura;
grave embajador,[332] que hablas
con tan extraña cordura,
que persuades callando,
aún más de lo que procuras;
del segundo cielo[333] tienes
no más que la hermosura,
y del primero,[334] no más
que el resplandor de la luna;
esta esfera sois, Costanza,
puesta, por corta fortuna,
en lugar que, por indigno,
vuestras venturas deslumbra.
Fabricad vos vuestra suerte
consistiendo se reduzga[335]
la entereza a trato al uso,
la esquividad a blandura.[336]
Con esto veréis, señora,
que envidian vuestra fortuna
las soberbias por linaje,
las grandes por hermosura.
Si queréis ahorrar camino,
la más rica y la más pura
voluntad en mí os ofrezco
que vio amor en alma alguna.

El acabar estos últimos versos y el llegar volando dos medios ladrillos fue todo uno: que si como dieron junto a los pies del músico le dieran en mitad de la cabeza, con facilidad

---

[331] *a escuras:* a oscuras. [332] *grave embajador:* Mercurio (véase **22**). [333] *segundo cielo:* la Luna (véase **22**). [334] *y del primero:* la Tierra (véase **22**). [335] *se reduzga:* se reduzca. [336] *se reduzga... blandura:* se reduzca (se convierta) la dureza en carácter accesible y la personalidad esquiva en una manera de ser más blanda.

le sacaran de los cascos[337] la música y la poesía.[(23)] Asombróse
el pobre, y dio a correr por aquella cuesta arriba con tanta
priesa,[338] que no le alcanzara un galgo. ¡Infelice[339] estado de
los músicos, murciélagos y lechuzos, siempre sujetos a semejantes lluvias y desmanes! A todos los que escuchado habían
la voz del apedreado les pareció bien; pero a quien mejor, fue
a Tomás Pedro, que admiró la voz y el romance; mas quisiera
él que de otra que Costanza naciera la ocasión de tantas músicas, puesto que a sus oídos jamás llegó ninguna.

Contrario deste parecer fue Barrabás, el mozo de mulas,
que también estuvo atento a la música; porque así como vio
huir al músico, dijo:

—¡Allá irás, mentecato, trovador de Judas, que pulgas te
coman los ojos! Y ¿quién diablos te enseñó a cantar a una fregona cosas de esferas y de cielos, llamándola lunes y martes,
y de ruedas de fortuna? Dijérasla, noramala[340] para ti y para
quien le hubiere parecido bien tu trova, que es tiesa como un
espárrago, entonada[341] como un plumaje, blanca como una
leche, honesta como un fraile novicio, melindrosa y zahareña[342] como una mula de alquiler, y más dura que un pedazo
de argamasa; que como esto le dijeras, ella lo entendiera y se
holgara; pero llamarla embajador, y red, y moble, y alteza, y
bajeza, más es para decirlo a un niño de la dotrina[343] que a
una fregona. Verdaderamente que hay poetas en el mundo

---

[337] *le sacaran de los cascos:* le quitaran de la cabeza.   [338] *priesa:* prisa.   [339] *infelice:* infeliz.   [340] *noramala:* en hora mala.   [341] *entonada:* engreída.   [342] *melindrosa y
zahareña:* delicada en exceso y desdeñosa.   [343] *niño de la dotrina:* niño de la doctrina, es decir, de la catequesis, niño de escuela.

(23) Una muestra más de la técnica cervantina del diálogo y del contraste: la recitación de esta sublime poesía es respondida con un ladrilla-
zo a la cabeza del poeta. La escena termina con una glosa de Barrabás que
viene a ser el contrapunto grotesco al punto máximo de culteranismo,
representado por este poema de las esferas. Cervantes no está interesado
en hacer una burla de este tipo de composiciones ni en caricaturizar la
ignorancia de los mozos de mulas, sino en enfrentar dos universos ideológicos y sociolingüísticos opuestos (véase **10**).

que escriben trovas que no hay diablo que las entienda. Yo, a
lo menos, aunque soy Barrabás, éstas que ha cantado este
músico de ninguna manera las entrevo:[344] ¡miren qué hará
Costancica! Pero ella lo hace mejor; que se está en su cama
haciendo burla del mismo Preste Juan de las Indias.[345] Este
músico, a lo menos, no es de los del hijo del Corregidor; que
aquéllos son muchos, y una vez que otra se dejan entender;
pero éste, ¡voto a tal que[346] me deja mohíno![347]

Todos los que escucharon a Barrabás recibieron gran
gusto, y tuvieron su censura y parecer por muy acertado.

Con esto, se acostaron todos, y apenas estaba sosegada la
gente, cuando sintió Lope que llamaban a la puerta de su
aposento muy paso.[348] Y preguntando quién llamaba, fuele
respondido con voz muy baja:

—La Argüello y la Gallega somos; ábrannos, que mos[349]
morimos de frío.

—Pues en verdad —respondió Lope— que estamos en la
mitad de los caniculares.[350]

—Déjate de gracias, Lope —replicó la Gallega—; levánta-
te y abre, que venimos hechas unas archiduquesas.

—¿Archiduquesas y a tal hora? —respondió Lope—. No
creo en ellas; antes entiendo que sois brujas, o unas grandí-
simas bellacas: idos de ahí luego,[351] si no, por vida de... hago
juramento que si me levanto, que con los hierros de mi pretina[352] os tengo de poner las posaderas como unas amapolas.

Ellas, que se vieron responder tan acerbamente[353] y tan
fuera de aquello que primero se imaginaron, temieron la
furia del Asturiano, y defraudadas sus esperanzas y borrados
sus designios se volvieron tristes y malaventuradas a sus
lechos; aunque antes de apartarse de la puerta, dijo la
Argüello, poniendo los hocicos por el agujero de la llave:

---

[344] *entrevo:* entiendo. [345] *Preste Juan de las Indias:* personaje ficticio que se utilizaba frecuentemente en este tipo de comparaciones. [346] *¡voto a tal que!...:* ¡por Dios
que...!* [347] *mohíno:* enfadado. [348] *paso:* blandamente. [349] *mos:* forma rústica de
nos. [350] *los caniculares:* los días de calor. [351] *luego:* inmediatamente. [352] *pretina:*
cinturón. [353] *acerbamente:* con aspereza.

—No es la miel para la boca del asno.

Y con esto, como si hubiera dicho una gran sentencia y tomado una justa venganza, se volvió, como se ha dicho, a su triste cama.[24]

Lope, que sintió que se habían vuelto, dijo a Tomás Pedro, que estaba despierto:

—Mirad, Tomás: ponedme vos a pelear con dos gigantes y en ocasión que me sea forzoso desquijarar[354] por vuestro servicio media docena o una de leones, que yo lo haré con más facilidad que beber una taza de vino; pero que me pongáis en necesidad que me tome a brazo partido[355] con la Argüello, no lo consentiré si me asaetean.[356] ¡Mirad qué doncellas de Dinamarca[357] nos había ofrecido la suerte esta noche! Ahora bien, amanecerá Dios y medraremos.[358]

—Ya te he dicho, amigo —respondió Tomás—, que puedes hacer tu gusto o ya en irte a tu romería, o ya en comprar el asno y hacerte aguador, como tienes determinado.

—En lo de ser aguador me afirmo —respondió Lope—. Y durmamos lo poco que queda hasta venir el día, que tengo esta cabeza mayor que una cuba y no estoy para ponerme ahora a departir contigo.

Durmiéronse, vino el día, levantáronse, y acudió Tomás a dar cebada y Lope se fue al mercado de las bestias, que es allí junto,[359] a comprar un asno que fuese tal como bueno.

Sucedió, pues, que Tomás, llevado de sus pensamientos y de la comodidad que le daba la soledad de las siestas, había compuesto en algunas unos versos amorosos y escritolos en el mismo libro do[360] tenía la cuenta de la cebada, con intención de sacarlos aparte en limpio y romper o borrar aquellas

---

[354] *desquijarar:* abrir por las quijadas. [355] *me tome a brazo partido:* luche. [356] *si me asaetean:* aunque me asaeteen. [357] *doncellas de Dinamarca:* se refiere irónicamente a un personaje del libro de caballería *Amadís de Gaula.* [358] *amanecerá Dios y medraremos:* mañana mejorarán las cosas. [359] *allí junto:* allí al lado. [360] *do:* donde.

---

(24) Carriazo no cae, como lo hubiera hecho un pícaro, en los brazos de la Argüello, y conserva de este modo la limpieza dentro de la suciedad.

hojas. Pero antes que esto hiciese, estando él fuera de casa y habiéndose dejado el libro sobre el cajón de la cebada, le tomó su amo, y abriéndole para ver cómo estaba la cuenta, dio con los versos que, leídos le turbaron y sobresaltaron.

Fuese con ellos a su mujer, y antes que se los leyese, llamó a Costanza, y con grandes encarecimientos, mezclados con amenazas, le dijo le dijese si Tomás Pedro, el mozo de la cebada, le había dicho algún requiebro o alguna palabra descompuesta o que diese indicio de tenerla afición.[361] Costanza juró que la primera palabra, en aquélla o en otra materia alguna, estaba aún por hablarla, y que jamás, ni aun con los ojos, le había dado muestras de pensamiento malo alguno.

Creyéronla sus amos, por estar acostumbrados a oírla siempre decir verdad en todo cuanto le preguntaban. Dijéronla que se fuese de allí, y el huésped dijo a su mujer:

—No sé qué me diga desto.[362] Habréis de saber, señora, que Tomás tiene escritas en este libro de la cebada unas coplas que me ponen mala espina que está enamorado de Costancica.

—Veamos las coplas —respondió la mujer—, que yo os diré lo que en eso debe de haber.

—Así será, sin duda alguna —replicó su marido—; que como sois poeta, luego[363] daréis en su sentido.

—No soy poeta —respondió la mujer—; pero ya sabéis vos que tengo buen entendimiento y que sé rezar en latín las cuatro oraciones.[364]

—Mejor haríades de rezallas[365] en romance: que ya os dijo vuestro tío el clérigo que decíades mil gazafatones[366] cuando rezábades en latín y que no rezábades nada.

—Esa flecha, de la aljaba[367] de su sobrina ha salido, que

---

[361] *afición:* amor.   [362] *no sé qué me diga desto:* no sé qué pensar.   [363] *luego:* inmediatamente.   [364] *las cuatro oraciones:* el Padrenuestro, el Avemaría, el Credo y la Salve.   [365] *rezallas:* rezarlas.   [366] *gazafatones:* errores de dicción que hacen expresar una idea que no se quiere decir.   [367] *aljaba:* caja donde se llevan las flechas.

está envidiosa de verme tomar las Horas de latín en la mano[368] y irme por ellas como por viña vendimiada.[369]

—Sea como vos quisiéredes —respondió el huésped—. Estad atenta, que las coplas son éstas:

> ¿Quién de amor venturas halla?
> El que calla.
> ¿Quién triunfa de su aspereza?
> La firmeza.
> ¿Quién da alcance a su alegría?
> La porfía.
> Dese modo, bien podría
> esperar dichosa palma
> si en esta empresa mi alma
> calla, está firme y porfía.

> ¿Con quién se sustenta amor?
> Con favor.
> ¿Y con qué mengua su furia?
> Con la injuria.
> ¿Antes con desdenes crece?
> Desfallece.
> Claro en esto se parece
> que mi amor será inmortal,
> pues la causa de mi mal
> ni injuria ni favorece.

> Quien desespera, ¿qué espera?
> Muerte entera.
> Pues ¿qué muerte el mal remedia?
> La que es media.
> Luego ¿bien será morir?
> Mejor sufrir.

---

[368] *tomar... mano:* leer el libro de horas, es decir, el libro de oraciones en latín.
[369] *como por viña vendimiada:* fácilmente.

Porque se suele decir,
y esta verdad se reciba,
que tras la tormenta esquiva
suele la calma venir.

¿Descubriré mi pasión?
        En ocasión.
¿Y si jamás se me da?
        Sí hará.
Llegará la muerte en tanto.
        Llegue a tanto.
Tu limpia fe y esperanza,
que en sabiéndolo Costanza,
convierta en risa tu llanto.

—¿Hay más? —dijo la huéspeda.

—No —respondió el marido—; pero ¿qué os parece destos versos?

—Lo primero —dijo ella—, es menester averiguar si son de Tomás.

—En esto no hay que poner duda —replicó el marido—, porque la letra de la cuenta de la cebada y la de las coplas toda es una, sin que se pueda negar.

—Mirad, marido —dijo la huéspeda—: a lo que yo veo, puesto que las coplas nombran a Costancica, por donde se puede pensar que se hicieron para ella, no por eso lo habemos de afirmar nosotros por verdad como si se los[370] viéramos escribir, cuanto más que otras Costanzas que la nuestra hay en el mundo; pero ya que sea por ésta,[371] ahí no le dice nada que la deshonre ni la pide cosa que le importe. Estemos a la mira[372] y avisemos a la muchacha, que si él está enamorado della, a buen seguro que él haga más coplas y que procure dárselas.

---

[370] *los:* se refiere a los versos.   [371] *ya que sea por ésta:* suponiendo que sea por ésta.   [372] *Estemos a la mira:* observemos con cuidado.

—¿No sería mejor —dijo el marido— quitarnos desos cuidados y echarle de casa?

—Eso —respondió la huéspeda— en vuestra mano está; pero en verdad que, según vos decís, el mozo sirve de manera que sería conciencia el despedille[373] por tan liviana ocasión.

—Ahora bien —dijo el marido—: estaremos alerta, como vos decís, y el tiempo nos dirá lo que habemos de hacer.

Quedaron en esto, y tornó a poner el huésped el libro donde le había hallado. Volvió Tomás, ansioso, a buscar su libro, hallóle, y porque[374] no le diese otro sobresalto, trasladó las coplas y rasgó aquellas hojas, y propuso de aventurarse a descubrir su deseo a Costanza en la primera ocasión que se le ofreciese. Pero como ella andaba siempre sobre los estribos de su honestidad y recato, a ninguno daba lugar de miralla,[375] cuanto más de ponerse a pláticas con ella; y como había tanta gente y tantos ojos de ordinario en la posada, aumentaba más la dificultad de hablarla, de que[376] se desesperaba el pobre enamorado.

Mas habiendo salido aquel día Costanza con una toca ceñida por las mejillas y dicho a quien se lo preguntó que por qué se la había puesto que tenía un gran dolor de muelas, Tomás, a quien sus deseos avivaban el entendimiento, en un instante discurrió lo que sería bueno que hiciese, y dijo:

—Señora Costanza, yo le daré una oración en escrito que, a dos veces que la rece se le quitará como con la mano su dolor.

—Norabuena[377] —respondió Costanza—; que yo la rezaré, porque sé leer.

—Ha de ser con condición —dijo Tomás— que no la ha de mostrar a nadie, porque la estimo en mucho y no será bien que por saberla muchos se menosprecie.

—Yo le prometo —dijo Costanza—, Tomás, que no la dé a nadie; y démela luego,[378] porque me fatiga mucho el dolor.

---

[373] *sería... despedille:* despedirle sería cargo de conciencia.   [374] *porque:* para que.
[375] *miralla:* mirarla.   [376] *de que:* por lo que.   [377] *norabuena:* en hora buena.
[378] *luego:* inmediatamente.

—Yo la trasladaré de la memoria —respondió Tomás—
y luego se la daré.

Éstas fueron las primeras razones que Tomás dijo a
Costanza y Costanza a Tomás en todo el tiempo que había
que estaba en casa, que ya pasaban de veinte y cuatro días.
Retiróse Tomás, y escribió la oración, y tuvo lugar de dársela
a Costanza sin que nadie lo viese, y ella, con mucho gusto y
más devoción, se entró en un aposento a solas, y abriendo el
papel vio que decía desta manera:

«Señora de mi alma: Yo soy un caballero natural de
Burgos; si alcanzo de días a mi padre,[379] heredo un mayorazgo de seis mil ducados de renta. A la fama de vuestra hermosura, que por muchas leguas se extiende, dejé mi patria,
mudé vestido, y en el traje que me veis vine a servir a vuestro
dueño; si vos lo quisiéredes ser mío, por los medios que más
a vuestra honestidad convengan, mirad qué pruebas queréis
que haga para enteraros desta verdad;[380] y enterada en ella,
siendo gusto vuestro, seré vuestro esposo y me tendré por el
más bien afortunado del mundo. Sólo, por ahora, os pido
que no echéis tan enamorados y limpios pensamientos como
los míos en la calle; que si vuestro dueño los sabe y no los
cree, me condenará a destierro de vuestra presencia, que
sería lo mismo que condenarme a muerte. Dejadme, señora,
que os vea hasta que me creáis, considerando que no merece
el riguroso castigo de no veros el que no ha cometido otra
culpa que adoraros. Con los ojos podréis responderme, a
hurto de[381] los muchos que siempre os están mirando; que
ellos son tales, que airados matan y piadosos resucitan».

En tanto que Tomás entendió que Costanza se había ido a
leer su papel le estuvo palpitando el corazón, temiendo y
esperando, o ya la sentencia de su muerte o la restauración

---

[379] *si... padre:* si vivo cuando muera mi padre.   [380] *enteraros... verdad:* haceros
patente esta verdad.   [381] *a hurto de:* a escondidas de.

de su vida. Salió en esto Costanza, tan hermosa, aunque
rebozada, que si pudiera recebir[382] aumento su hermosura
con algún accidente,[383] se pudiera juzgar que el sobresalto de
haber visto en el papel de Tomás otra cosa tan lejos de la que
pensaba había acrecentado su belleza. Salió con el papel
entre las manos hecho menudas piezas, y dijo a Tomás, que
apenas se podía tener en pie:

—Hermano Tomás, ésta tu oración más parece hechicería
y embuste que oración santa, y así, yo no la quiero creer ni
usar della, y por eso la he rasgado, porque[384] no la vea nadie
que sea más crédula que yo. Aprende otras oraciones más
fáciles, porque ésta será imposible que te sea de provecho.

En diciendo esto, se entró con su ama, y Tomás quedó suspenso, pero algo consolado, viendo que en solo el pecho de
Costanza quedaba el secreto de su deseo; pareciéndole que,
pues no había dado cuenta dél a su amo, por lo menos no
estaba en peligro de que le echasen de casa. Parecióle que en
el primero paso que había dado en su pretensión había atropellado[385] por mil montes de inconvenientes, y que en las
cosas grandes y dudosas la mayor dificultad está en los principios.

En tanto que esto sucedió en la posada, andaba el
Asturiano comprando el asno donde los vendían; y aunque
halló muchos, ninguno le satisfizo, puesto que un gitano
anduvo muy solícito por encajalle[386] uno que más caminaba
por el azogue[387] que le había echado en los oídos que por
ligereza suya; pero lo que contentaba con el paso desagradaba con el cuerpo, que era muy pequeño y no del grandor y
talle que Lope quería, que le buscaba suficiente para llevarle
a él por añadidura, ora fuesen vacíos o llenos los cántaros.

Llegóse a él en esto un mozo y díjole al oído:

—Galán, si busca bestia cómoda para el oficio de aguador, yo tengo un asno aquí cerca, en un prado, que no le hay
mejor ni mayor en la ciudad; y aconséjole que no compre

---

[382] *recebir:* recibir.   [383] *accidente:* suceso no previsto.   [384] *porque:* para que.
[385] *atropellado:* atravesado.   [386] *encajalle:* encajarle.   [387] *azogue:* véase nota 304.

bestia de gitanos, porque aunque parezcan sanas y buenas, todas son falsas y llenas de dolamas;[388] si quiere comprar la que le conviene, véngase conmigo y calle la boca.

Creyóle el Asturiano, y díjole que guiase adonde estaba el asno que tanto encarecía. Fuéronse los dos mano a mano, como dicen, hasta que llegaron a la Huerta del Rey,[389] donde a la sombra de una azuda[390] hallaron muchos aguadores, cuyos asnos pacían en un prado que allí cerca estaba. Mostró el vendedor su asno, tal, que le hinchó el ojo[391] al Asturiano, y de todos los que allí estaban fue alabado el asno de fuerte, de caminador y comedor[392] sobremanera.[393] Hicieron su concierto, y sin otra seguridad ni información, siendo corredores y medianeros los demás aguadores, dio diez y seis ducados por el asno, con todos los adherentes[394] del oficio.

Hizo la paga real[395] en escudos de oro. Diéronle el parabién de la compra y de la entrada en el oficio, y certificáronle que había comprado un asno dichosísimo, porque el dueño que le dejaba, sin que se le mancase ni matase,[396] había ganado con él en menos tiempo de un año, después de haberse sustentado a él y al asno honradamente, dos pares de vestidos y más aquellos diez y seis ducados, con que pensaba volver a su tierra, donde le tenían concertado un casamiento con una media parienta suya.

Amén de los corredores[397] del asno, estaban otros cuatro aguadores jugando a la primera,[398] tendidos en el suelo, sirviéndoles de bufete[399] la tierra y de sobremesa sus capas. Púsose el Asturiano a mirarlos, y vio que no jugaban como aguadores, sino como arcedianos,[400] porque tenía de

---

[388] *dolamas:* dolames, enfermedades.   [389] *Huerta del Rey:* arboleda de Toledo.
[390] *azuda:* rueda para sacar agua de los ríos.   [391] *le hinchó el ojo:* le gustó.   [392] *comedor:* error de la primera edición. Debería leerse *corredor.*   [393] *sobremanera:* en extremo.
[394] *adherentes:* aparejos.   [395] *paga real:* al contado.   [396] *sin... matase:* sin que se dañara.
[397] *corredores:* los que intervienen en la compraventa del asno.   [398] *la primera:* juego de naipes.   [399] *bufete:* mesa.   [400] *arcedianos:* uno de los cargos de las catedrales. Jugaban como arcedianos por la cantidad de dinero que apostaban, como dice a continuación, y, tal vez porque era conocida la afición de estos clérigos a los juegos de cartas.

resto[401] cada uno más de cien reales en cuartos y en plata.
Llegó una mano de echar todos el resto, y si uno no diera
partido[402] a otro, él hiciera mesa gallega.[403] Finalmente, a los
dos en aquel resto se les acabó el dinero y se levantaron; viendo lo cual el vendedor del asno, dijo que si hubiera cuarto,
que él jugara, porque era enemigo de jugar en tercio.[404] El
Asturiano, que era de propiedad del azúcar,[405] que jamás
gastó menestra,[406] como dice el italiano,[407] dijo que él haría
cuarto. Sentáronse luego,[408] anduvo la cosa de buena manera, y queriendo jugar antes el dinero que el tiempo, en poco
rato perdió Lope seis escudos que tenía, y viéndose sin blanca, dijo que si le querían jugar el asno, que él le jugaría.
Acetáronle[409] el envite, y hizo de resto un cuarto del asno,[410]
diciendo que por cuartos quería jugarle. Díjole tan mal,[411]
que en cuatro restos consecutivamente perdió los cuatro
cuartos del asno, y ganóselos el mismo que se le había vendido; y levantándose para volverse a entregarse en él,[412] dijo
el Asturiano que advirtiesen que él solamente había jugado
los cuatro cuartos del asno; pero la cola, que se la diesen,
y se le llevasen norabuena.[413]

Causóles risa a todos la demanda de la cola, y hubo letrados que fueron de parecer que no tenía razón en lo que
pedía, diciendo que cuando se vende un carnero o otra res
alguna no se saca ni quita la cola, que con uno de los cuartos
traseros ha de ir forzosamente. A lo cual replicó Lope que los
carneros de Berbería[414] ordinariamente tienen cinco cuartos, y que el quinto es de la cola, y cuando los tales carneros
se cuartean, tanto vale la cola como cualquier cuarto; y que

---

[401] *resto:* apuesta.   [402] *partido:* ventaja.   [403] *mesa gallega:* cuando un jugador gana
todas las apuestas.   [404] *jugar en tercio:* jugar a tres.   [405] *era de propiedad del azúcar:*
sucumbía a las tentaciones.   [406] *jamás gastó menestra:* nunca reparó en lo que hacía.
[407] *el italiano:* un dicho italiano.   [408] *luego:* inmediatamente.   [409] *acetáronle:* aceptá-
ronle.   [410] *hizo... asno:* apostó un cuarto del asno.   [411] *díjole tan mal:* diósele tan
mal.   [412] *entregarse en él:* tomar el asno.   [413] *norabuena:* en hora buena.   [414] *carne-*
ros de Berbería: animales que tenían una cola muy ancha y que, por tanto, al despe-
dazarle, se le hacían cinco trozos o cuartos.

a lo de ir la cola junto con la res que se vende viva y no se cuartea, que lo concedía; pero que la suya no fue vendida, sino jugada, y que nunca su intención fue jugar la cola, y que al punto se la volviesen luego[415] con todo lo a ella anejo y concerniente, que era desde la punta del celebro,[416] contada[417] la osamenta del espinazo, donde ella tomaba principio y decendía,[418] hasta parar en los últimos pelos della.

—Dadme vos —dijo uno— que ello sea así[419] como decís, y que os la den como la pedís, y sentaos junto a lo que del asno queda.

—¡Pues así es! —replicó Lope—. Venga mi cola; si no, por Dios que no me lleven el asno si bien[420] viniesen por él cuantos aguadores hay en el mundo; y no piensen que por ser tantos los que aquí están me han de hacer superchería,[421] porque soy yo un hombre que me sabré llegar a otro hombre y meterle dos palmos de daga por las tripas sin que sepa de quién, por dónde o cómo le vino; y más, que no quiero que me paguen la cola rata por cantidad,[422] sino que quiero que me la den en ser[423] y la corten del asno como tengo dicho.

Al gananciodo y a los demás les pareció no ser bien llevar aquel negocio por fuerza, porque juzgaron ser de tal brío el Asturiano que no consentiría que se la hiciesen; el cual, como estaba hecho al trato de las almadrabas, donde se ejercita todo género de rumbo y jácara[424] y de extraordinarios juramentos y boatos,[425] voleó allí el capelo[426] y empuñó un puñal que debajo del capotillo traía, y púsose en tal postura, que infundió temor y respecto[427] en toda aquella aguadora compañía. Finalmente, uno dellos, que parecía de más razón y discurso, los concertó en que se echase la cola contra un

---

[415] *al punto... luego:* se la devolviesen inmediatamente.   [416] *celebro:* cerebro.   [417] *contada:* incluida.   [418] *decendía:* descendía.   [419] *dadme... así:* expresión que se usa para aceptar la propuesta.   [420] *si bien:* aunque.   [421] *superchería:* engaño.   [422] *rata por cantidad:* con una cantidad de dinero equivalente a su valor.   [423] *en ser:* sin deshacer.   [424] *rumbo y jácara:* peligro y amenaza.   [425] *boatos:* tono de voz presuntuoso y arrogante.   [426] *voleó allí el capelo:* tiró lejos el sombrero.   [427] *respecto:* respeto.

cuarto del asno a una quínola o a dos y pasante.[428] Fueron contentos, ganó la quínola Lope, picóse el otro, echó el otro cuarto, y a otras tres manos quedó sin asno. Quiso jugar el dinero; no quería Lope; pero tanto le porfiaron todos, que lo hubo de hacer, con que hizo el viaje del desposado,[429] dejándole sin un solo maravedí; y fue tanta la pesadumbre que desto recibió el perdidoso, que se arrojó en el suelo y comenzó a darse de calabazadas[430] por la tierra. Lope, como bien nacido y como liberal y compasivo, se levantó y le volvió todo el dinero que le había ganado y los diez y seis ducados del asno, y aun de los que él tenía repartió con los circunstantes, cuya extraña liberalidad pasmó a todos; y si fueran los tiempos y las ocasiones del Tamorlán,[431] le alzaran por rey de los aguadores.

Con grande acompañamiento volvió Lope a la ciudad, donde contó a Tomás lo sucedido y Tomás asimismo le dio cuenta de sus buenos sucesos.[(25)] No quedó taberna, ni bodegón, ni junta de pícaros donde no se supiese el juego del asno, el esquite[432] por la cola y el brío y la liberalidad del Asturiano. Pero como la mala bestia del vulgo, por la mayor

---

[428] *una quínola o a dos y pasante:* juegos de naipes.   [429] *viaje del desposado:* su contrincante está, como se ha dicho, desposado con una pariente lejana. Esta hiperbólica frase significa que Lope le ganó todo, hasta el viaje que iba a hacer este hombre para casarse.   [430] *calabazadas:* golpes.   [431] *Tamorlán:* es el nombre que recibe el emperador de los tártaros, y se usa cuando se quiere ensalzar irónicamente la nobleza de alguien.   [432] *esquite:* desquite.

(25) He aquí las ventajas narrativas de crear un pícaro virtuoso como Carriazo-Lope Asturiano: puede comportarse como un pendenciero valentón y habilidoso con el cuchillo, capaz de defender a navajazos una jugada de naipes, o como el más generoso de los caballeros. Este personaje, que puede vivir en dos ambientes tan diferentes, que es capaz de expresarse en dos lenguajes sociales tan distintos, constituye un modelo vital para Cervantes y, al mismo tiempo, es un comodín literario. Pero ni siquiera este bilingüismo social de Carriazo-Lope Asturiano, tan grato para Cervantes, se libra de las burlas, que lo ridiculizan y lo ponen en cuestión: la gente, enterada del suceso, se burla del pícaro virtuoso por las calles, como leeremos a continuación.

parte, es mala, maldita y maldiciente, no tomó de memoria la liberalidad, brío y buenas partes del gran Lope, sino solamente la cola; y así, apenas hubo andado dos días por la ciudad echando agua, cuando se vio señalar de muchos con el dedo, que decían: «Éste es el aguador de la cola». Estuvieron los muchachos atentos, supieron el caso, y no había asomado Lope por la entrada de cualquiera calle, cuando por toda ella le gritaban, quién de aquí, y quién de allí: «¡Asturiano, daca[433] la cola! ¡Daca la cola, Asturiano!». Lope, que se vio a asaetear de tantas lenguas y con tantas voces, dio en callar, creyendo que en su mucho silencio se anegara tanta insolencia. Mas ni por ésas, pues mientras más callaba, más los muchachos gritaban; y así, probó a mudar su paciencia en cólera, y apeándose del asno dio a palos tras los muchachos, que fue afinar el polvorín y ponerle fuego, y fue otro cortar las cabezas de la serpiente[434] pues en lugar de una que quitaba, apaleando a algún muchacho, nacían en el mismo instante, no otras siete, sino setecientas, que con mayor ahínco y menudeo le pedían la cola. Finalmente, tuvo por bien de retirarse a una posada que había tomado fuera de la de su compañero, por huir de la Argüello, y de estarse en ella hasta que la influencia de aquel mal planeta pasase y se borrase de la memoria de los muchachos aquella demanda mala de la cola que le pedían.

Seis días se pasaron sin que saliese de casa, si no era de noche, que iba a ver a Tomás y a preguntarle del estado en que se hallaba, el cual le contó que después que había dado el papel a Costanza, nunca más había podido hablarla una sola palabra, y que le parecía que andaba más recatada que solía, puesto que una vez tuvo lugar de llegar a hablarla, y viéndolo ella, le había dicho antes que llegase: «Tomás, no me duele nada; y así, ni tengo necesidad de tus palabras ni de tus oraciones: conténtate que no te acuso a la Inquisición, y no

---

[433] *daca:* da acá, dame.   [434] *otro cortar las cabezas de la serpiente:* Cervantes dice otro porque hubo un primer *cortar las cabezas de la serpiente* cuando Hércules se enfrentó a la Hidra de Lerna, cuyas múltiples cabezas volvían a crecer después de ser cortadas.

te canses»; pero que estas razones las dijo sin mostrar ira en los ojos ni otro desabrimiento que pudiera dar indicio de reguridad[435] alguna. Lope le contó a él la priesa que le daban los muchachos pidiéndole la cola porque él había pedido la de su asno, con que hizo el famoso esquite.[436] Aconsejóle Tomás que no saliese de casa, a lo menos sobre el asno, y que si saliese, fuese por calles solas y apartadas; y que cuando esto no bastase, bastaría dejar el oficio, último remedio de poner fin a tan poco honesta demanda. Preguntóle Lope si había acudido más la Gallega. Tomás dijo que no; pero que no dejaba de sobornarle la voluntad con regalos y presentes de lo que hurtaba en la cocina a los huéspedes. Retiróse con esto a su posada Lope, con determinación de no salir della en otros seis días, a lo menos, con el asno.

Las once serían de la noche, cuando de improviso y sin pensarlo vieron entrar en la posada muchas varas de justicia,[437] y al cabo, el Corregidor. Alborotóse el huésped, y aun los huéspedes;[438] porque así como los cometas cuando se muestran siempre causan temores de desgracias e infortunios, ni más ni menos la justicia, cuando de repente y de tropel se entra en una casa, sobresalta y atemoriza hasta las conciencias no culpadas. Entróse el Corregidor en una sala, y llamó al huésped de casa, el cual vino temblando a ver lo que el señor Corregidor quería. Y así como le vio el Corregidor, le preguntó con mucha gravedad:

—¿Sois vos el huésped?

—Sí, señor —respondió él—, para lo que vuesa merced me quisiere mandar.

Mandó el Corregidor que saliesen de la sala todos los que en ella estaban y que le dejasen solo con el huésped. Hiciéronlo así, y quedándose solos, dijo el Corregidor al huésped:

—Huésped, ¿qué gente de servicio tenéis en esta vuestra posada?

---

[435] *reguridad:* rigoridad, rigor.   [436] *esquite:* véase nota 432.   [437] *varas de justicia:* las varas que llevaban los funcionarios de la justicia.   [438] *huésped... huéspedes:* véase nota 129.

—Señor —respondió él—, tengo dos mozas gallegas, y una ama, y un mozo que tiene cuenta con dar la cebada y paja.

—¿No más? —replicó el Corregidor.

—No, señor —respondió el huésped.

—Pues, decidme, huésped —dijo el Corregidor—, ¿dónde está una muchacha que dicen que sirve en esta casa, tan hermosa que por toda la ciudad la llaman *la ilustre fregona*, y aun me han llegado a decir que mi hijo don Periquito es su enamorado y que no hay noche que no le da músicas?

—Señor —respondió el huésped—, esa fregona ilustre que dicen es verdad que está en esta casa; pero ni es mi criada ni deja de serlo.[(26)]

—No entiendo lo que decís, huésped, en eso de ser y no ser vuestra criada la fregona.

—Yo he dicho bien —añadió el huésped—; y si vuesa merced me da licencia, le diré lo que hay en esto, lo cual jamás he dicho a persona alguna.

—Primero quiero ver a la fregona que saber otra cosa; llamadla acá —dijo el Corregidor.

Asomóse el huésped a la puerta de la sala y dijo:

—¡Oíslo,[439] señora, haced que entre aquí Costancica! Cuando la huéspeda oyó que el Corregidor llamaba a Costanza, turbóse y comenzó a torcerse las manos, diciendo:

—¡Ay, desdichada de mí! ¡El Corregidor a Costanza, y a solas! Algún gran mal debe de haber sucedido; que la hermosura desta muchacha trae encantados los hombres.

Costanza, que lo oía, dijo:

—Señora, no se congoje, que yo iré a ver lo que el señor Corregidor quiere, y si algún mal hubiere sucedido, esté segura vuesa merced que no tendré yo la culpa.

---

[439] *oíslo:* puede entenderse como forma del verbo oír; pero también era el término rústico con el que se designaba a la esposa.

(26) El huésped lo dice claramente: Costanza pertenece a la misma zona de indeterminación en la que se encuentran Carriazo y Avendaño durante la novela, al no ser ni criados ni caballeros (véase **13**).

Y en esto, sin aguardar que otra vez la llamasen, tomó una vela encendida sobre un candelero de plata, y con más vergüenza que temor fue donde el Corregidor estaba.

Así como el Corregidor la vio, mandó al huésped que cerrase la puerta de la sala; lo cual hecho, el Corregidor se levantó, y tomando el candelero que Costanza traía, llegándole la luz al rostro, la anduvo mirando toda de arriba abajo; y como Costanza estaba con sobresalto, habíasele encendido la color del rostro, y estaba tan hermosa y tan honesta, que al Corregidor le pareció que estaba mirando la hermosura de un ángel en la tierra; y después de haberla bien mirado, dijo:

—Huésped, ésta no es joya para estar en el bajo engaste[440] de un mesón; desde aquí digo que mi hijo Periquito es discreto,[441] pues tan bien ha sabido emplear sus pensamientos. Digo, doncella, que no solamente os pueden y deben llamar *ilustre,* sino *ilustrísima;* pero estos títulos no habían de caer sobre el nombre de *fregona,* sino sobre el de una duquesa.

—No es fregona, señor —dijo el huésped—, que no sirve de otra cosa en casa que de traer las llaves de la plata, que por la bondad de Dios tengo alguna, con que se sirven los huéspedes[442] honrados que a esta posada vienen.

—Con todo eso —dijo el Corregidor—, digo, huésped, que ni es decente ni conviene que esta doncella esté en un mesón. ¿Es parienta vuestra, por ventura?

—Ni es mi parienta ni es mi criada; y si vuesa merced gustare de saber quién es, como[443] ella no esté delante, oirá vuesa merced cosas que, juntamente con darle gusto, le admiren.

—Sí gustaré —dijo el Corregidor—; y sálgase Costancica allá fuera, y prométase de mí lo que de su mismo padre pudiera prometerse; que su mucha honestidad y hermosura obligan a que todos los que la vieren se ofrezcan a su servicio.

---

[440] *engaste:* guarnición de metal que asegura lo que se encaja en ella, generalmente una joya.   [441] *discreto:* cuerdo, de buen juicio.   [442] *huésped... huéspedes:* véase nota 129.   [443] *como:* cuando.

No respondió palabra Costanza, sino con mucha mesura hizo una profunda reverencia al Corregidor, y salióse de la sala, y halló a su ama desalada[444] esperándola, para saber della qué era lo que el Corregidor la quería. Ella le contó lo que había pasado y cómo su señor quedaba con él para contalle[445] no sé qué cosas que no quería que ella las oyese. No acabó de sosegarse la huéspeda, y siempre estuvo rezando hasta que se fue el Corregidor y vio salir libre a su marido, el cual, en tanto que estuvo con el Corregidor, le dijo:

—Hoy hacen, señor, según mi cuenta, quince años, un mes y cuatro días que llegó a esta posada una señora en hábito de peregrina, en una litera,[446] acompañada de cuatro criados de a caballo y de dos dueñas[447] y una doncella,[448] que en un coche venían. Traía asimismo dos acémilas[449] cubiertas con dos ricos reposteros,[450] y cargadas con una rica cama y con aderezos de cocina; finalmente, el aparato[451] era principal, y la peregrina representaba ser una gran señora; y aunque en la edad mostraba ser de cuarenta o pocos más años, no por eso dejaba de parecer hermosa en todo extremo. Venía enferma y descolorida y tan fatigada, que mandó que luego luego[452] le hiciesen la cama, y en esta misma sala se la hicieron sus criados. Preguntáronme cuál era el médico de más fama desta ciudad. Díjeles que el doctor De la Fuente.[453] Fueron luego por él, y él vino luego;[454] comunicó a solas con él su enfermedad, y lo que de su plática resultó fue que mandó el médico que se le hiciese la cama en otra parte y en lugar donde no le diesen ningún ruido. Al momento la mudaron a otro aposento que está aquí arriba apartado, y con la comodidad que el doctor pedía. Ninguno de los criados entraban donde su señora, y solas las dos dueñas y la doncella la servían. Yo y

---

[444] *desalada:* sin alas, alicaída.   [445] *contalle:* contarle.   [446] *litera:* especie de carruaje.   [447] *dueñas:* señoras que no son doncellas.   [448] *doncella:* mujer virgen.   [449] *acémilas:* mulos.   [450] *reposteros:* especie de paño decorativo.   [451] *aparato:* adorno, pompa.   [452] *luego luego:* con el máximo de prisa.   [453] *doctor De la Fuente:* se trata de un médico que existió en realidad.   [454] *Fueron... luego:* fueron luego por él, y él vino inmediatamente.

mi mujer preguntamos a los criados quién era la tal señora y
cómo se llamaba, de adónde venía y adónde iba; si era casa-
da, viuda o doncella, y por qué causa se vestía aquel hábito
de peregrina. A todas estas preguntas, que le hicimos una y
muchas veces, no hubo alguno que nos respondiese otra cosa
sino que aquella peregrina era una señora principal y rica de
Castilla la Vieja, y que era viuda, y que no tenía hijos que
la heredasen; y que porque había algunos meses que estaba
enferma de hidropesía[455] había ofrecido de ir a Nuestra
Señora de Guadalupe en romería, por la cual promesa iba en
aquel hábito. En cuanto a decir su nombre, traían orden de
no llamarla sino la señora peregrina. Esto supimos por
entonces; pero a cabo de tres días que, por enferma, la
señora peregrina se estaba en casa, una de las dueñas nos
llamó a mí y a mi mujer de su parte; fuimos a ver lo que quería, y a puerta cerrada y delante de sus criadas, casi con lágrimas en los ojos, nos dijo, creo que estas mismas razones:[(27)]
«Señores míos, los cielos me son testigos que sin culpa mía
me hallo en el riguroso trance que ahora os diré. Yo estoy
preñada, y tan cerca del parto, que ya los dolores me van
apretando. Ninguno de los criados que vienen conmigo

---

[455] *hidropesía:* enfermedad que consiste en la acumulación anormal de suero en
cualquier cavidad del cuerpo.

(27) Este juego de narradores dentro de narradores y de discursos
referidos dentro de otros discursos referidos es muy cervantino.
Volveremos a encontrarnos con él en *El casamiento engañoso* y en el
Coloquio de los perros, donde se alcanza un grado mayor de sofisticación.
A continuación, escuchamos las palabras de la señora dentro de las
palabras del huésped, que a su vez se encuentran en el interior —no lo
olvidemos— de la historia de un narrador anónimo que está siendo
re-creada por la pluma del narrador cervantino en tercera persona,
narración sobre la cual debemos imaginar a Miguel de Cervantes diri-
giéndose a nosotros. El grado de verosimilitud de una historia está en
relación con la distancia narrativa que exista entre ella y su lector: cuanto más lejana, cuantos más narradores se interpongan entre el lector y la
acción, más verosímil resultará ésta.

saben mi necesidad ni desgracia; a estas mis mujeres ni he podido ni he querido encubrírselo. Por huir de los maliciosos ojos de mi tierra y porque esta hora no me tomase en ella, hice voto de ir a Nuestra Señora de Guadalupe; ella debe de haber sido servida que en esta vuestra casa me tome el parto; a vosotros está ahora el remediarme y acudirme,[456] con el secreto que merece la que su honra pone en vuestras manos. La paga de la merced que me hiciéredes, que así quiero llamarla, si no respondiere al gran beneficio que espero, responderá, a lo menos, a dar muestra de una voluntad muy agradecida; y quiero que comiencen a dar muestras de mi voluntad estos ducientos[457] escudos de oro que van en este bolsillo». Y sacando debajo de la almohada de la cama un bolsillo de aguja, de oro y verde, se le puso en las manos de mi mujer, la cual, como simple y sin mirar lo que hacía, porque estaba suspensa y colgada de la peregrina,[458] tomó el bolsillo, sin responderle palabra de agradecimiento ni de comedimiento alguno. Yo me acuerdo que le dije que no era menester nada de aquello: que no éramos personas que por interés, más que por caridad, nos movíamos a hacer bien cuando se ofrecía. Ella prosiguió, diciendo: «Es menester, amigos, que busquéis donde llevar lo que pariere luego luego,[459] buscando también mentiras que decir a quien lo entregáredes; que por ahora será en la ciudad, y después quiero que se lleve a una aldea. De lo que después se hubiere de hacer, siendo Dios servido de alumbrarme y de llevarme a cumplir mi voto, cuando de Guadalupe vuelva lo sabréis, porque el tiempo me habrá dado lugar de que piense y escoja lo mejor que me convenga. Partera no la he menester, ni la quiero; que otros partos más honrados que he tenido me aseguran que con sola la ayuda destas mis criadas facilitaré sus dificultades y ahorraré de un testigo más de mis sucesos».

»Aquí dio fin a su razonamiento la lastimada peregrina y principio a un copioso llanto, que en parte fue consolado

---

[456] *acudirme:* ayudarme. [457] *ducientos:* doscientos. [458] *estaba... peregrina:* escuchaba con atención a la peregrina. [459] *luego luego:* con la máxima prisa.

por las muchas y buenas razones que mi mujer, ya vuelta en
más acuerdo,[460] le dijo. Finalmente, yo salí luego a buscar
donde llevar lo que pariese, a cualquier hora que fuese; y
entre las doce y la una de aquella misma noche, cuando toda
la gente de casa estaba entregada al sueño, la buena señora
parió una niña, la más hermosa que mis ojos hasta entonces
habían visto, que es esta misma que vuesa merced acaba de
ver ahora. Ni la madre se quejó en el parto ni la hija nació
llorando: en todos había sosiego y silencio maravilloso, y tal
cual convenía para el secreto de aquel extraño caso. Otros
seis días estuvo en la cama, y en todos ellos venía el médico
a visitarla, pero no porque ella le hubiese declarado de qué
procedía su mal; y las medicinas que le ordenaba nunca las
puso en ejecución, porque sólo pretendió engañar a sus criados con la visita del médico. Todo esto me dijo ella misma
después que se vio fuera de peligro, y a los ocho días se levantó con el mismo bulto, o con otro que se parecía a aquel con
que se había echado.

»Fue a su romería,[461] y volvió de allí a veinte días, ya casi
sana, porque poco a poco se iba quitando del artificio con
que después de parida se mostraba hidrópica.[462] Cuando volvió estaba ya la niña dada a criar por mi orden, con nombre
de mi sobrina[463], en una aldea dos leguas de aquí. En el
bautismo se le puso por nombre Costanza, que así lo dejó
ordenado su madre, la cual, contenta de lo que yo había
hecho, al tiempo de despedirse me dio una cadena de oro,
que hasta agora[464] tengo, de la cual quitó seis trozos, los cuales dijo que trairía[465] la persona que por la niña viniese.
También cortó un blanco pergamino a vueltas y a ondas,[466] a
la traza[467] y manera como cuando se enclavijan[468] las manos y
en los dedos se escribiese alguna cosa, que estando enclavi-
jados los dedos se puede leer y después de apartadas las

---

[460] *vuelta... acuerdo:* recuperado el uso de los sentidos.   [461] *romería:* peregrinación.   [462] *hidrópica:* que padece hidropesía (véase nota 455).   [463] *con nombre de mi
sobrina:* haciéndola pasar por mi sobrina.   [464] *agora:* ahora.   [465] *trairía:* traería.
[466] *a vueltas y a ondas:* onduladamente.   [467] *traza:* modo.   [468] *enclavijan:* traban.

manos queda dividida la razón,[469] porque se dividen las letras, que en volviendo a enclavijar los dedos se juntan y corresponden de manera que se pueden leer continuadamente; digo que el un pergamino sirve de alma del otro, y encajados se leerán, y divididos no es posible, si no es adivinando la mitad del pergamino. Y casi toda la cadena quedó en mi poder, y todo lo tengo, esperando el contraseño[470] hasta ahora, puesto que ella me dijo que dentro de dos años enviaría por su hija, encargándome que la criase no como quien ella era, sino del modo que se suele criar una labradora. Encargóme también que si por algún suceso no le fuese posible enviar tan presto por su hija, que aunque creciese y llegase a tener entendimiento no la dijese del modo que había nacido, y que la perdonase el no decirme su nombre ni quién era, que lo guardaba para otra ocasión más importante. En resolución, dándome otros cuatrocientos escudos de oro y abrazando a mi mujer con tiernas lágrimas, se partió, dejándonos admirados de su discreción, valor, hermosura y recato. Costanza se crió en la aldea dos años, y luego la truje[471] conmigo, y siempre la he traído en hábito de labradora, como su madre me lo dejó mandado. Quince años, un mes y cuatro días ha[472] que aguardo a quien ha de venir por ella, y la mucha tardanza me ha consumido la esperanza de ver esta venida; y si en este año en que estamos no vienen, tengo determinado de prohijalla[473] y darle toda mi hacienda, que vale más de seis mil ducados, Dios sea bendito.

»Resta ahora, señor Corregidor, decir a vuesa merced, si es posible que yo sepa decirlas, las bondades y las virtudes de Costancica. Ella, lo primero y principal, es devotísima de Nuestra Señora; confiesa y comulga cada mes; sabe escribir y leer; no hay mayor randera[474] en Toledo; canta a la almohadilla[475] como unos ángeles; en ser honesta no hay quien la

---

[469] *razón:* palabra, concepto.   [470] *contraseño:* contraseña.   [471] *truje:* traje.   [472] *ha:* hace.   [473] *prohijalla:* hacerla hija suya.   [474] *randera:* bordadora.   [475] *canta a la almohadilla:* canta muy bien; pero únicamente cuando está sola, para su propia diversión.

iguale. Pues en lo que toca a ser hermosa, ya vuesa merced lo ha visto. El señor don Pedro, hijo de vuesa merced, en su vida la ha hablado; bien es verdad que de cuando en cuando le da alguna música, que ella jamás escucha. Muchos señores y de título han posado en esta posada, y aposta, por hartarse de verla, han detenido su camino muchos días; pero yo sé bien que no habrá ninguno que con verdad se pueda alabar[476] que ella le haya dado lugar[477] de decirle una palabra sola ni acompañada. Ésta es, señor, la verdadera historia de *la ilustre fregona,* que no friega, en la cual no he salido de la verdad un punto.

Calló el huésped, y tardó un gran rato el Corregidor en hablarle: tan suspenso le tenía el suceso que el huésped le había contado. En fin, le dijo que le trujese[478] allí la cadena y el pergamino, que quería verlo. Fue el huésped por ello, y trayéndoselo, vio que era así como le había dicho: la cadena era de trozos, curiosamente labrada; en el pergamino estaban escritas, una debajo de otra, en el espacio que había de hinchir[479] el vacío de la otra mitad, estas letras: E T E L S Ñ V D D R, por las cuales letras vio ser forzoso que se juntasen con las de la mitad del otro pergamino para poder ser entendidas. Tuvo por discreta[480] la señal del conocimiento, y juzgó por muy rica a la señora peregrina que tal cadena había dejado al huésped; y teniendo en pensamiento de sacar de aquella posada la hermosa muchacha cuando hubiese concertado un monasterio donde llevarla, por entonces se contentó de llevar sólo el pergamino, encargando al huésped que si acaso viniesen por Costanza, le avisase y diese noticia de quién era el que por ella venía, antes que le mostrase la cadena, que dejaba en su poder. Con esto se fue tan admirado del cuento y suceso de la ilustre fregona como de su incomparable hermosura.

Todo el tiempo que gastó el huésped en estar con el Corregidor y el que ocupó Costanza cuando la llamaron,

---

[476] *se pueda alabar:* pueda presumir.   [477] *dado lugar:* dado pie.   [478] *trujese:* trajese.
[479] *hinchir:* henchir.   [480] *discreta:* ingeniosa.

estuvo Tomás fuera de sí, combatida el alma de mil varios pensamientos, sin acertar jamás con ninguno de su gusto; pero cuando vio que el Corregidor se iba y que Costanza se quedaba, respiró su espíritu y volviéronle los pulsos, que ya casi desamparado le tenían. No osó preguntar al huésped lo que el Corregidor quería, ni el huésped lo dijo a nadie sino a su mujer, con que ella también volvió en sí, dando gracias a Dios que de tan grande sobresalto la había librado.

El día siguiente, cerca de la una, entraron en la posada con cuatro hombres de a caballo dos caballeros ancianos de venerables presencias, habiendo primero preguntado uno de dos mozos que a pie con ellos venían si era aquélla la posada del Sevillano; y habiéndole respondido que sí, se entraron todos en ella. Apeáronse los cuatro, y fueron a apear a los dos ancianos, señal por do[481] se conoció que aquellos dos eran señores de los seis.[482] Salió Costanza con su acostumbrada gentileza a ver los nuevos huéspedes, y apenas la hubo visto uno de los dos ancianos, cuando dijo al otro:

—Yo creo, señor don Juan, que hemos hallado todo aquello que venimos a buscar.

Tomás, que acudió a dar recado[483] a las cabalgaduras, conoció luego[484] a dos criados de su padre, y luego conoció a su padre y al padre de Carriazo, que eran los dos ancianos a quien los demás respectaban;[485] y aunque se admiró de su venida, consideró que debían de ir a buscar a él y a Carriazo a las almadrabas: que no habría faltado quien les hubiese dicho que en ellas, y no en Flandes, los hallarían; pero no se atrevió a dejarse conocer en aquel traje; antes, aventurándolo todo, puesta la mano en el rostro, pasó por delante dellos, y fue a buscar a Costanza, y quiso la buena suerte que la hallase sola; y apriesa[486] y con lengua turbada, temeroso que ella no le daría lugar para decirle nada, le dijo:

—Costanza, uno destos dos caballeros ancianos que aquí

---

[481] *do:* donde. [482] *los seis:* los regidores. [483] *dar recado:* dar de comer. [484] *luego:* inmediatamente. [485] *respectaban:* respetaban. [486] *apriesa:* aprisa.

han llegado ahora es mi padre, que es aquel que oyeres llamar don Juan de Avendaño; infórmate de sus criados si tiene
un hijo que se llama don Tomás de Avendaño, que soy yo, y
de aquí podrás ir coligiendo[487] y averiguando que te he dicho
verdad en cuanto a la calidad de mi persona y que te la diré
en cuanto de mi parte te tengo ofrecido; y quédate adiós,
que hasta que ellos se vayan no pienso volver a esta casa.

No le respondió nada Costanza, ni él aguardó a que le respondiese; sino volviéndose a salir, cubierto como había
entrado, se fue a dar cuenta a Carriazo de cómo sus padres
estaban en la posada. Dio voces el huésped a Tomás que
viniese a dar cebada; pero como no pareció,[488] diola él
mismo. Uno de los dos ancianos llamó aparte a una de las
dos mozas gallegas, y preguntóle cómo se llamaba aquella
muchacha hermosa que habían visto, y que si era hija o
parienta del huésped o huéspeda de casa. La Gallega le respondió:

—La moza se llama Costanza; ni es parienta del huésped
ni de la huéspeda, ni sé lo que es; sólo digo que la doy a la
mala landre,[489] que no sé qué tiene que no deja hacer baza[490]
a ninguna de las mozas que estamos en esta casa. ¡Pues en
verdad que tenemos nuestras faciones[491] como Dios nos las
puso! No entra huésped que no pregunte luego[492] quién es
la hermosa, y que no diga: «Bonita es; bien parece; a fe que
no es mala; mal año para las más pintadas; nunca peor me la
depare la fortuna»; y a nosotras no hay quien nos diga:
«¿Qué tenéis ahí, diablos, o mujeres, o lo que sois?».

—Luego esta niña, a esa cuenta —replicó el caballero—,
debe de dejarse manosear y requebrar de los huéspedes.

—¡Sí! —respondió la Gallega—: ¡tenedle el pie al
herrar![493] ¡Bonita es la niña para eso! Par[494] Dios, señor, si

---

[487] _coligiendo:_ deduciendo.   [488] _pareció:_ apareció.   [489] _la doy a la mala landre:_ la
maldigo.   [490] _no deja hacer baza:_ la belleza de Costanza impide que los huéspedes
se fijen en las demás criadas de la posada.   [491] _faciones:_ facciones.   [492] _luego:_
inmediatamente.   [493] _tenedle... herrar:_ debéis conocer a la persona antes de opinar.
[494] _par:_ modo rústico de _por._

ella se dejara mirar siquiera, manara en oro;[495] es más áspera que un erizo; es una tragaavemarías; labrando[496] está todo el día y rezando. Para el día que ha de hacer milagros quisiera yo tener un cuento de renta.[497] Mi ama dice que trae un silencio[498] pegado a las carnes; ¡tome qué, mi padre![499] **(28)**

Contentísimo el caballero de lo que había oído a la Gallega, sin esperar a que le quitasen las espuelas, llamó al huésped, y retirándose con él aparte en una sala, le dijo:

—Yo, señor huésped, vengo a quitaros una prenda mía que ha[500] algunos años que tenéis en vuestro poder; para quitárosla os traigo mil escudos de oro, y estos trozos de cadena, y este pergamino.

Y diciendo esto, sacó los seis[501] de la señal de la cadena que él tenía. Asimismo conoció el pergamino, y alegre sobremanera[502] con el ofrecimiento de los mil escudos respondió:

—Señor, la prenda que queréis quitar está en casa; pero no están en ella la cadena ni el pergamino con que se ha de hacer la prueba de la verdad que yo creo que vuesa merced trata; y así, le suplico tenga paciencia, que yo vuelvo luego.[503]

Y al momento fue a avisar al Corregidor de lo que pasaba y de cómo estaban dos caballeros en su posada que venían por Costanza.

---

[495] *manara en oro:* tendría abundancia de oro.   [496] *labrando:* cosiendo.   [497] *un cuento de renta:* un millón ahorrado, de patrimonio. La Gallega está segura de que Costanza, que se pasa el día rezando, será pronto santa y hará milagros. Para ese inminente día le gustaría a ella tener un millón.   [498] *silencio:* la Gallega quiere decir un *cilicio*, instrumento con púas que sirve para martirizarse por penitencia.   [499] *¡tome qué, mi padre!:* expresión de incredulidad.   [500] *ha:* hace.   [501] *los seis:* los seis trozos.   [502] *sobremanera:* en extremo.   [503] *luego:* inmediatamente.

(28) En el proceso de creación de Costanza, al que han ido contribuyendo prácticamente todos los personajes, faltaban los puntos de vista de sus compañeras de posada. Las palabras de la Gallega vienen precisamente a remediar tal falta. Con estas pinceladas de la criada se completa un retrato que ha sido confeccionado a base de diferentes perspectivas.

Acababa de comer el Corregidor, y con el deseo que tenía de ver el fin de aquella historia, subió luego[504] a caballo y vino a la posada del Sevillano, llevando consigo el pergamino de la muestra. Y apenas hubo visto a los dos caballeros cuando, abiertos los brazos, fue a abrazar al uno, diciendo:

—¡Válame[505] Dios! ¿Qué buena venida es ésta, señor don Juan de Avendaño, primo y señor mío?

El caballero le abrazó asimismo, diciéndole:

—Sin duda, señor primo, habrá sido buena mi venida, pues os veo, y con la salud que siempre os deseo. Abrazad, primo, a este caballero, que es el señor don Diego de Carriazo, gran señor y amigo mío.

—Ya conozco al señor don Diego —respondió el Corregidor—, y le soy muy servidor.

Y abrazándose los dos, después de haberse recebido[506] con grande amor y grandes cortesías, se entraron en una sala, donde se quedaron solos con el huésped, el cual ya tenía consigo la cadena, y dijo:

—Ya el señor Corregidor sabe a lo que vuesa merced viene, señor don Diego de Carriazo; vuesa merced saque los trozos que faltan a esta cadena, y el señor Corregidor sacará el pergamino que está en su poder, y hagamos la prueba que ha[507] tantos años que espero a que se haga.

—Desa manera —respondió don Diego—, no habrá necesidad de dar cuenta de nuevo al señor Corregidor de nuestra venida, pues bien se verá que ha sido a lo que vos, señor huésped, habréis dicho.

—Algo me ha dicho; pero mucho me quedó por saber. El pergamino, hele aquí.[508]

Sacó don Diego el otro, y juntando las dos partes se hicieron una, y a las letras del que tenía el huésped, que, como se ha dicho, eran E T E L S Ñ V D D R, respondían en el otro pergamino éstas: S A S A E A L E R A E A, que todas juntas decían:

---

[504] *luego:* véase nota 503.   [505] *válame:* válgame.   [506] *recebido:* recibido.   [507] *ha:* hace.   [508] *hele aquí:* aquí está.

ESTA ES LA SEÑAL VERDADERA. Cotejáronse[509] luego los trozos de la cadena, y hallaron ser las señas verdaderas.[(29)]

—¡Esto está hecho! —dijo el Corregidor—. Resta ahora saber, si es posible, quién son los padres desta hermosísima prenda.

—El padre —respondió don Diego— yo lo soy; la madre ya no vive: basta saber que fue tan principal, que pudiera yo ser su criado. Y porque como se encubre su nombre no se encubra su fama, ni se culpe lo que en ella parece manifiesto error y culpa conocida, se ha de saber que la madre desta prenda, siendo viuda de un gran caballero, se retiró a vivir a una aldea suya, y allí, con recato y con honestidad grandísima, pasaba con sus criados y vasallos una vida sosegada y quieta. Ordenó la suerte que un día, yendo yo a caza por el término de su lugar,[510] quise visitarla, y era la hora de siesta cuando llegué a su alcázar, que así se puede llamar su gran casa; dejé el caballo a un criado mío; subí sin topar a nadie hasta el mismo aposento donde ella estaba durmiendo la siesta sobre un estrado negro. Era por extremo hermosa, y el silencio, la soledad, la ocasión, despertaron en mí un deseo más atrevido que honesto, y sin ponerme a hacer discretos[511] discursos, cerré tras mí la puerta, y, llegándome a ella, la desperté, y teniéndola

---

[509] *Cotejáronse:* compraráronse.   [510] *por... lugar:* por sus tierras.   [511] *discretos:* cuerdos, de buen juicio.

(29) Aristóteles y después El Pinciano distinguieron entre historias (fábulas) simples y compuestas. Las simples estaban constituidas por episodios unidos como cuentas de collar, uno tras otro. Las compuestas tenían agniciones y peripecias. Ya se ha dicho que la agnición es una noticia súbita por la que un personaje reconoce a otro (véase **11**). La peripecia es un cambio brusco en el estado de las cosas. De entre todos los tipos de agniciones, el que se realizaba con señales (cicatrices, lunares, escrituras, collares...) era el más fácil y corriente. Aquí tenemos una agnición por medio de señales, que provoca, como veremos a continuación, una peripecia: Costanza pasará bruscamente de ser una fregona a ser una ilustrísima aristócrata. En las novelas bizantinas abundaban los reconocimientos de los hijos abandonados o perdidos por medio de joyas, señales corporales, telas escritas, etcétera.

asida fuertemente le dije: «Vuesa merced, señora mía, no grite, que las voces que diere serán pregoneras de su deshonra: nadie me ha visto entrar en este aposento; que mi suerte, para que la tenga bonísima en gozaros, ha llovido sueño en todos vuestros criados[512] y cuando ellos acudan a vuestras voces no podrán más que quitarme la vida, y esto ha de ser en vuestros mismos brazos, y no por mi muerte dejará de quedar en opinión[513] vuestra fama». Finalmente, yo la gocé contra su voluntad y a pura fuerza mía: ella, cansada, rendida y turbada, o no pudo o no quiso hablarme palabra, y yo, dejándola como atontada y suspensa, me volví a salir por los mismos pasos donde había entrado, y me vine a la aldea de otro amigo mío, que estaba dos leguas de la suya. Esta señora se mudó de aquel lugar a otro, y sin que yo jamás la viese, ni lo procurase, se pasaron dos años, al cabo de los cuales supe que era muerta; y podrá haber veinte días que con grandes encarecimientos, escribiéndome que era cosa que me importaba en ella el contento y la honra,[514] me envió a llamar un mayordomo desta señora. Fui a ver lo que me quería, bien lejos de pensar en lo que me dijo; halléle a punto de muerte, y, por abreviar razones, en muy breves me dijo cómo al tiempo que murió su señora le dijo todo lo que conmigo le había sucedido y cómo había quedado preñada de aquella fuerza,[515] y que por encubrir el bulto había venido en romería a Nuestra Señora de Guadalupe, y cómo había parido en esta casa una niña, que se había de llamar Costanza. Diome las señas con que la hallaría, que fueron las que habéis visto de la cadena y pergamino. Y diome ansimismo[516] treinta mil escudos de oro, que su señora dejó para casar a su hija. Díjome ansimismo que el no habérmelos dado luego como[517] su señora había muerto, ni declarádome lo que ella encomendó a su confianza

---

[512] *mi suerte... criados:* he tenido la suerte de que vuestros criados estén dormidos para, así, tener la bonísima suerte de acostarme con vos. [513] *quedar en opinión:* quedar en entredicho. [514] *cosa... honra:* cosa de la que dependía mi felicidad y mi honra. [515] *fuerza:* violación. [516] *ansimismo:* asimismo. [517] *luego como:* tan pronto como.

y secreto, había sido por pura codicia y por poderse aprovechar de aquel dinero; pero que ya que estaba a punto de ir a
dar cuenta a Dios, por descargo de su conciencia me daba el
dinero y me avisaba adónde y cómo había de hallar mi hija.
Recebí el dinero y las señales, y dando cuenta desto al señor
don Juan de Avendaño, nos pusimos en camino desta ciudad.

A estas razones llegaba don Diego, cuando oyeron que en
la puerta de la calle decían a grandes voces:

—Díganle a Tomás Pedro, el mozo de la cebada, cómo llevan a su amigo el Asturiano preso; que acuda a la cárcel, que
allí le espera.

A la voz de *cárcel* y de *preso,* dijo el Corregidor que entrase
el preso y el alguacil que le llevaba. Dijeron al alguacil que el
Corregidor, que estaba allí, le mandaba entrar con el preso,
y así lo hubo de hacer.

Venía el Asturiano todos los dientes bañados en sangre, y
muy mal parado, y muy bien asido del alguacil; y así como
entró en la sala, conoció a su padre y al de Avendaño. Turbóse,
y, por no ser conocido, con un paño, como que se limpiaba la
sangre, se cubrió el rostro. Preguntó el Corregidor que qué
había hecho aquel mozo, que tan mal parado le llevaban.
Respondió el alguacil que aquel mozo era un aguador que le
llamaban el Asturiano, a quien los muchachos por las calles
decían: «¡Daca la cola, Asturiano; daca la cola!», y luego en
breves palabras contó la causa por que le pedían la tal cola,
de que no riyeron[518] poco todos. Dijo más: que saliendo por
la puente de Alcántara, dándole los muchachos priesa[519]
con la demanda de la cola, se había apeado del asno, y dando
tras[520] todos, alcanzó a uno, a quien dejaba medio muerto a
palos; y que queriéndole prender, se había resistido, y que por
eso iba tan mal parado.

Mandó el Corregidor que se descubriese el rostro, y por-
fiando a no querer descubrirse, llegó el alguacil y quitóle el
pañuelo, y al punto le conoció su padre, y dijo todo alterado:

---

[518] *riyeron:* rieron.   [519] *priesa:* prisa.   [520] *dando tras:* persiguiendo.

—Hijo don Diego, ¿cómo estás desta manera? ¿Qué traje es éste? ¿Aún no se te han olvidado tus picardías?

Hincó las rodillas Carriazo, y fuese a poner a los pies de su padre, que, con lágrimas en los ojos, le tuvo abrazado un buen espacio. Don Juan de Avendaño, como sabía que don Diego había venido con don Tomás su hijo, preguntóle por él, a lo cual respondió que don Tomás de Avendaño era el mozo que daba cebada y paja en aquella posada. Con esto que el Asturiano dijo se acabó de apoderar la admiración en todos los presentes, y mandó el Corregidor al huésped que truje-se[521] allí al mozo de la cebada.

—Yo creo que no está en casa —respondió el huésped—, pero yo le buscaré.

Y así, fue a buscalle.[522] Preguntó don Diego a Carriazo que qué transformaciones eran aquéllas y qué les había movido a ser él aguador y don Tomás mozo de mesón. A lo cual respondió Carriazo que no podía satisfacer a aquellas preguntas tan en público, que él respondería a solas.

Estaba Tomás Pedro escondido en su aposento, para ver desde allí, sin ser visto, lo que hacían su padre y el de Carriazo. Teníale suspenso la venida del Corregidor y el alboroto que en toda la casa andaba. No faltó quien le dijese al huésped cómo estaba allí escondido; subió por él, y más por fuerza que por grado[523] le hizo bajar; y aun no bajara si el mismo Corregidor no saliera al patio y le llamara por su nombre, diciendo:

—Baje vuesa merced, señor pariente, que aquí no le aguardan osos ni leones.

Bajó Tomás, y con los ojos bajos y sumisión grande se hincó de rodillas ante su padre, el cual le abrazó con grandísimo contento, a fuer[524] del que tuvo el padre del Hijo Pródigo[525] cuando le cobró[526] de perdido.

Ya en esto había venido un coche del Corregidor, para volver en él, pues la gran fiesta no permitía volver a caballo.

---
[521] *trujese:* trajese.   [522] *buscalle:* buscarle.   [523] *por grado:* de buen grado.   [524] *a fuer :* a semejanza.   [525] *Hijo Pródigo:* se refiere a una de las parábolas de Jesús, relatada en *Lucas, X, 11-32.*   [526] *cobró:* recuperó.

Hizo llamar a Costanza, y tomándola de la mano se la presentó a su padre, diciendo:

—Recebid, señor don Diego, esta prenda, y estimadla por la más rica que acertárades a desear. Y vos, hermosa doncella, besad la mano a vuestro padre y dad gracias a Dios, que con tan honrado suceso ha enmendado, subido y mejorado la bajeza de vuestro estado.[30]

Costanza, que no sabía ni imaginaba lo que le había acontecido, toda turbada y temblando, no supo hacer otra cosa que hincarse de rodillas ante su padre, y tomándole las manos, se las comenzó a besar tiernamente, bañándoselas con infinitas lágrimas que por sus hermosísimos ojos derramaba.

En tanto que esto pasaba, había persuadido el Corregidor a su primo don Juan que se viniesen todos con él a su casa; y aunque don Juan lo rehusaba, fueron tantas las persuasiones del Corregidor, que lo hubo de conceder; y así, entraron en el coche todos. Pero cuando dijo el Corregidor a Costanza que entrase también en el coche, se le anubló el corazón, y ella y la huéspeda se asieron una a otra y comenzaron a hacer tan amargo llanto, que quebraba los corazones de cuantos le escuchaban. Decía la huéspeda:

—¿Cómo es esto, hija de mi corazón, que te vas y me dejas? ¿Cómo tienes ánimo de dejar a esta madre, que con tanto amor te ha criado?

Costanza lloraba, y la respondía con no menos tiernas palabras. Pero el Corregidor, enternecido, mandó que asimismo la huéspeda entrase en el coche, y que no se apartase de su hija, pues por tal la tenía, hasta que saliese de Toledo. Así, la huéspeda y todos entraron en el coche, y fueron a casa

---

(30) No debe escapársenos el hecho de que Costanza es fruto de una violación. Sin embargo, al contrario de lo que hubiese sucedido en una novela picaresca, el hecho de que Costanza haya sido concebida en un acto tan indigno no condiciona su vida futura; su vergonzante origen no ha sido obstáculo para conservar su naturaleza sublime. Y al contrario: su hermanastro Carriazo, el hijo legítimo y concebido sin pecado, es quien se adentra en el lúgubre mundo de las almadrabas.

del Corregidor, donde fueron bien recebidos de su mujer, que era una principal señora. Comieron regalada y suntuosamente, y después de comer contó Carriazo a su padre cómo por amores de Costanza don Tomás se había puesto a servir en el mesón, y que estaba enamorado de tal manera della, que sin que le hubiera descubierto ser tan principal como era siendo su hija, la tomara por mujer en el estado de fregona. Vistió luego la mujer del Corregidor a Costanza con unos vestidos de una hija que tenía de la misma edad y cuerpo de Costanza, y si parecía hermosa con los de labradora, con los cortesanos parecía cosa del cielo: tan bien la cuadraban, que daba a entender que desde que nació había sido señora y usado los mejores trajes que el uso trae consigo.

Pero entre tantos alegres, no pudo faltar un triste, que fue don Pedro, el hijo del Corregidor, que luego[527] se imaginó que Costanza no había de ser suya, y así fue la verdad; porque entre el Corregidor y don Diego de Carriazo y don Juan de Avendaño se concertaron en que don Tomás se casase con Costanza, dándole su padre los treinta mil escudos que su madre le había dejado, y el aguador don Diego de Carriazo casase con la hija del Corregidor, y don Pedro, el hijo del Corregidor, con una hija de don Juan de Avendaño; que su padre se ofrecía a traer dispensación del parentesco.[528]

Desta manera quedaron todos contentos, alegres y satisfechos, y la nueva[529] de los casamientos y de la ventura de la fregona ilustre se extendió por la ciudad, y acudía infinita gente a ver a Costanza en el nuevo hábito, en el cual tan señora se mostraba como se ha dicho. Vieron al mozo de la cebada Tomás Pedro vuelto en don Tomás de Avendaño y vestido como señor; notaron que Lope Asturiano era muy gentilhombre[530] después que había mudado vestido y dejado el asno y las aguaderas;[531] pero, con todo eso, no faltaba

---

[527] _luego:_ inmediatamente. [528] _dispensación del parentesco:_ permiso para poder celebrar un matrimonio entre parientes. [529] _nueva:_ noticia. [530] _gentilhombre:_ noble de nacimiento. [531] _aguaderas:_ armazón que se coloca sobre las bestias, donde se encajan los cántaros para llevar agua.

quien, en el medio de su pompa, cuando iba por la calle, no le pidiese la cola.

Un mes se estuvieron en Toledo, al cabo del cual se volvieron a Burgos don Diego de Carriazo y su mujer, su padre, y Costanza con su marido don Tomás, y el hijo del Corregidor, que quiso ir a ver su parienta y esposa. Quedó el Sevillano rico con los mil escudos, y con muchas joyas que Costanza dio a su señora: que siempre con este nombre llamaba a la que la había criado. Dio ocasión la historia de *la fregona ilustre* a que los poetas del dorado Tajo[532] ejercitasen sus plumas en solenizar[533] y en alabar la sin par hermosura de Costanza,[31] la cual aún vive en compañía de su buen mozo de mesón, y Carriazo ni más ni menos, con tres hijos, que sin tomar el estilo del padre ni acordarse si hay almadrabas en el mundo, hoy están todos estudiando en Salamanca; y su padre, apenas ve algún asno de aguador, cuando se le representa y viene a la memoria el que tuvo en Toledo, y teme que cuando menos se cate[534] ha de remanecer[535] en alguna sátira el «¡Daca la cola, Asturiano! ¡Asturiano, daca la cola!».

---

[532] *dorado Tajo:* dorado porque se creía que sus arenas contenían oro.   [533] *solenizar:* solemnizar.   [534] *cuando menos se cate:* cuando menos se lo espere.   [535] *remanecer:* aparecer por sorpresa.

(31) Nótese que ha sido la obra literaria de los poetas del dorado Tajo, y no el suceso real, lo que ha servido de base al narrador cervantino para escribir la *Novela de la ilustre fregona*. Los universos literarios cobran con Cervantes una autonomía radical, ocupando el lugar de la naturaleza. Cervantes desafía el precepto clásico que afirmaba que el arte debía imitar a la naturaleza, sustituyendo ésta por una representación de la misma y tomándola como base.

NOVELA
DEL CASAMIENTO ENGAÑOSO

Salía del Hospital de la Resurrección,[32] que está en Valladolid, fuera de la Puerta del Campo,[1] un soldado que, por servirle su espada de báculo[2] y por la flaqueza de sus piernas y amarillez de su rostro, mostraba bien claro que, aunque no era el tiempo muy caluroso, debía de haber sudado en veinte días[3] todo el humor[4] que quizá granjeó[5] en una hora. Iba haciendo pinitos[6] y dando traspiés, como convaleciente; y al entrar por la puerta de la ciudad, vio que hacia él venía un su amigo, a quien no había visto en más de

---

1 *Hospital... Campo:* parece ser que cerca de la Puerta del Campo vivió Cervantes en su temporada vallisoletana. El Hospital de la Resurrección existió, pero hoy está destruido. 2 *báculo:* bastón. 3 *sudado:* el tratamiento que se aplicaba a la sífilis consistía en hacer sudar al enfermo. Lleva, pues, veinte días de tratamiento. 4 *humor:* enfermedad. 5 *granjeó:* obtuvo. 6 *haciendo pinitos:* modo de andar de los niños que están aprendiendo y de los enfermos que han estado largo tiempo en la cama.

---

(32) Nada es casual en las *Novelas ejemplares*. El nombre Hospital de la Resurrección, además de ser histórico, hace referencia al proceso vital del alférez Campuzano, cuya experiencia durante su internado le ha servido de regeneración física y espiritual. Para entender mejor esto se debe tener en cuenta que el encuentro entre Cañizares y Peralta es el último acontecimiento de todos cuantos se relatan en las dos próximas novelas: lo que vamos a leer (lo que el alférez Campuzano va a relatar) es todo lo que a éste le ha sucedido antes de su salida del hospital.

seis meses; el cual, santiguándose, como si viera alguna mala
visión, llegándose a él le dijo:[33]

—¿Qué es esto, señor alférez Campuzano? ¿Es posible que
está vuesa merced en esta tierra? ¡Como quien soy[7] que le
hacía en Flandes,[8] antes terciando allá la pica[9] que arrastrando aquí la espada! ¿Qué color, qué flaqueza es ésa?

A lo cual respondió Campuzano:

—A lo si estoy en esta tierra o no, señor licenciado
Peralta, el verme en ella le responde; a las demás preguntas
no tengo qué decir sino que salgo de aquel hospital, de
sudar catorce cargas[10] de bubas[11] que me echó a cuestas una
mujer que escogí por mía, que non debiera.

—¿Luego, casóse vuesa merced? —replicó Peralta.

—Sí, señor —respondió Campuzano.

—Sería por amores —dijo Peralta—, y tales casamientos
traen consigo aparejada la ejecución del arrepentimiento.[12]

—No sabré decir si fue por amores —respondió el Alférez—,
aunque sabré afirmar que fue por dolores,[13] pues de mi casamiento, o cansamiento, saqué tantos en el cuerpo y en el alma,
que los del cuerpo, para entretenerlos, me cuestan cuarenta
sudores, y los del alma no hallo remedio para aliviarlos siquiera. Pero porque no estoy para tener largas pláticas en la calle,
vuesa merced me perdone; que otro día con más comodidad le

---

7 *¡Como quien soy...!*: fórmula de juramento semejante a ¡Por Dios que...!   8 *le
hacía en Flandes*: le suponía en Flandes, ciudad de Holanda, donde España tenía
territorios.   9 *terciando allá la pica*: luchando en un tercio o regimiento de infan-
tería. La pica era una especie de lanza. Hace referencia a las guerras de Flandes en
las que por entonces estaba envuelto el imperio español.   10 *carga*: antigua medida de capacidad.   11 *bubas*: sífilis.   12 *tales... arrepentimiento*: quien se casa por amor
se acaba arrepintiendo.   13 *por dolores*: referencia al refrán: «Quien casa por amores, siempre vive con dolores».

(33) Una vez situada geográficamente la acción, el narrador cervantino —que no se muestra muy seguro de lo que le ha sucedido al
Alférez— desaparece prácticamente en lo que resta de narración para
reaparecer, no al final de *El casamiento*, sino al término del *Coloquio*, lo
cual unifica las dos novelas.

daré cuenta de mis sucesos, que son los más nuevos y peregrinos que vuesa merced habrá oído en todos los días de su vida.

—No ha de ser así —dijo el Licenciado—, sino que quiero
que venga conmigo a mi posada, y allí haremos penitencia
juntos;[14] que la olla[15] es muy de enfermo, y aunque está tasada para dos,[16] un pastel suplirá con mi criado;[17] y si la conva-
lecencia lo sufre,[18] unas lonjas de jamón de Rute[19] nos harán
la salva,[20] y, sobre todo, la buena voluntad con que lo ofrezco,
no sólo esta vez, sino todas las que vuesa merced quisiere.[(34)]

Agradecióselo Campuzano, y aceptó el convite y los ofrecimientos. Fueron a San Llorente,[21] oyeron misa, llevóle
Peralta a su casa, diole lo prometido y ofrecióselo de nuevo,
y pidióle, en acabando de comer, le contase los sucesos que
tanto le había encarecido. No se hizo de rogar Campuzano;
antes comenzó a decir desta manera:

—Bien se acordará vuesa merced, señor licenciado
Peralta, cómo yo hacía en esta ciudad camarada con[22] el capitán Pedro de Herrera, que ahora está en Flandes.

—Bien me acuerdo —respondió Peralta.

—Pues un día —prosiguió Campuzano[(35)]—que acabábamos

---

14 *haremos penitencia juntos:* fórmula de invitación a comer.   15 *olla:* plato semejante al cocido.   16 *tasada para dos:* la olla ha sido preparada para dos personas.
17 *un pastel... criado:* mi criado comerá un pastel.   18 *sufre:* permite.   19 *lonjas...
Rute:* lonchas de este famoso jamón cordobés.   20 *nos harán la salva:* juego de palabras. *Hacer salva* es probar primero la comida del señor o, simplemente, comenzar
una cosa; aquí puede entenderse como *nos servirán de aperitivo.* Hacer la salva es
también disparar al aire al comenzar una fiesta solemne.   21 *San Llorente:* Iglesia
de San Lorenzo.   22 *hacía... con:* era amigo de.

---

(34) El alférez Campuzano, como el huésped de *La ilustre fregona,*
encarece lo maravilloso de su historia. Nótese que la relación entre
Campuzano y Peralta es semejante a la que existe entre el escritor y el
lector. Peralta (el lector) da de comer a Campuzano (el escritor) una vez
que éste ha logrado despertar en aquél su curiosidad por la historia,
mediante la promesa de sucesos «nuevos y peregrinos».

(35) A partir de aquí comienza un relato en primera persona que guarda notables similitudes con los relatos picarescos. Una, muy evidente, es

de comer en aquella Posada de la Solana, donde vivíamos, entraron dos mujeres de gentil parecer,[23] [(36)] con dos criadas; la una se puso a hablar con el Capitán en pie, arrimados a una ventana; y la otra se sentó en una silla junto a mí, derribado el manto hasta la barba,[24] sin dejar ver el rostro más de aquello que concedía la raridad[25] del manto; y aunque le supliqué que por cortesía me hiciese merced de descubrirse, no fue posible acabarlo[26] con ella, cosa que me encendió más el deseo de verla. Y para acrecentarle más, o ya fuese de industria o acaso,[27] sacó la señora una muy blanca mano, con muy buenas sortijas.

»Estaba yo entonces bizarrísimo,[28] con aquella gran cadena que vuesa merced debió de conocerme,[(37)] el sombrero con plumas y cintillo, el vestido de colores, a fuer de[29] soldado, y tan gallardo a los ojos de mi locura,[30] que me daba a entender que las podía matar en el aire.[31] Con todo esto, le rogué que se descubriese, a lo que ella me respondió:

»—No seáis importuno;[32] casa tengo; haced a un paje que me siga, que aunque yo soy más honrada de lo que promete esta respuesta, todavía, a trueco de ver si responde vuestra discreción a vuestra gallardía,[33] holgaré[34] de que me veáis.

---

23 *de gentil parecer:* atractivas.   24 *derribado... barba:* con el manto caído hasta la barbilla.   25 *raridad:* rareza.   26 *acabarlo:* conseguirlo.   27 *de industria o acaso:* premeditadamente o por casualidad.   28 *bizarrísimo:* muy adornado y elegante.   29 *a fuer de:* a semejanza de.   30 *locura:* estulticia, estupidez.   31 *que... aire:* que era muy agudo y distinguido.   32 *importuno:* inoportuno, pesado.   33 *a trueco... gallardía:* para comprobar si eres tan discreto como gallardo.   34 *holgaré de:* me gustará.

que el narrador-protagonista pretende dibujarse como la única víctima del casamiento engañoso. Algo de eso ya ha adelantado al afirmar que lo único que ha obtenido de su boda ha sido una sífilis.

(36) El «parecer», la apariencia de las cosas, la tropelía, desempeña un papel importante en la novela: nada es como parece y todos los personajes hacen parecer unas cosas por otras.

(37) El Alférez no dice aquí toda la verdad sobre esta cadena. Ni Peralta ni el lector pueden saber que Campuzano oculta datos (véanse 42 y 44).

»Beséle las manos por la grande merced que me hacía, en pago de la cual le prometí montes de oro.[38] Acabó el Capitán su plática; ellas se fueron; siguiólas un criado mío. Díjome el Capitán que lo que la dama le quería era que le llevase unas cartas a Flandes a otro capitán, que decía ser su primo, aunque él sabía que no era sino su galán.[39] Yo quedé abrasado con las manos de nieve que había visto y muerto por el rostro que deseaba ver; y así, otro día, guiándome mi criado, dióseme libre entrada. Hallé una casa muy bien aderezada y una mujer de hasta treinta años, a quien conocí por las manos. No era hermosa en extremo; pero éralo de suerte que podía enamorar comunicada,[35] porque tenía un tono de habla tan suave que se entraba por los oídos en el alma. Pasé con ella luengos[36] y amorosos coloquios; blasoné,[37] hendí, rajé,[38] ofrecí, prometí y hice todas las demonstraciones que me pareció ser necesarias para hacerme bienquisto con ella.[39] Pero como ella estaba hecha a oír semejantes o mayores

---

35 *comunicada:* con el trato y la conversación.   36 *luengos:* largos.   37 *blasoné:* hice ostentación y alabanza de mí mismo.   38 *hendí... rajé:* hay un juego de palabras. *Hender* significa hacerse un lugar entre la gente y abrir una hendidura. *Rajar* significa decir muchas mentiras y abrir una raja.   39 *bienquisto con ella:* merecedor de su aprecio.

---

(38) Existe un paralelismo entre la técnica de esta dama para despertar el deseo de Campuzano y las técnicas discursivas utilizadas por todos los narradores que aparecen en esta novela y en la siguiente para estimular a sus lectores: hacerse valer, ocultar y mostrar parcialmente. Así como la dama muestra su blanca mano llena de sortijas, así Campuzano ha encarecido su historia delante del licenciado Peralta; así como Campuzano promete a la mujer montes de oro si se descubre, así Peralta invita a comer a Campuzano para que le relate (le descubra) su historia. Si el licenciado Peralta es el lector del alférez Campuzano, ahora se invierten las tornas y éste funciona en cierto modo como lector de la elegante dama. Campuzano se deja estimular por las insinuaciones de esta misteriosa señora y proyecta sobre ella sus ambiciones y deseos.

(39) Campuzano hace caso omiso de las advertencias del destino: la compañera de su dama también ha construido una ficción, es una mentirosa.

ofrecimientos y razones, parecía que les daba atento oído antes que crédito alguno. Finalmente, nuestra plática se pasó en flores cuatro días[40] que continué en visitalla,[41] sin que llegase a coger el fruto que deseaba.[(40)]

»En el tiempo que la visité siempre hallé la casa desembarazada, sin que viese visiones en ella de parientes fingidos ni de amigos verdaderos; servíala una moza más taimada[42] que simple. Finalmente, tratando mis amores como soldado que está en víspera de mudar, apuré a mi señora doña Estefanía de Caicedo (que éste es el nombre de la que así me tiene), y respondióme: "Señor alférez Campuzano, simplicidad sería si yo quisiese venderme a vuesa merced por santa. Pecadora he sido, y aun ahora lo soy; pero no de manera que los vecinos me murmuren ni los apartados[43] me noten; ni de mis padres ni de otro pariente heredé hacienda alguna, y con todo esto vale el menaje de mi casa, bien validos, dos mil y quinientos escudos; y éstos, en cosas que, puestas en almoneda,[44] lo que se tardare en ponellas[45] se tardará en convertirse en dineros. Con esta hacienda busco marido a quien entregarme y a quien tener obediencia; a quien, juntamente con la enmienda de mi vida, le entregaré una increíble solicitud de regalarle[46] y servirle; porque no tiene príncipe cocinero más goloso[47] ni que mejor sepa dar el punto a los guisados que le sé dar yo, cuando, mostrando ser casera, me quiero poner a ello. Sé ser mayordomo en casa, moza en la cocina y señora en la sala; en efeto,[48] sé mandar y sé hacer que me obedezcan. No desperdicio nada, y allego[49] mucho; mi real

---

[40] *se pasó... días:* durante cuatro días no sucedió nada. [41] *visitalla:* visitarla. [42] *taimada:* bellaca, astuta. [43] *apartados:* lejanos. [44] *en almoneda:* en venta. [45] *ponellas:* ponerlas. [46] *regalarle:* agasajarle. [47] *goloso:* que sabe excitar el apetito. [48] *efeto:* efecto. [49] *allego:* aprovecho.

(40) El Alférez reconoce haber vivido una existencia abyecta. Estas palabras nos anticipan que el Alférez no es la víctima que pretende hacernos creer, y que sus intenciones nunca fueron sinceras, sino torcidas y egoístas.

no vale menos, sino mucho más cuando se gasta por mi orden.[50] La ropa blanca que tengo, que es mucha y muy buena, no se sacó de tiendas ni lenceros;[51] estos pulgares y los de mis criadas la hilaron. Y si pudiera tejerse en casa, se tejiera. Digo estas alabanzas mías porque no acarrean vituperio cuando es forzosa la necesidad de decirlas. Finalmente, quiero decir que yo busco marido que me ampare, me mande y me honre, y no galán que me sirva y me vitupere. Si vuesa merced gustare de aceptar la prenda que se le ofrece, aquí estoy moliente y corriente, sujeta a todo aquello que vuesa merced ordenare, sin andar en venta, que es lo mismo andar en lenguas de casamenteros,[52] y no hay ninguno tan bueno para concertar el todo como las mismas partes". [53] (41)

»Yo,[54] que tenía entonces el juicio, no en la cabeza, sino en los carcañares,[55] haciéndoseme el deleite[56] en aquel punto mayor de lo que en la imaginación le pintaba y ofreciéndoseme tan a la vista la cantidad de hacienda, que ya la contemplaba en dineros convertida, sin hacer otros discursos de aquellos a que daba lugar el gusto, que me tenía echados grillos[57] al entendimiento, le dije que yo era el venturoso y bien afortunado en haberme dado el cielo, casi por milagro, tal compañera, para hacerla señora de mi voluntad y de mi hacienda, que no era tan poca que no valiese, con aquella

---

[50] *por mi orden:* a mi modo.   [51] *lenceros:* los que tratan con lienzos, es decir, con telas de lino.   [52] *sin... casamenteros:* sin acudir a terceros para concertar un casamiento.   [53] *no hay... partes:* nadie como los propios interesados para concertar el asunto.   [54] *yo:* a continuación se inserta una serie de proposiciones parentéticas. El verbo lo encontramos más abajo: «le dije».   [55] *carcañares:* calcañares, la parte posterior de la planta del pie.   [56] *haciéndoseme el deleite:* el placer se me figuraba.   [57] *grillos:* grilletes.

(41) Nótese que la construcción del personaje de Estefanía está en los antípodas de la de Costanza, en *La ilustre fregona*. Mientras que ésta apenas habla durante la novela, siendo las palabras de los demás personajes las que dibujan su extraordinaria naturaleza, Estefanía se basta y se sobra para dibujarse a sí misma como una mujer, si no santa, casi perfecta.

cadena que traía al cuello y con otras joyuelas que tenía
en casa, y con deshacerme de algunas galas[58] de soldado, más
de dos mil ducados, que juntos con los dos mil y quinientos
suyos, era suficiente cantidad para retirarnos a vivir a una
aldea de donde yo era natural y adonde tenía algunas raíces;[59]
hacienda tal, que, sobrellevada con el dinero, vendiendo los
frutos a su tiempo, nos podía dar una vida alegre y descansada. En resolución, aquella vez se concertó nuestro desposorio, y se dio traza[60] cómo los dos hiciésemos información[61] de
solteros, y en los tres días de fiesta que vinieron luego juntos
en una Pascua se hicieron las amonestaciones, y al cuarto día
nos desposamos, hallándose presentes al desposorio dos amigos míos y un mancebo que ella dijo ser primo suyo, a quien
yo me ofrecí por pariente con palabras de mucho comedimiento,[62] como lo habían sido todas las que hasta entonces a
mi nueva esposa había dado, con intención tan torcida y traidora, que la quiero callar; porque aunque estoy diciendo
verdades, no son verdades de confesión, que no pueden dejar
de decirse.[(42)]

»Mudó mi criado el baúl de la posada a casa de mi mujer;
encerré en él, delante della, mi magnífica cadena; mostréle
otras tres o cuatro, si no tan grandes, de mejor hechura,[63]
con otros tres o cuatro cintillos[64] de diversas suertes;[65] hícele
patentes mis galas y mis plumas,[66] y entreguéle para el gasto

---

58 *galas:* trajes costosos para las fiestas. 59 *raíces:* bienes. 60 *se dio traza:* se
halló el modo. 61 *hiciésemos información:* consiguiéramos certificado.
62 *comedimiento:* cortesía. 63 *hechura:* forma, figura. 64 *cintillos:* cordones del
sombrero o anillos. 65 *suertes:* clases. 66 *hícele... plumas:* le mostré mis vestidos
más costosos y mis riquezas.

---

(42) El alférez Campuzano se delata como narrador poco fiable al
reconocer que quiere callar la «torcida» y «traidora» intención que guió
su comportamiento con Estefanía. Alega que escribe verdades; pero se
reserva, con su punta de cinismo, el derecho a ocultarlas, al no tratarse
de verdades de confesión. El discurso de Campuzano se torna automáti-
camente sospechoso.

de casa hasta cuatrocientos reales que tenía. Seis días gocé del pan de la boda,[67] espaciándome en casa como el yerno ruin en la del suegro rico. Pisé ricas alhombras,[68] ahajé[69] sábanas de holanda,[70] alumbréme con candeleros de plata; almorzaba en la cama, levantábame a las once, comía a las doce, y a las dos sesteaba en el estrado,[71] bailábanme doña Estefanía y la moza el agua delante.[72] Mi mozo, que hasta allí le había conocido perezoso y lerdo, se había vuelto un corzo.[73] El rato que doña Estefanía faltaba de mi lado, la habían de hallar en la cocina, toda solícita en ordenar guisados que me despertasen el gusto y me avivasen el apetito. Mis camisas, cuellos y pañuelos eran un nuevo Aranjuez[74] de flores, según olían, bañados en la agua de ángeles[75] y de azahar que sobre ellos se derramaba.

»Pasáronse estos días volando, como se pasan los años, que están debajo de la jurisdicción del tiempo; en los cuales días, por verme tan regalado y tan bien servido, iba mudando en buena la mala intención con que aquel negocio había comenzado. Al cabo de los cuales, una mañana —que aún estaba con doña Estefanía en la cama— llamaron con grandes golpes a la puerta de la calle. Asomóse la moza a la ventana, y quitándose al momento dijo:

»—¡Oh, que sea ella la bienvenida! ¿Han visto y cómo ha venido más presto de lo que escribió el otro día?

»—¿Quién es la que ha venido, moza? —le pregunté.

»—¿Quién? —respondió ella—. Es mi señora doña Clementa Bueso, y viene con ella el señor don Lope Meléndez de Almendárez, con otros dos criados, y Hortigosa, la dueña[76] que llevó consigo.

---

67 *pan de la boda:* frase hecha con la que se designa el buen tratamiento que se dan los esposos los primeros días del matrimonio. Hace referencia asimismo a los beneficios materiales que le proporcionó la boda.   68 *alhombras:* alfombras.   69 *ahajé:* gasté.   70 *holanda:* tela muy fina.   71 *estrado:* habitación en la que se recibían las visitas, compuesta de cojines, alfombras y sillas bajas.   72 *bailábanme... delante:* me servían con rapidez y solicitud.   73 *corzo:* venado ligero y veloz.   74 *Aranjuez:* se refiere a los famosos jardines de Aranjuez.   75 *agua de ángeles:* perfume.   76 *dueña:* señora que no es doncella.

»—¡Corre, moza, bien haya yo,[77] y ábrelos! —dijo a este punto doña Estefanía—. Y vos, señor, por mi amor que no os alborotéis ni respondáis por mí a ninguna cosa que contra mí oyéredes.[78]

»—Pues ¿quién ha de deciros cosa que os ofenda, y más estando yo delante? Decidme: ¿qué gente es ésta, que me parece que os ha alborotado su venida?

»—No tengo lugar de responderos —dijo doña Estefanía—; sólo sabed que todo lo que aquí pasare es fingido y que tira a cierto designio y efeto[79] que después sabréis.

»Y aunque quisiera replicarle a esto, no me dio lugar la señora doña Clementa Bueso, que se entró en la sala, vestida de raso verde prensado, con muchos pasamanos[80] de oro, capotillo de lo mismo[81] y con la misma guarnición, sombrero con plumas verdes, blancas y encarnadas, y con rico cintillo de oro, y con un delgado velo cubierta la mitad del rostro. Entró con ella el señor don Lope Meléndez de Almendárez, no menos bizarro[82] que ricamente vestido de camino.[83] La dueña Hortigosa fue la primera que habló, diciendo:

»—¡Jesús! ¿Qué es esto? ¿Ocupado el lecho de mi señora doña Clementa, y más con ocupación de hombre? ¡Milagros veo hoy en esta casa! ¡A fe que se ha ido bien del pie a la mano[84] la señora doña Estefanía, fiada en la amistad de mi señora!

»—Yo te lo prometo[85] Hortigosa —replicó doña Clementa—; pero yo me tengo la culpa. ¡Que jamás escarmiente yo en tomar amigas que no lo saben ser si no es cuando les viene a cuento!

»A todo lo cual respondió doña Estefanía:

---

77 *bien haya yo:* interjección. 78 *oyéredes:* oyereis. 79 *tira... efeto:* tiene su intención y busca un efecto. 80 *pasamanos:* adornos en forma de galón o trenza que se pone en algunos vestidos. 81 *capotillo de lo mismo:* capa pequeña que se pone por encima del vestido, del mismo material que la prenda anterior. 82 *bizarro:* adornado y elegante. 83 *vestido de camino:* con ropa de viaje. 84 *a fe que... a la mano:* en verdad que se ha tomado demasiada confianza. 85 *yo te lo prometo:* yo te lo aseguro.

»—No reciba vuesa merced pesadumbre, mi señora doña Clementa Bueso, y entienda que no sin misterio ve lo que ve en esta su casa; que cuando lo sepa, yo sé que quedaré desculpada y vuesa merced sin ninguna queja.

»En esto ya me había puesto yo en calzas y en jubón,[86] y tomándome doña Estefanía por la mano me llevó a otro aposento, y allí me dijo que aquella su amiga quería hacer una burla a aquel don Lope que venía con ella, con quien pretendía casarse, y que la burla era darle a entender que aquella casa y cuanto estaba en ella era todo suyo, de lo cual pensaba hacerle carta de dote,[87] y que hecho el casamiento se le daba poco[88] que se descubriese el engaño, fiada en el grande amor que el don Lope la tenía.

»Y luego[89] se me volverá lo que es mío, y no se le tendrá a mal a ella ni a otra mujer alguna de que procure buscar marido honrado, aunque sea por medio de cualquier embuste.

»Yo le respondí que era grande extremo de amistad el que quería hacer, y que primero se mirase bien en ello,[90] porque después podría ser tener necesidad de valerse de la justicia para cobrar su hacienda. Pero ella me respondió con tantas razones, representando tantas obligaciones que la obligaban a servir a doña Clementa, aun en cosas de más importancia, que, mal de mi grado[91] y con remordimiento de mi juicio, hube de condecender[92] con el gusto de doña Estefanía, asegurándome ella que solos ocho días podía durar el embuste, los cuales estaríamos en casa de otra amiga suya.

»Acabámonos de vestir ella y yo, y luego, entrándose a despedir de la señora doña Clementa Bueso y del señor don Lope Meléndez de Almendárez, hizo a mi criado que se cargase el baúl y que la siguiese, a quien yo también seguí, sin despedirme de nadie.

---

86 *me había... en jubón:* me había vestido. 87 *carta de dote:* documento con el que se certifican los bienes que lleva una mujer al matrimonio. 88 *se le daba poco:* le importaba poco. 89 *luego:* inmediatamente. 90 *mirase bien en ello:* pensase bien lo que hacía. 91 *mal de mi grado:* a mi pesar. 92 *condecender:* condescender, aceptar.

»Paró doña Estefanía en casa de una amiga suya, y antes
que entrásemos dentro estuvo un buen espacio hablando
con ella, al cabo del cual salió una moza y dijo que entrásemos yo y mi criado. Llevónos a un aposento estrecho, en el
cual había dos camas tan juntas que parecían una, a causa
que[93] no había espacio que las dividiese, y las sábanas de
entrambas se besaban. En efeto,[94] allí estuvimos seis días, y
en todos ellos no se pasó hora que no tuviésemos pendencia[95] diciéndole la necedad que había hecho en haber dejado su casa y su hacienda, aunque fuera a su misma madre.

»En esto iba yo y venía por momentos,[96] tanto, que
la huéspeda de casa,[97] un día que doña Estefanía dijo que iba
a ver en qué término estaba su negocio, quiso saber de mí
qué era la causa que me movía a reñir tanto con ella, y qué
cosa había hecho que tanto se la afeaba diciéndole que había
sido necedad notoria más que amistad perfeta.[98] Contéle
todo el cuento, y cuando llegué a decir que me había casado
con doña Estefanía, y la dote que trujo,[99] y la simplicidad que
había hecho en dejar su casa y hacienda a doña Clementa,
aunque fuese con tan sana intención como era alcanzar tan
principal marido como don Lope, se comenzó a santiguar y
a hacerse cruces[100] con tanta priesa[101] y con tanto "¡Jesús,
Jesús, de la mala hembra!", que me puso en gran turbación, y al fin me dijo:

»—Señor Alférez, no sé si voy contra mi conciencia en des-
cubriros lo que me parece que también la cargaría si lo calla-
se; pero, a Dios y a ventura[102] sea lo que fuere, ¡viva la verdad
y muera la mentira! La verdad es que doña Clementa Bueso
es la verdadera señora de la casa y de la hacienda de que os
hicieron la dote; la mentira es todo cuanto os ha dicho doña
Estefanía; que ni ella tiene casa, ni hacienda, ni otro vestido
del que trae puesto. Y el haber tenido lugar y espacio para

---

[93] *a causa que:* a causa de que.   [94] *En efeto:* en efecto.   [95] *pendencia:* pelea.
[96] *en... momentos:* en esta idea insistía yo continuamente.   [97] *huéspeda de casa:* dueña
de la casa (véase nota 129 a *La ilustre fregona*)   [98] *perfeta:* perfecta.   [99] *trujo:* trajo.
[100] *hacerse cruces:* admirarse.   [101] *priesa:* prisa.   [102] *a Dios y a ventura:* a la suerte.

hacer este embuste fue que doña Clementa fue a visitar unos parientes suyos a la ciudad de Plasencia, y de allí fue a tener novenas[103] en Nuestra Señora de Guadalupe,[(43)] y en este entretanto dejó en su casa a doña Estefanía, que mirase[104] por ella, porque, en efeto,[105] son grandes amigas; aunque, bien mirado, no hay que culpar a la pobre señora, pues ha sabido granjear[106] a una tal persona como la del señor Alférez por marido.

»Aquí dio fin a su plática y yo di principio a desesperarme, y sin duda lo hiciera[107] si tantico se descuidara el ángel de mi guarda en socorrerme acudiendo a decirme en el corazón que mirase que era cristiano y que el mayor pecado de los hombres era el de la desesperación, por ser pecado de demonios. Esta consideración o buena inspiración me conortó[108] algo; pero no tanto que dejase de tomar mi capa y espada y salir a buscar a doña Estefanía, con prosupuesto[109] de hacer en ella un ejemplar castigo; pero la suerte, que no sabré decir si mis cosas emperoraba o mejoraba, ordenó que en ninguna parte donde pensé hallar a doña Estefanía la hallase. Fuime a San Llorente, encomendéme a Nuestra Señora, sentéme sobre un escaño, y con la pesadumbre me tomó un sueño tan pesado, que no despertara tan presto si no me despertaran.

»Fui lleno de pensamientos y congojas a casa de doña Clementa, y halléla con tanto reposo como señora de su casa; no le osé decir nada porque estaba el señor don Lope delante; volví en[110] casa de mi huéspeda, que me dijo haber contado a doña Estefanía cómo yo sabía toda su maraña y embuste, y

---

103 *novenas:* período de nueve días dedicado a la oración a un santo para alcanzar alguna gracia. 104 *mirase:* cuidase. 105 *en efeto:* en efecto. 106 *granjear:* conseguir. 107 *lo hiciera:* desesperarme, suicidarme. 108 *conortó:* conhortó, confortó. 109 *prosupuesto:* determinación. 110 *volví en:* volví a.

(43) Nótese el recurso para proporcionar unidad a las doce novelas: al mismo convento fue en romería la madre de Costanza, la ilustre fregona.

que ella le preguntó qué semblante había yo mostrado con tal nueva,[111] y que le había respondido que muy malo, y que, a su parecer, había salido yo con mala intención y con peor determinación a buscarla. Díjome, finalmente, que doña Estefanía se había llevado cuanto en el baúl tenía, sin dejarme en él sino un solo vestido de camino.

»¡Aquí fue ello![112] ¡Aquí me tuvo de nuevo Dios de su mano! Fui a ver mi baúl y halléle abierto y como sepultura que esperaba cuerpo difunto, y a buena razón había de ser el mío, si yo tuviera entendimiento para saber sentir y ponderar tamaña desgracia.

—Bien grande fue —dijo a esta sazón[113] el licenciado Peralta— haberse llevado doña Estefanía tanta cadena y tanto cintillo; que, como suele decirse, todos los duelos..., etc.[114]

—Ninguna pena me dio esa falta —respondió el Alférez, pues también podré decir: «Pensóse don Simueque que me engañaba con su hija la tuerta, y por el Dío, contrecho[115] soy de un lado».[116]

—No sé a qué propósito puede vuesa merced decir eso —respondió Peralta.

—El propósito es —respondió el Alférez— de que toda aquella balumba[117] y aparato[118] de cadenas, cintillos y brincos[119] podía valer hasta diez o doce escudos.

—Eso no es posible —replicó el Licenciado—, porque la que el señor Alférez traía al cuello mostraba pesar más de docientos ducados.

—Así fuera —respondió el Alférez— si la verdad respondiera al parecer; pero como no es todo oro lo que reluce, las cadenas, cintillos, joyas y brincos, con sólo ser de alquimia[120]

---

111 *nueva:* noticia.   112 *¡Aquí fue ello!:* frase que se utiliza para llamar la atención sobre un hecho.   113 *a esta sazón:* entonces.   114 *todos los duelos... etcétera:* Se refiere al refrán: «Todos los duelos con pan son buenos».   115 *contrecho:* contrahecho, lisiado.   116 *pensóse... lado:* refrán que se emplea cuando se engaña a alguien que quería engañale a uno.   117 *balumba:* bulto que hacen muchas cosas mal juntas y cubiertas.   118 *aparato:* pompa, adorno.   119 *brinco:* especie de joya.   120 *de alquimia:* a base de productos químicos.

se contentaron; pero estaban tan bien hechas, que sólo el toque[121] o el fuego podía descubrir su malicia.[122] (44)

—Desa manera —dijo el Licenciado—, entre vuesa merced y la señora doña Estefanía, pata es la traviesa.[123]

—Y tan pata —respondió el Alférez—, que podemos volver a barajar; pero el daño está, señor Licenciado, en que ella se podrá deshacer de mis cadenas y yo no de la falsía de su término;[124] y, en efecto,[125] mal que me pese, es prenda mía. (45)

—Dad gracias a Dios, señor Campuzano —dijo Peralta—, que fue prenda con pies, y que se os ha ido, y que no estáis obligado a buscarla.

---

121 *toque:* prueba que hacen los plateros para determinar la calidad de un metal precioso.   122 *malicia:* fraude.   123 *pata es la traviesa:* frase que se dice cuando dos se engañan mutuamente.   124 *falsía de su término:* falsedad de su argumentación.   125 *en efeto:* en efecto.

(44) Finalmente, revela lo que ha ocultado en las dos menciones anteriores a sus joyas. El discurso en primera persona del Alférez presentaba a doña Estefanía como una única culpable y a Campuzano como víctima del engaño. Gracias a la intervención de Peralta descubrimos, sin embargo, que el Alférez también tuvo intenciones fraudulentas. Es importante notar que el conocimiento de la falsedad de las joyas lo obtenemos cuando Peralta —lector— abandona su actitud pasiva y se introduce en el discurso del Alférez con preguntas concretas. Vuelve a mostrarse aquí de modo patente el valor que Cervantes otorga al diálogo.

(45) En esta intervención de Campuzano se manejan dos conceptos que habían aparecido en el prólogo de las *Ejemplares* (véase documento n.° 2). El primero es el verbo «barajar», que hace referencia al concepto de «juego». El segundo es la palabra «daño». Campuzano viene a decir que el juego de engaños mutuos entre él y doña Estefanía trae consigo daño. Se nos remite de este modo a unas palabras del mencionado prólogo, según las cuales las *Novelas ejemplares* están construidas como una mesa de trucos, otro juego, de modo que se pueda participar en ella «sin daño de barras», expresión disémica que hace referencia a la penalización propia de dicho juego, pero también al daño moral. El engaño literario, la verdadera eutropelia cervantina, puro ilusionismo que divierte, no tiene nada que vez con estas otras dañinas tropelías practicadas por el Alférez y doña Estefanía.

—Así es —respondió el Alférez—; pero, con todo eso, sin que la busque, la hallo siempre en la imaginación, y adondequiera que estoy, tengo mi afrenta presente.

—No sé qué responderos —dijo Peralta—, si no es traeros a la memoria dos versos de Petrarca, que dicen:

> *Ché, qui prende dicleto di far fiode,*
> *Non si de lamentar si altri l'ingana.*[126]

Que responden en nuestro castellano: «Que el que tiene costumbre y gusto de engañar a otro no se debe quejar cuando es engañado».

—Yo no me quejo —respondió el Alférez—, sino lastímome; que el culpado no por conocer su culpa deja de sentir la pena del castigo. Bien veo que quise engañar y fui engañado, porque me hirieron por mis propios filos;[127] pero no puedo tener tan a raya el sentimiento que no me queje de mí mismo. Finalmente, por venir a lo que hace más al caso a mi historia (que este nombre se le puede dar al cuento de mis sucesos), digo que supe que se había llevado a doña Estefanía el primo que dije que se halló a nuestros desposorios, el cual de luengos tiempos atrás era su amigo a todo ruedo.[128] No quise buscarla, por no hallar el mal que me faltaba. Mudé posada y mudé el pelo dentro de[129] pocos días, porque comenzaron a pelárseme las cejas y las pestañas, y poco a poco me dejaron los cabellos, y antes de edad me hice calvo, dándome una enfermedad que llaman *lupicia,* y por otro nombre más claro, la *pelarela.*[130] Halléme verdaderamente hecho pelón, porque ni tenía barbas que peinar ni dineros que gastar.[131] Fue la enfermedad caminando al paso de mi necesidad, y

---

126 *Ché, qui... si altri l'ingana:* versos de *Triunfo de amor,* I, vv. 119-120: «Ché, chi prende diletto di far frode, / non si de' lamentar s'altri l'inganna». 127 *filos:* armas. Véase nota 151 a *La ilustre fregona.* 128 *a todo ruedo:* para lo bueno y para lo malo. 129 *dentro de:* al cabo de. 130 *la pelarela:* síntoma de la sífilis. 131 *pelón... gastar:* efectivamente, se llama *pelón* a quien no tiene cabello o a quien no tiene dinero.

como la pobreza atropella a la honra, y a unos lleva a la horca y a otros al hospital, y a otros les hace entrar por las puertas de sus enemigos con ruegos y sumisiones, que es una de las mayores miserias que puede suceder a un desdichado, por no gastar en curarme los vestidos que me habían de cubrir y honrar en salud, llegado el tiempo en que se dan los sudores[132] en el Hospital de la Resurrección, me entré en él, donde he tomado cuarenta sudores. Dicen que quedaré sano si me guardo;[133] espada tengo, lo demás, Dios lo remedie.

Ofreciósele de nuevo el Licenciado, admirándose de las cosas que le había contado.

—Pues de poco se maravilla vuesa merced, señor Peralta —dijo el Alférez—; que otros sucesos me quedan por decir que exceden a toda imaginación, pues van fuera de todos los términos de naturaleza:[134] no quiera vuesa merced saber más sino que son de suerte que doy por bien empleadas todas mis desgracias, por haber sido parte de[135] haberme puesto en el hospital donde vi lo que ahora diré, que es lo que ahora ni nunca vuesa merced podrá creer, ni habrá persona en el mundo que lo crea.

Todos estos preámbulos y encarecimientos que el Alférez hacía antes de contar lo que había visto, encendían el deseo de Peralta de manera que, con no menores encarecimientos, le pidió que luego luego[136] le dijese las maravillas que le quedaban por decir.(46)

—Ya vuesa merced habrá visto —dijo el Alférez— dos perros que con dos lanternas[137] andan de noche con los hermanos de la Capacha,[138] alumbrándoles cuando piden limosna.

---

132 *se dan los sudores:* véase nota 3.   133 *guardo:* cuido.   134 *los términos de naturaleza:* las leyes de lo natural.   135 *haber sido parte de:* haber contribuido a.   136 *luego luego:* con la máxima prisa.   137 *lanternas:* linternas.   138 *hermanos de la Capacha:* frailes de la orden de San Juan de Dios.

(46) Nótese que Peralta tiene exactamente la misma reacción que Campuzano cuando éste por primera vez se encuentra con doña Estefanía (véase **38**).

—Sí he visto —respondió Peralta.

—También habrá visto o oído vuesa merced —dijo el Alférez— lo que dellos se cuenta: que si acaso echan limosna de las ventanas y se cae en el suelo, ellos acuden luego[139] a alumbrar y a buscar lo que se cae, y se paran delante de las ventanas donde saben que tienen costumbre de darles limosna; y con ir allí con tanta mansedumbre que más parecen corderos que perros, en el hospital son unos leones, guardando la casa con grande cuidado y vigilancia.

—Yo he oído decir —dijo Peralta— que todo es así; pero eso no me puede ni debe causar maravilla.

—Pues lo que ahora diré dellos es razón que la cause, y que sin hacerse cruces, ni alegar imposibles ni dificultades, vuesa merced se acomode a creerlo; y es que yo oí y casi vi[(47)] con mis ojos a estos dos perros, que el uno se llama Cipión y el otro Berganza, estar una noche, que fue la penúltima que acabé de sudar, echados detrás de mi cama en unas esteras[140] viejas, y a la mitad de aquella noche, estando a escuras[141] y desvelado, pensando en mis pasados sucesos y presentes

---

139 *luego:* inmediatamente.   140 *esteras:* tejidos de esparto.   141 *escuras:* oscuras.

(47) El relato de *El casamiento engañoso* ha sido efectivo, puesto que, como reconoce el Licenciado, ha producido admiración. Debemos leer *El casamiento engañoso* no sólo como novela independiente, sino también en relación con el *Coloquio de los perros. El casamiento* sirve de punto de apoyo para elevarnos hacia un nivel superior de ficción: si esta novela no es más que un buen relato picaresco donde nada es imposible, el *Coloquio,* como dice el Alférez, está «fuera de todos los términos de la naturaleza», es decir, es imposible. El experimento cervantino trata de hacerlo, sin embargo, verosímil. La técnica para conseguirlo consiste en alejarlo de nosotros, haciendo que sea un personaje, y no el narrador cervantino, quien lo relate. Además, Campuzano ha sido caracterizado como narrador poco fiable (véase **33**): cualquier disparate que cuente queda así justificado (sin contar con que, en su delirio, el Alférez pudo haber soñado semejante coloquio). En todo caso, la audición de la conversación entre los perros no está clara («casi vi», dice el Alférez).

desgracias, oí hablar allí junto,[142] y estuve con atento oído escuchando, por ver si podía venir en conocimiento de los que hablaban y de lo que hablaban, y a poco rato vine a conocer, por lo que hablaban, los que hablaban, y eran los dos perros Cipión y Berganza.

Apenas acabó de decir esto Campuzano cuando, levantándose el Licenciado, dijo:

—Vuesa merced quede mucho en buena hora, señor Campuzano; que hasta aquí estaba en duda si creería o no lo que de su casamiento me había contado, y esto que ahora me cuenta de que oyó hablar los perros me ha hecho declarar por la parte de no creelle ninguna cosa.[143] Por amor de Dios, señor Alférez, que no cuente estos disparates a persona alguna, si ya no fuere a quien sea tan su amigo como yo.[(48)]

—No me tenga vuesa merced por tan ignorante —replicó Campuzano— que no entienda que si no es por milagro no pueden hablar los animales; que bien sé que si los tordos, picazas[144] y papagayos hablan, no son sino las palabras que aprenden y toman de memoria, y por tener la lengua estos animales cómoda para poder pronunciarlas; mas no por esto

---

142 *junto:* cerca.   143 *declarar... cosa:* decidirme por no creer en nada.   144 *picazas:* ave un poco más pequeña que la paloma.

(48) Nótese la reacción neo-aristotélica del Licenciado, para quien nada que no pudiera existir en la naturaleza era creíble (véase la Introducción). Peralta emplea para referirse al *Coloquio* una palabra muy cervantina: disparate. Cervantes utiliza este término para referirse a las acciones que resultan involuntariamente inverosímiles. Los libros de caballerías son según su criterio disparates, porque sus autores presentan hazañas imposibles como si éstas se ajustaran a los términos de la naturaleza. Otro asunto diferente es la inverosimilitud voluntaria. Cuando un narrador presenta una acción imposible como un suceso efectivamente inverosímil, se produce un curioso fenómeno: el lector, como hará Peralta, no lo rechaza; la acción se hace aceptable y de algún modo verosímil. Ya hemos visto en la Introducción que Cervantes estaba muy orgulloso de haber conseguido con sus *Ejemplares* presentar con propiedad, es decir, verosímilmente, un disparate.

pueden hablar y responder con discurso concertado,[145] como estos perros hablaron; y así, muchas veces, después que los oí, yo mismo no he querido dar crédito a mí mismo, y he querido tener por cosa soñada lo que realmente estando despierto, con todos mis cinco sentidos, tales cuales nuestro Señor fue servido dármelos, oí, escuché, noté y, finalmente, escribí, sin faltar palabra por su concierto;[146] de donde se puede tomar indicio bastante que mueva y persuada a creer esta verdad que digo. Las cosas de que trataron fueron grandes y diferentes, y más para ser tratadas por varones sabios que para ser dichas por bocas de perros; así que, pues yo no las pude inventar de mío,[147] a mi pesar y contra mi opinión vengo a creer que no soñaba y que los perros hablaban.

—¡Cuerpo de mí! —replicó el Licenciado—. ¡Si se nos ha vuelto el tiempo de Maricastaña,[148] cuando hablaban las calabazas, o el de Isopo,[149] cuando departía el gallo con la zorra y unos animales con otros!

—Uno dellos sería yo, y el mayor —replicó el Alférez—, si creyese que ese tiempo ha vuelto, y aun también lo sería si dejase de creer lo que oí, y lo que vi, y lo que me atreveré a jurar con juramento que obligue, y aun fuerce, a que lo crea la misma incredulidad. Pero puesto caso que me haya engañado, y que mi verdad sea sueño, y el porfiarla disparate, ¿no se holgará vuesa merced, señor Peralta, de ver escritas en un coloquio las cosas que estos perros, o sean quien fueren, hablaron?

—Como vuesa merced —replicó el Licenciado— no se canse más en persuadirme que oyó hablar a los perros, de muy buena gana oiré ese coloquio, que por ser escrito y notado[150] del buen ingenio del señor Alférez, ya le juzgo por bueno.[(49)]

---

[145] *concertado:* lógico.   [146] *por su concierto:* por su orden.   [147] *de mío:* por mí mismo.
[148] *¡Si... Maricastaña:* ¡si han vuelto los tiempos antiguos!   [149] *Isopo:* Esopo, escritor latino, famoso por sus fábulas, en las que hablaban animales.   [150] *notado:* dictado.

(49) Éste es el guiño cervantino y el desafío literario que plantea en esta obra. El Alférez, tras jurar que el coloquio es verdadero históricamente, le pregunta al Licenciado si, verdadero o falso, no le gustaría

—Pues hay en esto otra cosa —dijo el Alférez—: que, como yo estaba tan atento y tenía delicado el juicio, delicada, sotil[151] y desocupada la memoria (merced a las muchas pasas y almendras que había comido), todo lo tomé de coro,[152] y casi por las mismas palabras que había oído lo escribí otro día, sin buscar colores retóricas[153] para adornarlo, ni qué añadir ni quitar para hacerle gustoso. No fue una noche sola la plática, que fueron dos consecutivamente, aunque yo no tengo escrita más de una, que es la vida de Berganza, y la del compañero Cipión pienso escribir (que fue la que se contó la noche segunda) cuando viere, o que ésta se crea, o, a lo menos, no se desprecie. El coloquio traigo en el seno; púsele en forma de coloquio por ahorrar de *dijo Cipión, respondió Berganza,* que suele alargar la escritura.

Y en diciendo esto, sacó del pecho un cartapacio[154] y le puso en las manos del Licenciado, el cual le tomó riyéndose[155] y como haciendo burla de todo lo que había oído y de lo que pensaba leer.

—Yo me recuesto —dijo el Alférez— en esta silla en tanto que vuesa merced lee, si quiere, esos sueños o disparates, que no tienen otra cosa de bueno si no es el poderlos dejar cuando enfaden.

—Haga vuesa merced su gusto —dijo Peralta—, que yo con brevedad me despediré desta letura.[156]

Recostóse el Alférez, abrió el Licenciado el cartapacio, y en el principio vio que estaba puesto este título:

---

151 *sotil:* sutil.   152 *de coro:* de memoria.   153 *colores retóricas:* figuras literarias.   154 *cartapacio:* cuaderno.   155 *riyéndose:* riéndose.   156 *que yo... letura:* que no tardaré en terminar esta lectura.

escucharlo. En esta pregunta se traslada sutilmente el punto de gravedad literaria de la verdad al entretenimiento. El Alférez —y Cervantes con él— nos está preguntando: ¿Tan importante es que un suceso sea históricamente verdadero? ¿No será más importante el hecho de que entretenga? El Licenciado está dispuesto a leer el *Coloquio* sobre esta nueva base e incluso a darlo por bueno. Todo ello es un modo de separar radicalmente las reglas que rigen vida y literatura, que paradójicamente están siempre entrelazadas en la estética cervantina.

NOVELA Y COLOQUIO QUE PASÓ ENTRE CIPIÓN Y BERGANZA, PERROS DEL HOSPITAL DE LA RESURRECCIÓN, QUE ESTÁ EN LA CIUDAD DE VALLADOLID, FUERA DEL CAMPO, A QUIEN COMÚNMENTE LLAMAN LOS PERROS DE MAHUDES

CIPIÓN.— Berganza amigo, dejemos esta noche el Hospital en guarda de la confianza[1] y retirémonos a esta soledad y entre estas esteras,[2] donde podremos gozar sin ser sentidos desta no vista merced[3] que el cielo en un mismo punto a los dos nos ha hecho.

BERGANZA.— Cipión hermano, óyote[4] hablar y sé que te hablo, y no puedo creerlo, por parecerme que el hablar nosotros pasa de los términos de naturaleza.[5] (50)

CIPIÓN.— Así es la verdad, Berganza, y viene a ser mayor este milagro en que no solamente hablamos, sino en que hablamos con discurso,[6] como si fuéramos capaces de razón,

---

1 *en guarda de la confianza:* sin vigilancia.   2 *esteras:* tejidos de esparto.   3 *merced:* gracia.   4 *óyote:* óigote.   5 *los términos de la naturaleza:* las leyes de lo natural.   6 *con discurso:* con lógica.

(50) Nótese, antes de seguir adelante, la coincidencia de los temas. Aceptemos que la *Novela del casamiento engañoso* es un relato acerca del conflicto entre la apariencia y la realidad. Resulta que éste es precisamente el problema que tienen nuestros perros: por el día han tenido apariencia de animales y por la noche descubren que, en realidad, son seres racionales con el privilegio del habla. Se establece también desde este momento una dualidad muy importante en la construcción de *El casamiento* y el *Coloquio:* la oposición día/noche: las apariencias diurnas y apolíneas hunden sus raíces en las realidades nocturnas y dionisíacas. Percátese el lector de que la verdadera naturaleza de los sucesos que leerá a continuación se descubre siempre por la noche.

estando tan sin ella que la diferencia que hay del animal
bruto al hombre es ser el hombre animal racional, y el bruto,
irracional.

BERGANZA.— Todo lo que dices, Cipión, entiendo, y el decirlo tú y entenderlo yo me causa nueva admiración y nueva maravilla.[51] Bien es verdad que en el discurso de mi vida diversas y
muchas veces he oído decir grandes prerrogativas[7] nuestras;
tanto, que parece que algunos han querido sentir que tenemos
un natural distinto,[8] tan vivo y tan agudo en muchas cosas, que
da indicios y señales de faltar poco para mostrar que tenemos
un no sé qué de entendimiento capaz de discurso.[9]

CIPIÓN.— Lo que yo he oído alabar y encarecer es nuestra
mucha memoria, el agradecimiento y gran fidelidad nuestra;
tanto, que nos suelen pintar por símbolo de la amistad; y así,
habrás visto (si has mirado en ello) que en las sepulturas de
alabastro,[10] donde suelen estar las figuras de los que allí están
enterrados, cuando son marido y mujer, ponen entre los dos,
a los pies, una figura de perro, en señal que se guardaron en
la vida amistad y fidelidad inviolable.

BERGANZA.— Bien sé que ha habido perros tan agradecidos
que se han arrojado con los cuerpos difuntos de sus amos en
la misma sepultura. Otros han estado sobre las sepulturas
donde estaban enterrados sus señores, sin apartarse dellas,
sin comer, hasta que se les acababa la vida. Sé también
que, después del elefante, el perro tiene el primer lugar de

---

7 *prerrogativas:* privilegios.   8 *distinto:* instinto.   9 *capaz de discurso:* capaz de
hablar con lógica.   10 *alabastro:* mármol blanco.

(51) Más arriba Peralta se sorprendía de que hubiera llegado de
nuevo el tiempo de Maricastaña al haber escrito el Alférez —afirmaba—
una fábula de Esopo, en la que los animales —como en las ficciones del
latino— hablaban con naturalidad. La primera diferencia, sin embargo,
entre una fábula de Esopo y este coloquio es que mientras los animales
del fabulador no se sorprenden de su capacidad, estos dos perros están
maravillados de su don. La inverosimilitud del suceso es incorporada de
este modo a la ficción y convertida en materia narrativa.

parecer que tiene entendimiento; luego, el caballo, y el último, la simia.[11]

CIPIÓN.— Ansí[12] es; pero bien confesarás que ni has visto ni oído decir jamás que haya hablado ningún elefante, perro, caballo o mona; por donde me doy a entender que este nuestro hablar tan de improviso cae debajo del número[13] de aquellas cosas que llaman portentos, las cuales, cuando se muestran y parecen,[14] tiene averiguado la experiencia que alguna calamidad grande amenaza a las gentes.

BERGANZA.— Desa manera no haré yo mucho en tener por señal portentosa lo que oí decir los días pasados a un estudiante, pasando por Alcalá de Henares.

CIPIÓN.— ¿Qué le oíste decir?

BERGANZA.— Que de cinco mil estudiantes que cursaban aquel año en la Universidad, los dos mil oían Medicina.

CIPIÓN.— Pues, ¿qué vienes a inferir deso?

BERGANZA.— Infiero, o que estos dos mil médicos han de tener enfermos que curar (que sería harta plaga y mala ventura), o ellos se han de morir de hambre.

CIPIÓN.— Pero sea lo que fuere, nosotros hablamos, sea portento o no; que lo que el cielo tiene ordenado que suceda, no hay diligencia[15] ni sabiduría humana que lo pueda prevenir; y así, no hay para qué ponernos a disputar nosotros cómo o por qué hablamos; mejor será que este buen día, o buena noche, la metamos en nuestra casa,[16] y pues la tenemos tan buena en estas esteras y no sabemos cuánto durará esta nuestra ventura, sepamos aprovecharnos della y hablemos toda esta noche, sin dar lugar al sueño que nos impida este gusto, de mí por largos tiempos deseado.

BERGANZA.— Y aun de mí, que desde que tuve fuerzas para roer un hueso tuve deseo de hablar, para decir cosas que depositaba en la memoria, y allí, de antiguas y muchas, o se enmohecían o se me olvidaban. Empero ahora, que tan sin

---

[11] *simia:* mona.   [12] *Ansí:* así.   [13] *cae debajo del número:* es del mismo género que.   [14] *parecen:* aparecen.   [15] *diligencia:* destreza.   [16] *este... casa:* aprovechemos la ocasión.

pensarlo me veo enriquecido deste divino don de la habla, pienso gozarle y aprovecharme dél lo más que pudiere, dándome priesa[17] a decir todo aquello que se me acordare, aunque sea atropellada y confusamente, porque no sé cuándo me volverán a pedir este bien que por prestado tengo.[52]

CIPIÓN.— Sea ésta la manera, Berganza amigo: que esta noche me cuentes tu vida y los trances por donde has venido al punto en que ahora te hallas, y si mañana en la noche estuviéremos con habla, yo te contaré la mía; porque mejor será gastar el tiempo en contar las propias que en procurar saber las ajenas vidas.

BERGANZA.— Siempre, Cipión, te he tenido por discreto[18] y por amigo, y ahora más que nunca, pues como amigo quieres decirme tus sucesos y saber los míos, y como discreto has repartido el tiempo donde podamos manifestallos.[19] Pero advierte primero si nos oye alguno.

CIPIÓN.— Ninguno, a lo que creo, puesto que aquí cerca está un soldado tomando sudores;[20] pero en esta sazón[21] más estará para dormir que para ponerse a escuchar a nadie.

BERGANZA.— Pues si puedo hablar con ese seguro,[22] escucha; y si te cansare lo que te fuere diciendo, o me reprehende[23] o manda que calle.

CIPIÓN.— Habla hasta que amanezca, o hasta que seamos sentidos; que yo te escucharé de muy buena gana, sin impedirte sino cuando viere ser necesario.

BERGANZA.— Paréceme que la primera vez que vi el sol fue en Sevilla, y en su Matadero, que está fuera de la Puerta de la Carne; por donde imaginara (si no fuera por lo que después te diré) que mis padres debieron de ser alanos[24] de aquellos

---

17 *priesa:* prisa.   18 *discreto:* cuerdo, de buen juicio.   19 *manifestallos:* manifestarlos.   20 *tomando sudores:* véase nota 3 a *El casamiento engañoso.*   21 *en esta sazón:* en ese momento.   22 *seguro:* seguridad.   23 *reprehende:* reprende.   24 *alanos:* especie de perros corpulentos y bravos.

(52) Efectivamente, los perros no tienen todo el tiempo del mundo, y esta limitación guiará las recriminaciones de Cipión.

que crían los ministros[25] de aquella confusión,[26] a quien llaman jiferos.[27] [(53)] El primero que conocí por amo fue uno llamado Nicolás el Romo, mozo robusto, doblado[28] y colérico, como lo son todos aquellos que ejercitan la jifería.[29] Este tal Nicolás me enseñaba a mí y a otros cachorros a que, en compañía de alanos viejos, arremetiésemos a los toros y les hiciésemos presa de las orejas. Con mucha facilidad salí un águila en esto.[30]

CIPIÓN.— No me maravillo, Berganza; que como el hacer mal viene de natural cosecha, fácilmente se aprende el hacerle.

BERGANZA.— ¿Qué te[31] diría, Cipión hermano, de lo que vi en aquel Matadero y de las cosas exorbitantes que en él pasan? Primero, has de presuponer que todos cuantos en él trabajan, desde el menor hasta el mayor, es gente ancha de conciencia[32] desalmada, sin temer al Rey ni a su justicia; los más, amancebados;[33] son aves de rapiña carniceras; mantiénense ellos y sus amigas[34] de lo que hurtan. Todas las mañanas que son días de carne, antes que amanezca están en el Matadero gran cantidad de mujercillas[35] y muchachos, todos con talegas que, viniendo vacías, vuelven llenas de pedazos de carne, y las

---

[25] *ministros:* administradores.   [26] *aquella confusión:* la confusión del mercado.   [27] *jiferos:* lo que pertenece al matadero. Significa también sucio, puerco.   [28] *doblado:* recio, fuerte. Significa también fingido, con doblez.   [29] *jifería:* véase nota 27.   [30] *salí un águila en esto:* llegué a hacerlo muy bien.   [31] *te:* en la primera edición se lee *se.*   [32] *ancha de conciencia:* poco escrupulosa.   [33] *amancebados:* quienes mantienen relaciones sexuales habituales con una mujer sin estar casado con ella.   [34] *amigas:* amantes, amancebadas.   [35] *mujercillas:* pícaras, prostitutas.

---

(53) Parece el comienzo ortodoxo de una novela picaresca, pero no lo es: notemos que, frente a la seguridad que otros pícaros muestran respecto a su vil linaje, Berganza no sabe a ciencia cierta dónde nació ni quiénes fueron sus padres («paréceme», «mis padres debieron de ser»). Llama nuestra atención el paréntesis en el que Berganza promete proporcionar más información en el futuro. Estos datos escamoteados parecen, sin embargo, esenciales para entender su origen: Berganza dosifica el suministro de información, para que su historia no pierda el interés a las primeras de cambio.

criadas, con criadillas[36] y lomos medio enteros. No hay res
alguna que se mate de quien no lleve esta gente diezmos[37] y
primicias[38] de lo más sabroso y bien parado. Y como en
Sevilla no hay obligado[39] de la carne, cada uno puede traer
la que quisiere, y la que primero se mata, o es la mejor, o la
de más baja postura,[40] y con este concierto[41] hay siempre
mucha abundancia. Los dueños se encomiendan a esta
buena gente que he dicho, no para que no les hurten (que
esto es imposible), sino para que se moderen en las tajadas y
socaliñas[42] que hacen en las reses muertas, que las escamondan[43] y podan como si fuesen sauces o parras. Pero ninguna
cosa me admiraba más ni me parecía peor que el ver que
estos jiferos con la misma facilidad matan a un hombre que a
una vaca; por quítame allá esa paja,[44] a dos por tres,[45] meten
un cuchillo de cachas amarillas[46] por la barriga de una persona, como si acocotasen[47] un toro. Por maravilla[48] se pasa
día sin pendencias y sin heridas, y a veces sin muertes; todos
se pican[49] de valientes, y aun tienen sus puntas[50] de rufianes;
no hay ninguno que no tenga su ángel de guarda en la plaza
de San Francisco, granjeado con lomos y lenguas de vaca.[51]
Finalmente, oí decir a un hombre discreto[52] que tres cosas
tenía el Rey por ganar[53] en Sevilla: la calle de la Caza, la
Costanilla y el Matadero.

CIPIÓN.— Si en contar las condiciones de los amos que has
tenido y las faltas de sus oficios te has de estar, amigo

---

[36] *criadillas:* testículos.   [37] *diezmos:* tipo de impuesto. Aquí significa *pedazos.*
[38] *primicias:* los primeros frutos de un cultivo, que normalmente se ofrecían a Dios
como agradecimiento. Aquí se refiere a los primeros pedazos de carne.   [39] *obligado:* la persona que se encarga del abastecimiento de una materia o alimento en una
ciudad.   [40] *postura:* precio.   [41] *concierto:* acuerdo.   [42] *socaliñas:* ardid con el que
se saca a alguien lo que no está obligado a dar.   [43] *escamondan:* limpian.   [44] *por...
paja:* por algo sin importancia.   [45] *a dos por tres:* sin miedo, sin reparar en nada.
[46] *cuchillo de cachas amarillas:* cuchillo de mango amarillo, muy usado por los mata-
rifes.   [47] *acocotasen:* acogotasen.   [48] *por maravilla:* rara vez.   [49] *se pican:* se jacta.
[50] *tienen sus puntas de:* tienen algo de.   [51] *ángel... vaca:* influencias en la
Administración de Justicia, situada en la plaza de San Francisco, conseguidas
mediante soborno con lomos y lenguas de vaca.   [52] *discreto:* cuerdo, de buen juicio.
[53] *tenía... ganar:* tenían las autoridades que poner bajo su control.

Berganza, tanto como esta vez, menester será pedir al cielo nos conceda la habla siquiera por un año, y aun temo que, al paso que llevas, no llegarás a la mitad de tu historia. Y quiérote advertir de una cosa, de la cual verás la experiencia cuando te cuente los sucesos de mi vida; y es que los cuentos unos encierran y tienen la gracia en ellos mismos; otros, en el modo de contarlos; quiero decir que algunos hay que aunque se cuenten sin preámbulos y ornamentos de palabras, dan contento; otros hay que es menester vestirlos de palabras y con demostraciones del rostro y de las manos[54] y con mudar la voz se hacen algo de nonada,[55] y de flojos y desmayados se vuelven agudos y gustosos; y no se te olvide este advertimiento, para aprovecharte dél en lo que te queda por decir.

BERGANZA.— Yo lo haré así, si pudiere y si me da lugar[56] la grande tentación que tengo de hablar; aunque me parece que con grandísima dificultad me podré ir a la mano.[57]

CIPIÓN.— Vete a la lengua[58] que en ella consisten los mayores daños de la humana vida.

BERGANZA.— Digo, pues, que mi amo me enseñó a llevar una espuerta[59] en la boca y a defenderla de quien quitármela quisiese. Enseñóme también la casa de su amiga,[60] y con esto se excusó la venida de su criada al Matadero, porque yo le llevaba las madrugadas lo que él había hurtado las noches. Y un día que, entre dos luces,[61] iba yo diligente a llevarle la porción, oí que me llamaban por mi nombre desde una ventana; alcé los ojos y vi una moza hermosa en extremo; detúveme un poco, y ella bajó a la puerta de la calle, y me tornó a llamar. Lleguéme a ella, como si fuera a ver lo que me quería, que no fue otra cosa que quitarme lo que llevaba en la cesta y ponerme en su lugar un chapín[62] viejo. Entonces dije entre mí: «La carne se ha ido a la carne». Díjome la moza en habiéndome

---

[54] *demostraciones... manos:* gesticulación.   [55] *nonada:* nada.   [56] *me da lugar:* me lo permite.   [57] *ir a la mano:* reportar.   [58] *vete a la lengua:* juego de palabras con la frase anterior —ir a la mano—. Aquí significaría: repórtate con la lengua...   [59] *espuerta:* capacho, cesta.   [60] *amiga:* amancebada.   [61] *entre dos luces:* al amanecer.   [62] *chapín:* zapato.

quitado la carne: «Andad, Gavilán, o como os llamáis, y decid a Nicolás el Romo, vuestro amo, que no se fíe de animales, y que del lobo, un pelo, y ése, de la espuerta».[63] Bien pudiera yo volver a quitar lo que me quitó; pero no quise, por no poner mi boca jifera y sucia en aquellas manos limpias y blancas.

CIPIÓN.— Hiciste muy bien, por ser prerrogativa de la hermosura que siempre se le tenga respecto.[64]

BERGANZA.— Así lo hice yo; y así, me volví a mi amo sin la porción y con el chapín. Parecióle que volví presto, vio el chapín, imaginó la burla, sacó uno de cachas[65] y tiróme una puñalada que, a no desviarme, nunca tú oyeras ahora este cuento, ni aun otros muchos que pienso contarte. Puse pies en polvorosa,[66] y tomando el camino en las manos y en los pies,[67] por detrás de San Bernardo,[68] me fui por aquellos campos de Dios adonde la fortuna quisiese llevarme.[54] Aquella noche dormí al cielo abierto, y otro día me deparó la suerte un hato o rebaño de ovejas y carneros. Así como le vi, creí que había hallado en él el centro de mi reposo, pareciéndome ser propio y natural oficio de los perros guardar ganado, que es obra donde se encierra una virtud grande, como es amparar y defender de los poderosos y soberbios los humildes y los que poco pueden. Apenas me hubo visto uno de tres pastores que el ganado guardaban, cuando diciendo: «¡To, to!» me llamó y yo, que otra cosa no deseaba, me llegué a él bajando la cabeza y meneando la cola. Trújome[69] la mano por el lomo, abrióme la boca, escupióme en ella, miróme las presas,[70] conoció mi edad, y dijo a otros pastores que

---

[63] *del lobo... espuerta:* el refrán original es «del lobo, un pelo, y ése, de la frente», es decir, del lobo sólo hay que fiarse un pelo de los de la frente, que son los más cortos. [64] *respecto:* respeto. [65] *uno de cachas:* un cuchillo con empuñadura (véase nota 46). [66] *puse pies en polvorosa:* huí. [67] *tomando... pies:* véase nota 52 en *La ilustre fregona.* [68] *San Bernardo:* barrio de Sevilla cercano al matadero. [69] *trújome:* trájome, me pasó. [70] *presas:* colmillos.

---

(54) Éste es el primer episodio. En el matadero, el lugar de donde procede Berganza, sólo existe la carne y lo asociado con ella: lujuria y avaricia.

yo tenía todas las señales de ser perro de casta. Llegó a este instante el señor del ganado sobre una yegua rucia[71] a la jineta,[72] con lanza y adarga,[73] que más parecía atajador[74] de la costa que señor de ganado. Preguntó al pastor: «¿Qué perro es éste, que tiene señales de ser bueno?». «Bien lo puede vuesa merced creer —respondió el pastor—, que yo le he cotejado[75] bien y no hay señal en él que no muestre y prometa que ha de ser un gran perro. Agora[76] se llegó aquí, y no sé cúyo sea[77] aunque sé que no es de los rebaños de la redonda».[78] «Pues así es —respondió el señor—, ponle luego[79] el collar de *Leoncillo,* el perro que se murió, y denle la ración que a los demás, y acaríciale, porque tome cariño al hato y se quede en él». En diciendo esto se fue, y el pastor me puso luego al cuello unas carlancas[80] llenas de puntas de acero, habiéndome dado primero en un dornajo[81] gran cantidad de sopas en leche.[82] Y asimismo me puso nombre, y me llamó *Barcino.*[83] Vime harto[84] y contento con el segundo amo y con el nuevo oficio; mostréme solícito y diligente en la guarda del rebaño, sin apartarme dél sino las siestas, que me iba a pasarlas, o ya a la sombra de algún árbol, o de algún ribazo[85] o peña, o a la de alguna mata, a la margen de algún arroyo de los muchos que por allí corrían. Y estas horas de mi sosiego no las pasaba ociosas, porque en ellas ocupaba la memoria en acordarme de muchas cosas, especialmente en la vida que había tenido en el Matadero, y en la que tenía mi amo y todos los como él, que están sujetos a cumplir los gustos impertinentes de sus amigas.[86] ¡Oh, qué de cosas te pudiera decir ahora de las que aprendí en la escuela de aquella

---

[71] *rucia:* de color pardo claro.   [72] *a la jineta:* modo de montar a caballo con los pies recogidos en los estribos.   [73] *adarga:* escudo.   [74] *atajador:* centinela.   [75] *cotejado:* examinado.   [76] *agora:* ahora.   [77] *cúyo sea:* de quién es.   [78] *de la redonda:* de los alrededores.   [79] *luego:* inmediatamente.   [80] *carlancas:* collares.   [81] *dornajo:* recipiente de madera donde se da de comer a los animales.   [82] *sopas en leche:* sopas de leche.   [83] *barcino:* color mezclado de blanco, pardo y, a veces, rojo.   [84] *harto:* saciado.   [85] *ribazo:* porción de tierra con alguna elevación.   [86] *amigas:* amancebadas.

jifera dama[87] de mi amo! Pero habrélas de callar, porque[88] no me tengas por largo y por murmurador.[89]

CIPIÓN.— Por haber oído decir que dijo un gran poeta de los antiguos que era difícil cosa el no escribir sátiras,[90] consentiré que murmures un poco de luz y no de sangre;[91] quiero decir, que señales y no hieras ni des mate[92] a ninguno en cosa señalada;[93] que no es buena la murmuración, aunque haga reír a muchos, si mata[94] a uno; y si puedes agradar sin ella, te tendré por muy discreto.[95]

BERGANZA.— Yo tomaré tu consejo, y esperaré con gran deseo que llegue el tiempo en que me cuentes tus sucesos; que de quien tan bien sabe conocer y enmendar los defetos[96] que tengo en contar los míos, bien se puede esperar que contará los suyos de manera que enseñen y deleiten a un mismo punto.[97] Pero anudando el roto hilo de mi cuento, digo que en aquel silencio y soledad de mis siestas, entre otras cosas, consideraba que no debía de ser verdad lo que había oído contar de la vida de los pastores; a lo menos, de aquellos que la dama de mi amo leía en unos libros cuando yo iba a su casa, que todos trataban de pastores y pastoras, diciendo que se les pasaba toda la vida cantando y tañendo con gaitas, zampoñas, rabeles y chirumbelas,[98] y con otros instrumentos extraordinarios. Deteníame a oírla leer, y leía cómo el pastor de Anfriso cantaba extremada y divinamente, alabando a la sin par Belisarda,[99] sin haber en todos los montes de Arcadia[100] árbol en cuyo tronco no se hubiese sentado a cantar desde que salía el sol en los brazos de la Aurora hasta que

---

87 *jifera dama:* véase nota 27.   88 *porque:* para que.   89 *murmurador:* el que habla secretamente en perjuicio de un tercero.   90 *por haber... sátiras:* se refiere al poeta latino Juvenal.   91 *de luz y no de sangre:* moderadamente.   92 *des mate:* te burles.   93 *señalada:* importante.   94 *mata:* hiere.   95 *discreto:* cuerdo, de buen juicio.   96 *defetos:* defectos.   97 *a un mismo punto:* simultáneamente.   98 *zampoñas... chirumbelas:* instrumentos de frecuente aparición en las novelas de pastores. La zampoña es una flauta, el rabel es un laúd de tres cuerdas y la chirumbela es un tipo trompeta.   99 *Anfriso   Belisarda:* referencia a los protagonistas de *La Arcadia* (1599), novela pastoril de Lope de Vega.   100 *Arcadia:* país muy celebrado en la poesía y la novela pastoril, situado en la Península del Peloponeso, en Grecia.

se ponía en los de Tetis;[101] y aun después de haber tendido la negra noche por la faz de la tierra sus negras y escuras[102] alas, él no cesaba de sus bien cantadas y mejor lloradas quejas. No se le quedaba entre renglones el pastor Elicio,[103] más enamorado que atrevido, de quien decía que, sin atender a sus amores ni a su ganado, se entraba en los cuidados ajenos. Decía también que el gran pastor de Fílida,[104] único pintor de un retrato, había sido más confiado que dichoso. De los desmayos de Sireno y arrepentimiento de Diana decía que daba gracias a Dios y a la sabia Felicia,[105] que con su agua encantada deshizo aquella máquina de enredos y aclaró aquel laberinto de dificultades. Acordábame de otros muchos libros que deste jaez[106] la había oído leer; pero no eran dignos de traerlos a la memoria.[(55)]

CIPIÓN.— Aprovechándote vas, Berganza, de mi aviso; murmura, pica y pasa, y sea tu intención limpia, aunque la lengua no lo parezca.

---

101 *Aurora... Tetis:* diosas del amanecer y del mar respectivamente.   102 *escuras:* oscuras.   103 *Elicio:* personaje de *La Galatea* (1585), de Cervantes.   104 *gran pastor de Fílida:* hace referencia a otra novela pastoril *El pastor de Fílida* (1582), de Luis Gálvez de Montalvo.   105 *Sireno... Felicia:* protagonistas de *La Diana* (1559), de Jorge de Montemayor.   106 *jaez:* clase, género.

(55) Estamos en el segundo episodio: el de los pastores. Nótese que Berganza invierte radicalmente su actividad, ya que no sólo pasa de la ciudad al campo, sino que sustituye la conducción del ganado a la muerte por su cuidado. Se nos informa ahora de lo que no se nos dijo en el lugar correspondiente: que Berganza escuchaba los relatos pastoriles que leía la amiga de Nicolás el Romo. Si aquellas lecturas formaron la primera imagen del mundo que tuvo Berganza, nos explicamos mejor su respeto platónico por la belleza y su huida horrorizada del mundo bestial del matadero sevillano. Berganza relaciona la vida de los pastores con un estado idílico en el que el hombre y la naturaleza conviven armónicamente. Como luego reconocerá, su visión estaba marcada por el universo falso y literario que mostraban los libros de pastores. Nótese el engarce entre los episodios, la economía de recursos narrativos y la manipulación en el orden de los acontecimientos que imprime ritmo al relato.

BERGANZA.— En estas materias nunca tropieza la lengua si no cae primero la intención, pero si acaso por descuido o por malicia murmurare, responderé a quien me reprehendiere lo que respondió Mauleón, poeta tonto y académico de burla de la Academia de los Imitadores,[107] a uno que le preguntó que qué quería decir *Deum de Deo;* y respondió que *dé donde diere.*[108]

CIPIÓN.— Ésa fue respuesta de un simple; pero tú, si eres discreto[109] o lo quieres ser, nunca has de decir cosa de que debas dar disculpa. Di adelante.[110]

BERGANZA.— Digo que todos los pensamientos que he dicho, y muchos más, me causaron ver los diferentes tratos y ejercicios que mis pastores y todos los demás de aquella marina[111] tenían de aquellos que había oído leer que tenían los pastores de los libros; porque si los míos cantaban, no eran canciones acordadas[112] y bien compuestas, sino un «Cata el lobo dó va, Juanica» y otras cosas semejantes; y esto no al son de chirumbelas, rabeles o gaitas, sino al que hacía el dar un cayado[113] con otro o al de algunas tejuelas puestas entre los dedos; y no con voces delicadas, sonoras y admirables, sino con voces roncas, que, solas o juntas, parecía, no que cantaban, sino que gritaban, o gruñían. Lo más del día se les pasaba espulgándole o remendando sus abarcas;[114] ni entre ellos se nombraban[115] Amarilis, Fílidas, Galateas y Dianas, ni había Lisardos, Lausos, Jacintos ni Riselos;[116] todos eran Antones, Domingos, Pablos o Llorentes; por donde vine a entender lo que pienso que deben de creer todos: que todos aquellos libros son cosas soñadas y bien escritas para entretenimiento de los ociosos, y no verdad alguna; que a serlo, entre mis pastores

---

[107] *Academia de los Imitadores:* las academias eran grupos de eruditos que se reunían para el estudio de las letras. Ésta, llamada también *Academia Imitatoria,* existió realmente.   [108] *Deum... diere:* el chiste radica en que, pronunciadas con rapidez, las palabras latinas y las castellanas son casi homófonas.   [109] *discreto:* cuerdo, de buen juicio.   [110] *Di adelante:* continúa hablando.   [111] *marina:* parte de tierra próxima al mar.   [112] *acordadas:* templadas, afinadas.   [113] *cayado:* especie de bastón o garrote. [114] *abarcas:* sandalias.   [115] *nombraban:* llamaban.   [116] *Amarilis... Riselos:* nombres de aparición frecuente en los libros de pastores.

hubiera alguna reliquia de aquella felicísima vida, y de aquellos amenos[117] prados, espaciosas selvas,[118] sagrados montes, hermosos jardines, arroyos claros y cristalinas fuentes, y de aquellos tan honestos[119] cuanto bien declarados requiebros,[120] y de aquel desmayarse aquí el pastor, allí la pastora, acullá[121] resonar la zampoña del uno, acá el caramillo[122] del otro.

CIPIÓN.— Basta, Berganza; vuelve a tu senda y camina.

BERGANZA.— Agradézcotelo, Cipión amigo; porque si no me avisaras, de manera[123] se me iba calentando la boca que no parara hasta pintarte un libro entero destos que me tenían engañado; pero tiempo vendrá en que lo diga todo con mejores razones y con mejor discurso que ahora.

CIPIÓN.— Mírate a los pies y desharás la rueda,[124] Berganza: quiero decir que mires que eres un animal que carece de razón, y si ahora muestras tener alguna, ya hemos averiguado entre los dos ser cosa sobrenatural y jamás vista.

BERGANZA.— Eso fuera ansí[125] si yo estuviera en mi primera ignorancia; mas ahora que me ha venido a la memoria lo que te había de haber dicho al principio de nuestra plática, no sólo no me maravillo de lo que hablo, pero espántome de lo que dejo de hablar.

CIPIÓN.— Pues ¿ahora no puedes decir lo que ahora se te acuerda?

BERGANZA.— Es una cierta historia que me pasó con una grande hechicera, discípula de la Camacha de Montilla.[126]

CIPIÓN.— Digo que me la cuentes antes que pases más adelante en el cuento de tu vida.

BERGANZA.— Eso no haré yo, por cierto, hasta su tiempo; ten paciencia, y escucha por su orden mis sucesos, que así te

---

117 *amenos*: deleitosos a causa de su frondosidad y frescura.   118 *selvas*: en general, todo lugar que tenga árboles y maleza.   119 *honestos*: decentes, permitidos.   120 *requiebros*: palabras dulces y amorosas.   121 *acullá*: allá.   122 *zampoña... caramillo*: clases de flauta.   123 *de manera*: de tal modo.   124 *mírate... rueda*: mírate y verás que cometes el mismo pecado del que acusas.   125 *ansí*: así.   126 *Camacha de Montilla*: bruja cordobesa que vivió por los años en los que Cervantes estuvo en Andalucía.

darán más gusto, si ya no te fatiga querer saber los medios antes de los principios.[56]

CIPIÓN.— Sé breve, y cuenta lo que quisieres y como quisieres.

BERGANZA.— Digo, pues, que yo me hallaba bien con el oficio de guardar ganado, por parecerme que comía el pan de mi sudor y trabajo, y que la ociosidad, raíz y madre de todos los vicios, no tenía que ver conmigo, a causa que si los días holgaba, las noches no dormía, dándonos asaltos a menudo y tocándonos a arma[127] los lobos; y apenas me habían dicho los pastores: «¡Al lobo, Barcino!», cuando acudía, primero que los otros perros, a la parte que me señalaban que estaba el lobo; corría los valles, escudriñaba los montes, desentrañaba las selvas, saltaba barrancos, cruzaba caminos, y a la mañana volvía al hato, sin haber hallado lobo ni rastro dél, anhelando,[128] cansado, hecho pedazos y los pies abiertos de los garranchos;[129] y hallaba en el hato, o ya una oveja muerta, o un carnero degollado y medio comido del lobo. Desesperábame de ver de cuán poco servía mi mucho cuidado y diligencia. Venía el señor del ganado; salían los pastores a recebirle[130] con las pieles de la res muerta; culpaba a los pastores por negligentes y mandaba castigar a los perros por perezosos; llovían sobre nosotros palos, y sobre ellos reprehensiones; y así, viéndome un día castigado sin culpa y que mi cuidado, ligereza y braveza no eran de provecho para coger el lobo, determiné de mudar estilo, no desviándome a buscarle, como

---

[127] *tocándonos a arma:* obligándonos a estar prevenidos. [128] *anhelando:* faltándome el aliento. [129] *garranchos:* las ramas quebradas de los árboles. [130] *recebirle:* recibirle.

(56) Cipión pone el dedo en la llaga al señalar indirectamente que ambos géneros son el resultado de una serie de manipulaciones artísticas que subliman la realidad en un caso, o la degradan en otro. Nótese que Berganza, en su papel de narrador, administra la información como lo hacía Campuzano y como lo hace, en un nivel superior, el narrador cervantino.

tenía de costumbre, lejos del rebaño, sino estarme junto a él: que pues el lobo allí venía, allí sería más cierta la presa. Cada semana nos tocaban a rebato,[131] y en una escurísima[132] noche tuve yo vista para ver los lobos, de quien era imposible que el ganado se guardase. Agachéme detrás de una mata, pasaron los perros, mis compañeros, adelante, y desde allí oteé, y vi que dos pastores asieron de un carnero de los mejores del aprisco,[133] y le mataron, de manera que verdaderamente pareció a la mañana que había sido su verdugo el lobo. Pasméme, quedé suspenso cuando vi que los pastores eran los lobos y que despedazaban el ganado los mismos que le habían de guardar. Al punto hacían saber a su amo la presa del lobo, dábanle el pellejo y parte de la carne, y comíanse ellos lo más y lo mejor. Volvía a reñirles el señor, y volvía también el castigo de los perros. No había lobos; menguaba el rebaño; quisiera yo descubrillo,[134] hallábame mudo. Todo lo cual me traía lleno de admiración y de congoja. «¡Válame Dios! —decía entre mí—.[135] ¿Quién podrá remediar esta maldad? ¿Quién será poderoso a dar a entender[136] que la defensa ofende,[137] que las centinelas duermen, que la confianza roba y el que os guarda os mata?»[(57)]

CIPIÓN.— Y decías muy bien, Berganza; porque no hay mayor ni más sotil[138] ladrón que el doméstico, y así, mueren muchos más de los confiados que de los recatados; pero el

---

[131] *tocaban a rebato:* tocaban a alarma.   [132] *escurísima:* oscurísima.   [133] *aprisco:* redil.   [134] *descubrillo:* descubrirlo.   [135] *entre mí:* para mí.   [136] *será... entender:* podrá dar a entender.   [137] *ofende:* hace daño.

---

(57) El cambio radical que parece sufrir la vida de Berganza al pasar del matadero al rebaño es ficticio, puesto que bajo la apariencia de pastores se encuentran los mismos carniceros de los que creía haber huido. Si en el primer episodio Berganza se limitaba a aceptar el mundo en el que había nacido y a escapar cuando su vida corría peligro, la segunda experiencia le supone una profunda decepción, ya que cuando Berganza cree haber encontrado el mundo ideal de los pastores, descubre que éstos por la noche son pastores hipócritas, carniceros disfrazados.

daño está en que es imposible que puedan pasar bien las gentes en el mundo si no se fía y se confía. Mas quédese aquí esto, que no quiero que parezcamos predicadores. Pasa adelante.

BERGANZA.— Paso adelante, y digo que determiné dejar aquel oficio, aunque parecía tan bueno, y escoger otro donde por hacerle bien, ya que no fuese remunerado, no fuese castigado. Volvíme a Sevilla, y entré a servir a un mercader muy rico.

CIPIÓN.— ¿Qué modo tenías para entrar con amo? Porque, según lo que se usa, con gran dificultad el día de hoy halla un hombre de bien señor a quien servir. Muy diferentes son los señores de la tierra del Señor del cielo; aquéllos, para recebir[139] un criado, primero le espulgan[140] el linaje, examinan la habilidad, le marcan la apostura,[141] y aun quieren saber los vestidos que tiene; pero para entrar a servir a Dios, el más pobre es más rico; el más humilde, de mejor linaje; y con sólo que se disponga con limpieza de corazón a querer servirle, luego[142] le manda poner en el libro de sus gajes,[143] señalándoselos tan aventajados, que, de muchos y de grandes, apenas pueden caber en su deseo.[144]

BERGANZA.— Todo eso es predicar, Cipión amigo.

CIPIÓN.— Así me lo parece a mí, y así callo.

BERGANZA.— A lo que me preguntaste del orden que tenía para entrar con amo, digo que ya tú sabes que la humildad es la base y fundamento de todas virtudes, y que sin ella no hay alguna que lo sea. Ella allana inconvenientes, vence dificultades, y es un medio que siempre a gloriosos fines nos conduce; de los enemigos hace amigos, templa la cólera de los airados y menoscaba la arrogancia de los soberbios; es madre de la modestia y hermana de la templanza; en fin, con

---

138 *sotil:* sutil.   139 *recebir:* recibir, aceptar.   140 *le espulgan:* le examinan cuidadosamente.   141 *le marcan la apostura:* advierten si tiene buena disposición, compostura y honestidad.   142 *luego:* inmediatamente.   143 *gajes:* salarios.   144 *luego... deseo:* le acepta rápidamente a su servicio y le fija un salario tan elevado, que supera el de muchos y el de grandes.

ella no pueden atravesar triunfo que les sea de provecho los vicios,[145] porque en su blandura y mansedumbre se embotan y despuntan las flechas de los pecados. Désta, pues, me aprovechaba yo cuando quería entrar a servir en alguna casa, habiendo primero considerado y mirado muy bien ser casa que pudiese mantener y donde pudiese entrar un perro grande. Luego arrimábame a la puerta y cuando, a mi parecer, entraba algún forastero, le ladraba, y cuando venía el señor bajaba la cabeza y, moviendo la cola, me iba a él, y con la lengua le limpiaba los zapatos. Si me echaban a palos, sufríalos,[146] y con la misma mansedumbre volvía a hacer halagos al que me apaleaba, que ninguno segundaba[147] viendo mi porfía y mi noble término. Desta manera, a dos porfías[148] me quedaba en casa; servía bien; queríanme luego bien, y nadie me despidió, si no era que yo me despidiese, o, por mejor decir, me fuese; y tal vez hallé amo; que éste fuera el día que yo estuviera en su casa, si la contraria suerte no me hubiera perseguido.[149] **(58)**

CIPIÓN.— De la misma manera que has contado entraba yo con los amos que tuve, y parece que nos leímos los pensamientos.

BERGANZA.— Como en esas cosas nos hemos encontrado, si no me engaño, y yo te las diré a su tiempo, como tengo prometido; y ahora escucha lo que me sucedió después que dejé el ganado en poder de aquellos perdidos. Volvíme a Sevilla, como dije, que es amparo de pobres y refugio de desechados; que en su grandeza no sólo caben los pequeños,

---

[145] *con ella... los vicios:* los vicios no vencen frente a la humildad. [146] *sufríalos:* soportaba los palos. [147] *segundaba:* lo hacía por segunda vez. [148] *porfías:* intentos. [149] *y tal vez... perseguido:* y aquella vez encontré un amo en cuya casa aún estaría hoy, si no hubiese tenido mala suerte.

(58) Se plantea aquí un tema tópico de la picaresca desarrollado, por ejemplo, en el célebre episodio del escudero, en el *Lazarillo de Tormes:* cómo encontrar un buen amo a quien servir. Berganza plantea en términos religiosos el divorcio entre el mundo material y el espiritual.

pero no se echan de ver los grandes. Arriméme a la puerta de una gran casa de un mercader, hice mis acostumbrada diligencias, y a pocos lances[150] me quedé en ella.[59] Recibiéronme para tenerme atado detrás de la puerta de día y suelto de noche; servía con gran cuidado y diligencia; ladraba a los forasteros y gruñía a los que no eran muy conocidos; no dormía de noche, visitando los corrales, subiendo a los terrados, hecho universal centinela de la mía y de las casas ajenas. Agradóse tanto mi amo de mi buen servicio, que mandó que me tratasen bien y me diesen ración de pan y los huesos que se levantasen o arrojasen de su mesa, con las sobras de la cocina, a lo que yo me mostraba agradecido, dando infinitos saltos cuando veía a mi amo, especialmente cuando venía de fuera; que eran tantas las muestras de regocijo que daba y tantos los saltos, que mi amo ordenó que me desatasen y me dejasen andar suelto de día y de noche. Como me vi suelto, corrí a él, rodeéle todo, sin osar llegarle con las manos, acordándome de la fábula de Isopo,[151] cuando aquel asno, tan asno que quiso hacer a su señor las mismas caricias que le hacía una perrilla regalada suya, que le granjearon[152] ser molido a palos.[153] Parecióme que en esta fábula se nos dio a entender que las gracias y donaires[154] de algunos no están bien en otros; apode el truhán, juegue de manos y voltee el histrión,[155] rebuzne el pícaro, imite el canto de los pájaros y los diversos gestos y acciones de los animales y los hombres el hombre bajo

---

150 *a pocos lances:* a breve tiempo.   151 *Isopo:* Esopo.   152 *que le granjearon:* por las cuales logró.   153 *... a palos:* se refiere a la fábula de Esopo conocida como «Del asno y de la perrilla».   154 *donaires:* chistes.   155 *histrión:* volatín o prestidigitador que divertía al público con disfraces .

---

(59) Aquí comienza el tercer episodio. Conviene fijarse en la actitud del mercader y en la ambigua digresión de Berganza sobre los jesuitas, a cuyo colegio asisten los hijos del adinerado comerciante. Son de notar asimismo el ataque contra los cultos pretenciosos, que presumen de saber más de lo que saben, y el sub-episodio de la esclava negra.

que se hubiere dado a ello, y no lo quiera hacer el hombre principal, a quien ninguna habilidad déstas le puede dar crédito ni nombre honroso.

CIPIÓN.— Basta; adelante, Berganza, que ya estás entendido.

BERGANZA.— ¡Ojalá que como tú me entiendes me entendiesen aquellos por quien lo digo; que no sé qué tengo de buen natural, que me pesa infinito cuando veo que un caballero se hace chocarrero[156] y se precia que sabe jugar los cubiletes y las agallas[157] y que no hay quien como él sepa bailar la chacona![158] Un caballero conozco yo que se alababa que, a ruegos de un sacristán, había cortado de papel treinta y dos florones para poner en un monumento[159] sobre paños negros, y destas cortaduras hizo tanto caudal,[160] que así llevaba a sus amigos a verlas como si los llevara a ver las banderas y despojos de enemigos que sobre la sepultura de sus padres y abuelos estaban puestas.**(60)** Este mercader, pues, tenía dos hijos, el uno de doce y el otro de hasta catorce años, los cuales estudiaban gramática en el estudio[161] de la Compañía de Jesús; iban con autoridad, con ayo[162] y con pajes,[163] que les llevaban los libros y aquel que llaman *vademécum*.[164] El verlos ir

---

[156] *chocarrero:* el que siempre habla de burlas.   [157] *cubiletes... agallas:* juegos de prestidigitación.   [158] *chacona:* baile popular.   [159] *monumento:* sepulcro.   [160] *caudal:* abundancia.   [161] *estudio:* colegio.   [162] *ayo:* tutor.   [163] *pajes:* criados.   [164] *vademécum:* especie de carpeta.

(60) Esta digresión contra la impropia chocarrería de ciertos caballeros, que parece estar fuera de todo lugar, hay que entenderla en relación con las siguientes palabras acerca de los jesuitas. Como se dijo en la Introducción, Cervantes tiene muy presente en las *Novelas ejemplares* la olvidada virtud de la eutrapelia, la capacidad de abandonar momentáneamente las ocupaciones serias para divertirse con moderación y regresar con nuevas fuerzas a la tarea (nótese que la eutrapelia consiste básicamente en atender a las dos dimensiones humanas, la material o corporal y la ideal o mental). La virtud de la eutrapelia es el justo medio entre dos extremos: el hombre chocarrero y el severo moralista. La crítica aquí del primero se verá compensada más abajo por la crítica velada al puritanismo jesuita.

con tanto aparato,[165] en sillas[166] si hacía sol, en coche si llovía, me hizo considerar y reparar en la mucha llaneza con que su padre iba a la Lonja[167] a negociar sus negocios, porque no llevaba otro criado que un negro, y algunas veces se desmandaba[168] a ir en un machuelo[169] aun no bien aderezado.

Cipión.— Has de saber, Berganza, que es costumbre y condición de los mercaderes de Sevilla, y aun de las otras ciudades, mostrar su autoridad y riqueza, no en sus personas, sino en las de sus hijos; porque los mercaderes son mayores en su sombra que en sí mismos. Y como ellos, por maravilla[170] atienden a otra cosa que a sus tratos y contratos, trátanse modestamente; y como la ambición y la riqueza muere por[171] manifestarse, revienta por sus hijos, y así los tratan y autorizan como si fuesen hijos de algún príncipe; y algunos hay que les procuran títulos y ponerles en el pecho la marca[172] que tanto distingue la gente principal de la plebeya.(61)

Berganza.— Ambición es, pero ambición generosa, la de aquel que pretende mejorar su estado sin perjuicio de tercero.

Cipión.— Pocas o ninguna vez se cumple con la ambición que no sea con daño de tercero.

Berganza.— Ya hemos dicho que no hemos de murmurar.

Cipión.— Sí, que yo no murmuro de nadie.

Berganza.— Ahora acabo de confirmar por verdad lo que muchas veces he oído decir. Acaba un maldiciente murmurador de echar a perder diez linajes y de caluniar[173] veinte buenos, y si alguno le reprehende por lo que ha dicho, responde

---

[165] *aparato:* pompa y suntuosidad.   [166] *sillas:* sillas de manos.   [167] *la Lonja:* el famoso mercado sevillano, situado frente a la Catedral.   [168] *desmandaba:* hacía más de lo justo.   [169] *machuelo:* hijo de caballo y burra, o de yegua y asno.   [170] *por maravilla:* rara vez.   [171] *muere por:* desea con gran ansia.   [172] *marca:* la cruz de alguna orden nobiliaria.   [173] *caluniar:* calumniar.

(61) El comportamiento del mercader rico, que vive con austeridad aunque los hijos vayan ricamente ataviados, atento sólo a sus tratos y contratos y dispuesto siempre a procurar un título nobiliario para sus descendientes, hace pensar que se trata de un judío converso.

que él no ha dicho nada, y que si ha dicho algo, no lo ha dicho por tanto,[174] y que si pensara que alguno se había de agraviar, no lo dijera. A la fe, Cipión, mucho ha de saber, y muy sobre los estribos ha de andar[175] el que quisiere sustentar dos horas de conversación sin tocar los límites de la murmuración; porque yo veo en mí que, con ser un animal, como soy, a cuatro razones que digo me acuden palabras a la lengua como mosquitos al vino, y todas maliciosas y murmurantes; por lo cual vuelvo a decir lo que otra vez he dicho: que el hacer y decir mal lo heredamos de nuestros primeros padres y lo mamamos en la leche. Vése claro en que apenas ha sacado el niño el brazo de las fajas cuando levanta la mano con muestras de querer vengarse de quien, a su parecer, le ofende; y casi la primera palabra articulada que habla es llamar puta a su ama o a su madre.

CIPIÓN.— Así es verdad, y yo confieso mi yerro, y quiero que me le perdones, pues te he perdonado tantos; echemos pelillos a la mar,[176] como dicen los muchachos, y no murmuremos de aquí adelante; y sigue tu cuento, que le dejaste en la autoridad con que los hijos del mercader tu amo iban al estudio de la Compañía de Jesús.

BERGANZA.— A Él me encomiendo en todo acontecimiento; y aunque el dejar de murmurar lo tengo por dificultoso, pienso usar de un remedio que oí decir que usaba un gran jurador,[177] el cual, arrepentido de su mala costumbre, cada vez que después de su arrepentimiento juraba, se daba un pellizco en el brazo, o besaba la tierra, en pena de su culpa; pero, con todo esto, juraba. Así yo, cada vez que fuere contra el precepto que me has dado de que no murmure, y contra la intención que tengo de no murmurar, me morderé el pico[178] de la lengua de modo que me duela, y me acuerde de mi culpa para no volver a ella.

---

174 *no... tanto:* no ha sido para tanto.   175 *muy... andar:* con mucho cuidado ha de andar.   176 *echemos pelillos a la mar:* fórmula infantil para restablecer la paz. 177 *jurador:* blasfemo.   178 *pico:* punta.

CIPIÓN.— Tal es ese remedio, que si usas dél espero que te has de morder tantas veces que has de quedar sin lengua, y así, quedarás imposibilitado de murmurar.

BERGANZA.— A lo menos, yo haré de mi parte mis diligencias,[179] y supla las faltas el cielo.[180] Y así, digo que los hijos de mi amo se dejaron un día un cartapacio[181] en el patio, donde yo a la sazón[182] estaba; y como estaba enseñado a llevar la esportilla del jifero mi amo, así del[183] *vademécum* y fuime tras ellos, con intención de no soltalle[184] hasta el estudio.(62) Sucedióme todo como lo deseaba: que mis amos, que me vieron venir con el *vademécum* en la boca, asido sotilmente[185] de las cintas, mandaron a un paje me le quitase; mas yo no lo consentí ni le solté hasta que entré en el aula con él, cosa que causó risa a todos los estudiantes. Lleguéme al mayor de mis amos, y, a mi parecer, con mucha crianza se le puse en las manos, y quedéme sentado en cuclillas a la puerta del aula, mirando de hito en hito al maestro que en la cátedra[186] leía. No sé qué tiene la virtud, que, con alcanzárseme a mí tan poco, o nada, della,[187] luego[188] recibí gusto de ver el amor, el término,[189] la solicitud y la industria[190] con que aquellos benditos padres y maestros enseñaban a aquellos niños, enderezando las tiernas varas de su juventud, porque no torciesen ni tomasen mal siniestro[191] en el camino de la virtud, que juntamente con las letras les mostraban. Consideraba cómo los reñían con suavidad, los castigaban con misericordia, los animaban

---

179 *yo haré... diligencias:* pondré todo lo que pueda de mi parte.   180 *supla las faltas el cielo:* que el cielo haga el resto.   181 *cartapacio:* cuaderno.   182 *a la sazón:* entonces.   183 *así del:* cogí el.   184 *soltalle:* soltarle.   185 *sotilmente:* sutilmente.   186 *cátedra:* asiento elevado desde donde el maestro da la lección.   187 *alcanzárseme... della:* entenderla yo tan poco.   188 *luego:* inmediatamente.   189 *término:* modo.   190 *industria:* destreza, habilidad.   191 *tomasen mal siniestro:* tomaran mal camino.

(62) Repárese de nuevo en la sólida unión entre los episodios. No se limitan a ir uno tras otro, sino que lo sucedido en uno anterior (aprender a llevar esportillas en la boca) sirve para el avance de la acción en otro posterior(llevar el *vademécum* a los hijos del mercader).

con ejemplos, los incitaban con premios y los sobrellevaban con cordura, y, finalmente, cómo les pintaban la fealdad y horror de los vicios y les dibujaban la hermosura de las virtudes, para que, aborrecidos ellos y amadas ellas, consiguiesen el fin para que fueron criados.

CIPIÓN.— Muy bien dices, Berganza, porque yo he oído decir desa bendita gente que para repúblicos[192] del mundo no los hay tan prudentes en todo él, y para guiadores y adalides[193] del camino del cielo, pocos les llegan. Son espejos donde se mira la honestidad, la católica dotrina,[194] la singular prudencia y, finalmente, la humildad profunda, basa[195] sobre quien se levanta todo el edificio de la bienaventuranza.

BERGANZA.— Todo es así como lo dices. Y, siguiendo mi historia, digo que mis amos gustaron de que les llevase siempre el *vademécum,* lo que hice de muy buena voluntad; con lo cual tenía una vida de rey, y aun mejor, porque era descansada, a causa que los estudiantes dieron en burlarse conmigo, y domestiquéme con ellos de tal manera que me metían la mano en la boca y los más chiquillos subían sobre mí. Arrojaban los bonetes[196] o sombreros, y yo se los volvía a la mano limpiamente y con muestras de grande regocijo. Dieron[197] en darme de comer cuanto ellos podían, y gustaban de ver que cuando me daban nueces o avellanas las partía como mona, dejando las cáscaras y comiendo lo tierno. Tal hubo que,[198] por hacer prueba de mi habilidad, me trujo[199] en un pañuelo gran cantidad de ensalada, la cual comí como si fuera persona. Era tiempo de invierno, cuando campean en Sevilla los molletes[200] y mantequillas, de quien era tan bien servido, que más de dos *Antonios*[201] se empeñaron o vendieron para que yo almorzase. Finalmente, yo pasaba una vida de estudiante sin hambre y sin sarna, que es lo

---

[192] *repúblicos:* personas que tratan del bien común.   [193] *adalides:* guías.   [194] *dotrina:* doctrina.   [195] *basa:* base.   [196] *bonetes:* gorra de cuatro picos.   [196] *dieron:* se empeñaron.   [198] *tal hubo que:* hubo quien.   [199] *trujo:* trajo.   [200] *molletes:* panecillos.   [201] *Antonios:* ejemplares de la gramática latina de Antonio de Nebrija *Introductiones latinae,* texto que se empleaba para el aprendizaje del latín.

más que se puede encarecer para decir que era buena; porque si la sarna y la hambre no fuesen tan unas con[202] los estudiantes, en las vidas no habría otra de más gusto y pasatiempo, porque corren parejas en ella la virtud y el gusto, y se pasa la mocedad aprendiendo y holgándose.[203] Desta gloria y desta quietud me vino a quitar una señora que, a mi parecer, llaman por ahí razón de estado,[204] que cuando con ella se cumple, se ha de descumplir con otras razones muchas. Es el caso que a aquellos señores maestros les pareció que la media hora que hay de lición a lición[205] la ocupaban los estudiantes no en repasar las liciones, sino en holgarse[206] conmigo, y así, ordenaron a mis amos que no me llevasen más al estudio;[63] obedecieron, volviéronme a casa y a la antigua guarda de la puerta, y, sin acordarse señor el viejo[207] de la merced que me había hecho de que de día y de noche anduviese suelto, volví a entregar el cuello a la cadena y el cuerpo a una esterilla[208] que detrás de la puerta me pusieron.[64] ¡Ay,

---

202 *no fuesen tan unas con:* no estuviesen tan unidas a. 203 *holgándose:* divirtiéndose. 204 *razón de estado:* la política y las leyes con las que se gobiernan los asuntos de interés para el Estado. 205 *lición:* lección. 206 *holgarse:* véase nota 203. 207 *señor el viejo:* el mercader, padre de los niños. 208 *esterilla:* tejido de esparto.

---

(63) Los jesuitas aparecen aquí como enemigos de la verdadera eutrapelia, impidiendo que los niños aflojen la cuerda del entendimiento durante esa media hora que hay entre lección y lección. Representan el extremo opuesto del chocarrero mencionado en **(60)**. El anterior elogio de sus métodos pedagógicos queda en entredicho.

(64) El celo y la celeridad con los que el mercader cumple las órdenes de los jesuitas se comprende mejor si pensamos que la proyección social de los hijos de aquél dependía de éstos, sobre todo si, como parece, el rico mercader tenía ascendencia judía. El Saffar ve en este sub-episodio la sutil colaboración social que se produjo en la sociedad del XVII entre los conversos adinerados, que buscaban una sólida posición social en una sociedad católica, y los jesuitas, que obtenían beneficios económicos a cambio de conducir a buen puerto estas ambiciones sociales. Si volvemos a leer con esta nueva luz el elogio de los jesuitas, especialmente la parte en la que se les denomina «prudentes repúblicos del mundo», percibiremos la ironía cervantina tras las palabras del perro. Se critica el

amigo Cipión, si supieses cuán[209] dura cosa es de sufrir el
pasar de un estado felice[210] a un desdichado! Mira: cuando
las miserias y desdichas tienen larga la corriente y son con-
tinuas, o se acaban presto, con la muerte, o la continuación
dellas hace un hábito y costumbre en padecellas,[211] que
suele en su mayor rigor servir de alivio;[212] mas cuando de
la suerte desdichada y calamitosa, sin pensarlo y de improviso,
se sale a gozar de otra suerte próspera, venturosa y alegre, y
de allí a poco se vuelve a padecer la suerte primera y a los
primeros trabajos y desdichas, es un dolor tan riguroso que
si no acaba la vida es por atormentarla más viviendo. Digo,
en fin, que volví a mi ración perruna y a los huesos que una
negra de casa me arrojaba, y aun éstos me dezmaban[213] dos
gatos romanos[214] que, como sueltos y ligeros, érales fácil quitarme lo que no caía debajo del distrito[215] que alcanzaba mi
cadena. Cipión hermano, así el cielo te conceda el bien que
deseas, que, sin que te enfades, me dejes ahora filosofar un
poco;[216] porque si dejase de decir las cosas que en este instante me han venido a la memoria de aquellas que entonces
me ocurrieron, me parece que no sería mi historia cabal ni
de fruto alguno.

CIPIÓN.— Advierte, Berganza, no sea tentación del demonio esa gana de filosofar que dices te ha venido; porque no
tiene la murmuración mejor velo para paliar y encubrir su
maldad disoluta[217] que darse a entender el murmurador que

209 *cuán:* qué. 210 *felice:* feliz. 211 *o la continuación... padecellas:* o se hace un
hábito el padecerlas. 212 *que suele... alivio:* lo cual sirve de alivio en los peores
momentos. 213 *dezmaban:* diezmaban, robaban. 214 *gatos romanos:* gatos a listas
pardas y negras. 215 *debajo del distrito:* dentro del campo. 216 *así... poco:* que el
cielo te conceda lo que deseas si me dejas filosofar un poco sin enfadarte.
217 *disoluta:* licenciosa, viciosa.

divorcio que se ha producido en la comunidad jesuita entre la realidad
y el ideal, así como la hipocresía con la que se oculta esta separación:
predican humildad, pero ejercen un poder social enorme; enseñan valores espirituales, pero se han vendido al dinero de los ricos.

todo cuanto dice son sentencias de filósofos y que el decir
mal es reprehensión y el descubrir los defetos[218] ajenos buen
celo. Y no hay vida de ningún murmurante que si la consideras y escudriñas, no la halles llena de vicios y de insolencias. Y debajo de saber esto, filosofea ahora cuanto quisieres.

BERGANZA.— Seguro puedes estar, Cipión, de que más
murmure, porque así lo tengo prosupuesto.[219] Es, pues, el
caso que como me estaba todo el día ocioso y la ociosidad sea
madre de los pensamientos, di en repasar por la memoria
algunos latines que me quedaron en ella de muchos que oí
cuando fui con mis amos al estudio, con que, a mi parecer,
me hallé algo más mejorado de entendimiento, y determiné,
como si hablar supiera, aprovecharme dellos en las ocasiones
que se me ofreciesen; pero en manera diferente de la que se
suelen aprovechar algunos ignorantes. Hay algunos romancistas[220] que en las conversaciones disparan de cuando en
cuando con algún latín breve y compendioso,[221] dando a
entender a los que no lo entienden que son grandes latinos,
y apenas saben declinar un nombre ni conjugar un verbo.

CIPIÓN.— Por menor daño tengo ése que el que hacen los
que verdaderamente saben latín, de los cuales hay algunos
tan imprudentes que hablando con un zapatero o con un sas-
tre arrojan latines como agua.

BERGANZA.— Deso podremos inferir que tanto peca el que
dice latines delante de quien los ignora como el que los dice
ignorándolos.

CIPIÓN.— Pues otra cosa puedes advertir, y es que hay algunos que no les excusa el ser latinos de ser asnos.

Berganza.— Pues ¿quién lo duda? La razón está clara,
pues cuando en tiempo de los romanos hablaban todos
latín, como lengua materna suya, algún majadero habría
entre ellos, a quien no excusaría el hablar latín dejar de ser
necio.

---

[218] *defetos:* defectos.   [219] *prosupuesto:* determinado.   [220] *romancistas:* los que no
sabían hablar latín y se expresaban en castellano, llamado entonces también
romance.   [221] *compendioso:* sucinto.

CIPIÓN.— Para saber callar en romance y hablar en latín, discreción es menester, hermano Berganza.

BERGANZA.— Así es, porque también se puede decir una necedad en latín como en romance, y yo he visto letrados tontos, y gramáticos pesados, y romancistas vareteados[222] con sus listas de latín, que con mucha facilidad pueden enfadar al mundo no una, sino muchas veces.

CIPIÓN.— Dejemos esto, y comienza a decir tus filosofías.

BERGANZA.— Ya las he dicho: éstas son que acabo de decir.

CIPIÓN.— ¿Cuáles?

BERGANZA.— Éstas de los latines y romances, que yo comencé y tú acabaste.

CIPIÓN.— ¿Al murmurar llamas filosofar? ¡Así va ello! Canoniza,[223] canoniza, Berganza, a la maldita plaga de la murmuración, y dale el nombre que quisieres, que ella dará a nosotros el de cínicos, que quiere decir perros murmuradores;[224] y por tu vida que calles ya y sigas tu historia.

BERGANZA.— ¿Cómo la tengo de seguir si callo?

CIPIÓN.— Quiero decir que la sigas de golpe, sin que la hagas que parezca pulpo, según la vas añadiendo colas.

BERGANZA.— Habla con propiedad: que no se llaman colas las del pulpo.

CIPIÓN.— Ése es el error que tuvo el que dijo que no era torpedad ni vicio nombrar las cosas por sus propios nombres, como si no fuese mejor, ya que sea forzoso nombrarlas, decirlas por circunloquios y rodeos que templen la asquerosidad que causa el oírlas por sus mismos nombres. Las honestas palabras dan indicio de la honestidad del que las pronuncia o las escribe.

BERGANZA.— Quiero creerte; y digo que, no contenta mi fortuna de haberme quitado de mis estudios y de la vida que en ellos pasaba, tan regocijada y compuesta,[225] y haberme puesto atraillado[226] tras de una puerta, y de haber trocado la

---

222 *vareteados:* lo que está hecho (tejidos, normalmente) con listas de varios colores. 223 *canoniza:* aplaude, da por buena. 224 *cínicos... murmuradores:* cínico viene de *kynos,* que en griego quiere decir *perro.* 225 *compuesta:* variada. 226 *atraillado:* atado.

liberalidad de los estudiantes en la mezquinidad de la negra, ordenó[227] de sobresaltarme en lo que ya por quietud y descanso tenía. Mira, Cipión, ten por cierto y averiguado, como yo lo tengo, que al desdichado las desdichas le buscan y le hallan, aunque se esconda en los últimos rincones de la tierra. Dígolo porque la negra de casa estaba enamorada de un negro, asimismo esclavo de casa, el cual negro dormía en el zaguán,[228] que es entre la puerta de la calle y la de en medio, detrás de la cual yo estaba, y no se podían juntar sino de noche, y para esto habían hurtado o contrahecho[229] las llaves; y así, las más de las noches bajaba la negra, y, tapándome la boca con algún pedazo de carne o queso, abría al negro, con quien se daba buen tiempo, facilitándolo mi silencio, y a costa de muchas cosas que la negra hurtaba. Algunos días me estragaron[230] la conciencia las dádivas[231] de la negra, pareciéndome que sin ellas se me apretarían las ijadas[232] y daría de mastín en galgo.[233] Pero, en efeto,[234] llevado de mi buen natural, quise responder a lo que a mi amo debía, pues tiraba sus gajes[235] y comía su pan, como lo deben hacer no sólo los perros honrados, a quien se les da renombre de agradecidos, sino todos aquellos que sirven.

CIPIÓN.— Esto sí, Berganza, quiero que pase por filosofía, porque son razones que consisten en buena verdad y en buen entendimiento; y adelante y no hagas soga,[236] por no decir cola, de tu historia.

BERGANZA.— Primero te quiero rogar me digas, si es que lo sabes, qué quiere decir filosofía; que aunque yo la nombro, no sé lo que es; sólo me doy a entender que es cosa buena.

CIPIÓN.— Con brevedad te lo diré. Este nombre se compone de dos nombres griegos, que son *filos* y *sofía; filos* quiere

---

227 *ordenó:* el sujeto es «mi fortuna».   228 *zaguán:* el lugar cubierto, dentro de la casa, situado entre la puerta de calle y la entrada principal.   229 *contrahecho:* copiado.   230 *estragaron:* dañaron.   231 *dádivas:* regalos.   232 *ijadas:* costados.   233 *daría de mastín en galgo:* adelgazaría.   234 *en efeto:* en efecto.   235 *tiraba sus gajes:* cobraba su sueldo.   236 *no hagas soga:* no introduzcas en la conversación más cosas de las necesarias.

decir *amor,* y *sofía,* la *ciencia;* así que *filosofía* significa *amor de la ciencia,* y *filósofo, amador de la ciencia.*

BERGANZA.— Mucho sabes, Cipión. ¿Quién diablos te enseñó a ti nombres griegos?

CIPIÓN.— Verdaderamente, Berganza, que eres simple, pues desto haces caso, porque éstas son cosas que las saben los niños de la escuela, y también hay quien presuma saber la lengua griega, sin saberla, como la latina, ignorándola.

BERGANZA.— Eso es lo que yo digo, y quisiera que a estos tales los pusieran en una prensa, y a fuerza de vueltas les sacaran el jugo de lo que saben, porque no anduviesen engañando el mundo con el oropel[237] de sus gregüescos[238] rotos y sus latines falsos, como hacen los portugueses con los negros de Guinea.

CIPIÓN.— Ahora sí, Berganza, que te puedes morder la lengua, y tarazármela[239] yo, porque todo cuanto decimos es murmurar.

BERGANZA.— Sí, que no estoy obligado a hacer lo que he oído decir que hizo uno llamado Corondas, tirio,[240] el cual puso ley que ninguno entrase en el ayuntamiento de su ciudad con armas, so pena de la vida.[241] Descuidóse desto, y otro día entró en el cabildo[242] ceñida la espada; advirtiéronselo y, acordándose de la pena por él puesta, al momento desenvainó su espada y se pasó[243] con ella el pecho, y fue el primero que puso y quebrantó la ley y pagó la pena. Lo que yo dije no fue poner ley, sino prometer que me mordería la lengua cuando murmurase; pero ahora no van las cosas por el tenor y rigor de las antiguas; hoy se hace una ley, y mañana se rompe, y quizá conviene que así sea. Ahora promete uno de enmendarse de sus vicios, y de allí a un momento cae en

---

237 *oropel:* las cosas que tienen poco valor y fingen lo contrario.   238 *gregüescos:* utilizado disémicamente como *calzones anchos y dichos griegos.*   239 *tarazármela:* atarazármela, cortármela.   240 *Corondas, tirio:* Carondas, turio. La anécdota que relata a continuación no es original, sino que procede de un libro titulado *Dichos y hechos memorables de* Valerio Máximo.   241 *so pena de la vida:* so pena de muerte.   242 *cabildo:* ayuntamiento.   243 *se pasó:* se atravesó.

otros mayores. Una cosa es alabar la disciplina[244] y otra el darse con ella, y, en efeto,[245] del dicho al hecho hay gran trecho. Muérdase el diablo, que yo no quiero morderme ni hacer finezas detrás de una estera, donde de nadie soy visto que pueda alabar mi honrosa determinación.

CIPIÓN.— Según eso, Berganza, si tú fueras persona, fueras hipócrita, y todas las obras que hicieras fueran aparentes, fingidas y falsas, cubiertas con la capa de la virtud, sólo porque te alabaran, como todos los hipócritas hacen.[(65)]

BERGANZA.— No sé lo que entonces hiciera; esto sé que quiero hacer ahora, que es no morderme, quedándome tantas cosas por decir que no sé cómo ni cuándo podré acabarlas, y más estando temeroso que al salir del sol nos hemos de quedar a escuras,[246] faltándonos la habla.

CIPIÓN.— Mejor lo hará el cielo. Sigue tu historia y no te desvíes del camino carretero[247] con impertinentes digresiones; y así, por larga que sea, la acabarás presto.

BERGANZA.— Digo, pues, que habiendo visto la insolencia, ladronicio[248] y deshonestidad de los negros, determiné,

---

[244] *disciplina:* se usa con valor disémico: *rectitud de comportamiento* e *instrumento de castigo,* acepción esta última que explica el resto de la frase: darse con ella.   [245] *en efeto:* en efecto.   [246] *a escuras:* a oscuras.   [247] *camino carretero:* camino principal.   [248] *ladronicio:* latrocinio, hurto.

---

(65) La hipocresía y la murmuración son dos modos extremos de reaccionar frente a un mundo donde la materia y el espíritu han sido radicalmente separados. Hemos visto que la hipocresía es la respuesta de los poderosos, que pretenden ocultar tal divorcio recubriendo de apariencia espiritual comportamientos absolutamente materialistas (los jesuitas predican la humildad, pero obtienen beneficios económicos; y el mercader educa a sus hijos con los jesuitas sólo por ambición de medro social). La murmuración, por tanto, es la reacción de los humildes resentidos, que se rebelan con violencia verbal contra ese orden. La novela picaresca podría servir de ejemplo de esta actitud. Durante toda la novela, estos perros, según El Saffar, luchan por no adoptar ni los valores de los poderosos ni los valores de los resentidos; todo su afán es no caer en la hipocresía ni en la murmuración.

como buen criado, estorbarlo por los mejores medios que pudiese; y pude tan bien, que salí con mi intento.[249] Bajaba la negra como has oído, a refocilarse[250] con el negro, fiada en que me enmudecían los pedazos de carne, pan o queso que me arrojaba... ¡Mucho pueden las dádivas, Cipión!

CIPIÓN.— Mucho. No te diviertas,[251] pasa adelante.

BERGANZA.— Acuérdome que cuando estudiaba oí decir al precetor[252] un refrán latino, que ellos llaman adagio, que decía: *Habet bovem in lingua.*[253]

CIPIÓN.— ¡Oh, que en hora mala hayáis encajado vuesto latín! ¿Tan presto se te ha olvidado lo que poco ha[254] dijimos contra los que entremeten latines en las conversaciones de romance?

BERGANZA.— Este latín viene aquí de molde;[255] que has de saber que los atenienses usaban, entre otras, de una moneda sellada con la figura de un buey, y cuando algún juez dejaba de decir o hacer lo que era razón y justicia, por estar cohechado,[256] decían: «Éste tiene el buey en la lengua».

CIPIÓN.— La aplicación[257] falta.

BERGANZA.— ¿No está bien clara, si las dádivas de la negra me tuvieron muchos días mudo, que ni quería ni osaba ladrarla cuando bajaba a verse con su negro enamorado? Por lo que vuelvo a decir que pueden mucho las dádivas.

CIPIÓN.— Ya te he respondido que pueden mucho, y si no fuera por no hacer ahora una larga digresión, con mil ejemplos probara lo mucho que las dádivas pueden; mas quizá lo diré, si el cielo me concede tiempo, lugar y habla para contarte mi vida.

BERGANZA.— Dios te dé lo que deseas, y escucha. Finalmente, mi buena intención rompió por las malas dádivas de la negra; a la cual, bajando una noche muy escura[258] a

---

[249] *salí con mi intento:* lo conseguí. [250] *refocilarse:* divertirse. [251] *no te diviertas:* no te desvíes del tema. [252] *precetor:* preceptor. [253] *Habet bovem in lingua:* tiene el buey en la lengua. Más abajo se explica el significado. [254] *ha:* hace. [255] *de molde:* a propósito. [256] *cohechado:* sobornado. [257] *la aplicación:* la relación entre la historia del buey y la de la negra. [258] *escura:* oscura.

su acostumbrado pasatiempo, arremetí sin ladrar porque[259]
no se alborotasen los de casa, y en un instante le hice pedazos
toda la camisa y le arranqué un pedazo de muslo; burla que
fue bastante a tenerla de veras más de ocho días en la cama,
fingiendo para con sus amos no sé qué enfermedad. Sanó,
volvió otra noche, y yo volví a la pelea con mi perra,[260] y, sin
morderla, la arañé todo el cuerpo como si la hubiera cardado[261] como manta. Nuestras batallas eran a la sorda, de
las cuales salía siempre vencedor, y la negra, malparada y
peor contenta. Pero sus enojos se parecían[262] bien en mi pelo
y en mi salud; alzóseme con[263] la ración y los huesos, y los
míos poco a poco iban señalando los nudos del espinazo.
Con todo esto, aunque me quitaron el comer, no me pudie-
ron quitar el ladrar. Pero la negra, por acabarme de una vez,
me trujo[264] una esponja frita con manteca; conocí la maldad,
vi que era peor que comer zarazas,[265] porque a quien la come
se le hincha el estómago y no sale dél sin llevarse tras sí la vida.
Y pareciéndome ser imposible guardarme de las asechanzas[266]
de tan indignados enemigos, acordé de poner tierra en
medio, quitándomeles delante de los ojos. Halléme un día
suelto, y sin decir adiós a ninguno de casa, me puse en la
calle,[(66)] y a menos de cien pasos me deparó la suerte al alguacil

---

[259] *porque:* para que.   [260] *perra:* esclava, negra.   [261] *cardado:* rastrillado.   [262] *se
parecían:* aparecían.   [263] *alzóseme con:* me quitó.   [264] *trujo:* trajo.   [265] *zarazas:* masa
compuesta de vidrio molido, veneno o agujas, que sirve para matar perros, gatos,
etc.   [266] *asechanzas:* engaños para dañar a alguien.

(66) Nótese que el episodio del mercader ha sido construido sobre la
oposición día/noche (véase **50**). El tiempo diurno es el tiempo de las
verdades aparentes, sustentadas por el poder, el tiempo de lo legal y del
orden establecido, que aquí queda representado por los hijos del mercader acudiendo al estudio de los jesuitas con ricas ropas, para ocupar
poco a poco el espacio social que su padre les está comprando. Cuando
Berganza es expulsado del estudio, es decir, del tiempo diurno, nos tras-
ladamos con él a la noche, donde comprendemos cuál es el precio real y
nocturno de ese espacio social: al desterrar el placer eutrapélico del tiempo diurno, aquél se animaliza y envilece, se convierte en una necesidad

que dije al principio de mi historia, que era grande amigo de mi amo Nicolás el Romo;[267] el cual, apenas me hubo visto, cuando me conoció y me llamó por mi nombre;[(67)] también le conocí yo y al llamarme me llegué a él con mis acostumbradas ceremonias y caricias; asióme del cuello y dijo a dos corchetes[268] suyos: «Éste es famoso perro de ayuda, que fue de un grande amigo mío; llevémosle a casa». Holgáronse los corchetes, y dijeron que si era de ayuda a todos sería de provecho. Quisieron asirme para llevarme, y mi amo dijo que no era menester asirme, que yo me iría, porque le conocía. Háseme olvidado decirte que las carlancas[269] con puntas de acero que saqué cuando me desgarré[270] y ausenté del ganado me las quitó un gitano en una venta, y ya en Sevilla andaba sin ellas; pero el alguacil me puso un collar tachonado todo de latón morisco.[271] Considera, Cipión, ahora esta rueda variable de la fortuna mía:[272] ayer me vi estudiante, y hoy me ves corchete.[273]

CIPIÓN.— Así va el mundo, y no hay para qué te pongas ahora a exagerar los vaivenes de fortuna, como si hubiera mucha diferencia de ser mozo de un jifero[274] a serlo de un corchete. No puedo sufrir ni llevar en paciencia oír las quejas que dan de la fortuna algunos hombres que la mayor que tuvieron fue tener premisas[275] y esperanzas de llegar a ser

---

267 *alguacil... Romo:* error de Cervantes. Este personaje no aparece al comienzo de la historia. 268 *corchetes:* los ayudantes del alguacil. 269 *carlancas:* collares. 270 *me desgarré:* me aparté. 271 *latón morisco:* latón. 272 *Considera... mía:* nota los altibajos de mi suerte (véase nota 263 a *La ilustre fregona*). 273 *corchete:* ayudante del alguacil. 274 *jifero:* véase nota 27. 275 *premisas:* indicios.

furtiva que sólo busca la satisfacción del instinto, tan alejada del justo medio como la actitud de los jesuitas.

(67) Comienza aquí el episodio del cuarto amo. Si el anterior era un representante de los llamados hoy *poderes fácticos*, el alguacil representa la figura de los que son contratados por éstos para mantener el orden establecido por el poder económico. El episodio constará de cuatro sub-historias: el engaño al bretón, la corrupción del alguacil, el timo del caballo robado y el ataque de Berganza al alguacil.

escuderos. ¡Con qué maldiciones la maldicen! ¡Con cuántos improperios la deshonran! Y no por más de que porque piense el que los oye que de alta, próspera y buena ventura han venido a la desdichada y baja en que los miran.

BERGANZA.— Tienes razón; y has de saber que este alguacil tenía amistad con un escribano,[276] con quien se acompañaba; estaban los dos amancebados[277] con dos mujercillas, no de poco más a menos, sino de menos en todo; verdad es que tenían algo de buenas caras, pero mucho de desenfado y de taimería[278] putesca. Éstas les servían de red y de anzuelo para pescar en seco, en esta forma: vestíanse de suerte que por la pinta descubrían la figura, y a tiro de arcabuz[279] mostraban ser damas de la vida libre;[280] andaban siempre a caza de extranjeros, y cuando llegaba la vendeja[281] a Cáliz[282] y a Sevilla llegaba la huella de su ganancia,[283] no quedando bretón[284] con quien no embistiesen; y en cayendo el grasiento[285] con alguna destas limpias, avisaban al alguacil y al escribano adónde y a qué posada iban, y en estando juntos les daban asalto y los prendían por amancebados; pero nunca los llevaban a la cárcel, a causa que los extranjeros siempre redimían la vejación con dineros.[286]

»Sucedió, pues, que la Colindres, que así se llamaba la amiga del alguacil, pescó un bretón unto y bisunto;[287] concertó con él cena y noche en su posada; dio el cañuto[288] a su amigo; y apenas se habían desnudado, cuando el alguacil, el escribano, dos corchetes y yo dimos con ellos. Alborotáronse los amantes; exageró el alguacil el delito; mandólos vestir a toda priesa[289] para llevarlos a la cárcel; afligióse el bretón;

---

276 *escribano:* notario.   277 *amancebados:* véase nota 33.   278 *taimería:* bellaquería, astucia.   279 *a tiro de arcabuz:* a tiro de escopeta, de lejos.   280 *damas de la vida libre:* prostitutas.   281 *vendeja:* feria mercantil andaluza que se celebraba en otoño. 282 *Cáliz:* Cádiz.   283 *cuando... ganancia:* sus ganancias aumentaban con la llegada de la vendeja a Cádiz, a causa de la afluencia de extranjeros.   284 *bretón:* utilizado aquí como sinónimo de *extranjero.*   285 *grasiento:* se usa disémicamente en sentido literal y como *acaudalado.*   286 *redimían... dineros:* sobornaban al alguacil y al escribano.   287 *unto y bisunto:* se usa disémicamente: *grasiento* y *requetegrasiento* o *acaudalado* y adinerado.   288 *dio el cañuto:* delató.   289 *priesa:* prisa.

terció, movido de caridad, el escribano, y a puros ruegos
redujo la pena a solos cien reales. Pidió el bretón unos follados[290] de camuza[291] que había puesto en una silla a los pies
de la cama, donde tenía dineros para pagar su libertad, y no
parecieron[292] los follados, ni podían parecer; porque así
como yo entré en el aposento, llegó a mis narices un olor de
tocino que me consoló todo; descubríle con el olfato, y
halléle en una faldriquera[293] de los follados. Digo que hallé
en ella un pedazo de jamón famoso,[294] y por gozarle y poder-
le sacar sin rumor[295] saqué los follados a la calle, y allí me
entregué en el jamón a toda mi voluntad, y cuando volví al
aposento hallé que el bretón daba voces diciendo en lenguaje adúltero[296] y bastardo,[297] aunque se entendía, que le volviesen sus calzas, que en ellas tenía cincuenta *escuti d'oro in
oro*.[298] Imaginó el escribano o que la Colindres o los corchetes se los habían robado; el alguacil pensó lo mismo; llamó-
los aparte, no confesó ninguno, y diéronse al diablo todos.
Viendo yo lo que pasaba, volví a la calle donde había dejado
los follados, para volverlos, pues a mí no me aprovechaba
nada el dinero; no los hallé, porque ya algún venturoso que
pasó se los había llevado. Como el alguacil vio que el bretón
no tenía dinero para el cohecho,[299] se desesperaba, y pensó
sacar de la huéspeda de casa[300] lo que el bretón no tenía; lla-
móla, y vino medio desnuda, y como oyó las voces y quejas
del bretón, y a la Colindres desnuda y llorando, al alguacil en
cólera y al escribano enojado y a los corchetes despabilando[301]
lo que hallaban en el aposento, no le plugo[302] mucho. Mandó
el alguacil que se cubriese y se viniese con él a la cárcel, porque consentía en su casa hombres y mujeres de mal vivir.
¡Aquí fue ello![303] ¡Aquí sí que fue cuando se aumentaron las

---

290 *follados:* calzones. 291 *camuza:* gamuza. 292 *parecieron:* aparecieron. 293
faldriquera: faltriquera, bolsillo. 294 *famoso:* de buena calidad. 295 *rumor:* ruido.
296 *adúltero:* corrompido. 297 *bastardo:* grosero 298 *escuti d'oro in oro:* escudos de
oro en monedas de oro. 299 *cohecho:* soborno. 300 *huéspeda de casa:* dueña de la
casa (véase nota 129 a *La ilustre fregona*). 301 *despabilando:* hurtando con disimulo.
302 *plugo:* gustó. 303 *¡Aquí fue ello!:* interjección.

voces y creció la confusión!; porque dijo la huéspeda: "Señor
alguacil y señor escribano: no conmigo tretas, que entrevo[304]
toda costura;[305] no conmigo dijes ni poleos;[306] callen la boca y
váyanse con Dios; si no, por mi santiguada[307] que arroje el
bodegón por la ventana, y que saque a plaza toda la chirinola[308] desta historia; que bien conozco a la señora Colindres, y
sé que ha[309] muchos meses que es su cobertor[310] el señor
alguacil; y no hagan que me aclare más,[311] sino vuélvase el
dinero a este señor, y quedemos todos por buenos; porque yo
soy mujer honrada y tengo un marido con su carta de ejecutoria,[312] y con *a perpenan rei de memoria*,[313] con sus colgaderos[314]
de plomo, Dios sea loado, y hago este oficio muy limpiamente y sin daño de barras.[315] El arancel[316] tengo clavado donde
todo el mundo le vea; y no conmigo cuentos, que, por Dios,
que sé despolvorearme.[317] ¡Bonita soy yo para que por mi
orden entren mujeres con los huéspedes! Ellos tienen las llaves de sus aposentos, y yo no soy quince,[318] que tengo de ver
tras siete paredes".

»Pasmados quedaron mis amos de haber oído la arenga[319]
de la huéspeda y de ver cómo les leía la historia de sus vidas;
pero como vieron que no tenían de quién sacar dinero si
della no, porfiaban en llevarla a la cárcel. Quejábase ella al
cielo de la sinrazón y justicia que la hacían, estando su marido
ausente y siendo tan principal hidalgo. El bretón bramaba
por sus cincuenta *escuti*. Los corchetes porfiaban que ellos no
habían visto los follados, ni Dios permitiese lo tal.[320] El escribano, por lo callado, insistía al alguacil que mirase los vestidos
de la Colindres, que le daba sospecha que ella debía de tener

---

[304] *entrevo:* entiendo.   [305] *costura:* trampa.   [306] *dijes ni poleos:* amenazas ni fan-
farronadas.   [307] *por mi santiguada:* por la cruz, con seguridad.   [308] *saque chirinola:*
arme un escándalo.   [309] *ha:* hace.   [310] *cobertor:* encubridor.   [311] *aclare más:* sea
más clara.   [312] *carta de ejecutoria:* certificado de hidalguía.   [313] *a perpenan rei de
memoria: ad perpetuam rei memoriam.* Fórmula con la que se encabezaba las cartas de
ejecutorias.   [314] *colgaderos:* sellos colganderos.   [315] *daño de barras:* perjuicio.
[316] *arancel:* certificado donde se especifican los precios.   [317] *despolvorearme:* defen-
derme.   [318] *quince:* ha de entenderse *lince*.   [319] *arenga:* discurso.   [320] *ni Dios... tal:*
ni Dios lo permitiese.

los cincuenta *escuti,* por tener de costumbre visitar los escondrijos y faldriqueras[321] de aquellos que con ella se envolvían.[322] Ella decía que el bretón estaba borracho y que debía de mentir en lo del dinero. En efeto,[323] todo era confusión, gritos y juramentos,[324] sin llevar modo de apaciguarse, ni se apaciguaran si al instante no entrara en el aposento el teniente de Asistente,[325] que viniendo a visitar aquella posada, las voces le llevaron adonde era la grita.[326] Preguntó la causa de aquellas voces; la huéspeda se la dio muy por menudo:[327] dijo quién era la ninfa[328] Colindres, que ya estaba vestida; publicó la pública amistad suya y del alguacil; echó en la calle[329] sus tretas y modo de robar; disculpóse a sí misma de que con su consentimiento jamás había entrado en su casa mujer de mala sospecha; canonizóse por[330] santa y a su marido por un bendito, y dio voces a una moza que fuese corriendo y trujese[331] de un cofre la carta ejecutoria de su marido, para que la viese el señor Teniente, diciéndole que por ella echaría de ver que mujer de tan honrado marido no podía hacer cosa mala, y que si tenía aquel oficio de casa de camas era a no poder más;[332] que Dios sabía lo que le pesaba, y si quisiera ella[333] tener alguna renta y pan cuotidiano[334] para pasar la vida que tener aquel ejercicio. El Teniente, enfadado de su mucho hablar y presumir de ejecutoria, le dijo: "Hermana camera, yo quiero creer que vuestro marido tiene carta de hidalguía con que vos me confeséis que es hidalgo mesonero". "Y con mucha honra —respondió la huéspeda—. Y ¿qué linaje hay en el mundo, por bueno que sea, que no tenga algún dime y direte?"[335] "Lo que yo os digo, hermana, es que

---

[321] *faldriqueras:* faltriqueras, bolsillos.   [322] *se envolvían:* se mezclaban.   [323] *en efeto:* en efecto.   [324] *juramentos:* afirmaciones o negaciones que se hacen nombrando a Dios.   [325] *Asistente:* corregidor, alcalde.   [326] *grita:* alboroto.   [327] *por menudo:* pormenorizadamente.   [328] *ninfa:* aquí con el sentido de prostituta.   [329] *echó a la calle:* hizo público.   [330] *canonizóse por:* se calificó de.   [331] *trujese:* trajese   [332] *a no poder más:* por necesidad   [333] *y si quisiera ella:* y Dios sabía si quería ella.   [334] *cuotidiano:* cotidiano.   [335] *algún dime y direte:* algún antepasado que no hubiera sido cristiano.

os cubráis, que habéis de venir a la cárcel" La cual nueva[336] dio con ella en el suelo; arañóse el rostro; alzó el grito; pero, con todo eso, el Teniente, demasiadamente severo, los llevó a todos a la cárcel, conviene a saber:[337] al bretón, a la Colindres y a la huéspeda. Después supe que el bretón perdió sus cincuenta *escuti*, y más diez, en que le condenaron en las costas;[338] la huéspeda pagó otro tanto, y la Colindres salió libre por la puerta afuera. Y el mismo día que la soltaron pescó a un marinero, que pagó por el bretón con el mismo embuste del soplo; porque veas, Cipión, cuántos y cuán grandes inconvenientes nacieron de mi golosina.[339]

CIPIÓN.— Mejor dijeras de la bellaquería de tu amo.

BERGANZA.— Pues escucha, que aun más adelante tiraban la barra,[340] puesto que me pesa de decir mal de alguaciles y de escribanos.

CIPIÓN.— Sí, que decir mal de uno no es decirlo de todos; sí, que muchos y muy muchos escribanos hay buenos, fieles y legales, y amigos de hacer placer sin daño de tercero; sí, que no todos entretienen[341] los pleitos, ni avisan a las partes,[342] ni todos llevan más de sus derechos,[343] ni todos van buscando e inquiriendo las vidas ajenas para ponerlas en tela de juicio, ni todos se aúnan con el juez para «háceme la barba y hacerte he el copete»,[344] ni todos los alguaciles se conciertan con los vagamundos y fulleros,[345] ni tienen todos las amigas de tu amo para sus embustes. Muchos y muy muchos hay hidalgos por naturaleza y de hidalgas condiciones;[346] muchos no son arrojados, insolentes, ni mal criados, ni rateros, como los que andan por los mesones midiendo las espadas a los extranjeros, y hallándolas un pelo más de la marca[347] destruyen a sus

---

[336] *nueva:* noticia.   [337] *conviene a saber:* es decir.   [338] *en las costas:* a pagar el coste del pleito.   [339] *golosina:* gula.   [340] *más... barra:* todavía eran más interesados.   [341] *entretienen:* retrasan.   [342] *avisan a las partes:* advierten a una de las partes.   [343] *llevan... derechos:* cobran más de lo que les corresponde.   [344] *copete:* flequillo levantado. El refrán dice: «Arréglame la barba y yo te arreglo el copete» y hace referencia a los alguaciles que se confabulan con los jueces.   [345] *fulleros:* jugadores.   [346] *hidalgos... condiciones:* de carácter noble.   [347] *un pelo más de la marca:* un poco más larga de lo que marcaba la ley.

dueños. Sí, que no todos como prenden sueltan y son jueces y abogados cuando quieren.

BERGANZA.— Más alto picaba mi amo;[348] otro camino era el suyo; presumía de valiente y de hacer prisiones famosas; sustentaba la valentía sin peligro de su persona, pero a costa de su bolsa.[349] Un día acometió en la Puerta de Jerez él solo a seis famosos rufianes, sin que yo le pudiese ayudar en nada porque llevaba con un freno de cordel[350] impedida la boca; que así me traía de día, y de noche me le quitaba. Quedé maravillado de ver su atrevimiento, su brío y su denuedo;[351] así se entraba y salía por las seis espadas de los rufos[352] como si fueran varas de mimbre: era cosa maravillosa ver la ligereza con que acometía, las estocadas que tiraba, los reparos,[353] la cuenta,[354] el ojo alerta porque[355] no le tomasen las espadas. Finalmente, él quedó en mi opinión y en la de todos cuantos la pendencia miraron y supieron por un nuevo Rodamonte,[356] habiendo llevado a sus enemigos desde la Puerta de Jerez hasta los mármoles del Colegio de Mase Rodrigo,[357] que hay más de cien pasos. Dejólos encerrados, y volvió a coger los trofeos de la batalla, que fueron tres vainas,[358] y luego[359] se las fue a mostrar al Asistente, que, si mal no me acuerdo, lo era entonces el licenciado Sarmiento de Valladares,[360] famoso por la destruición[361] de La Sauceda.[362] Miraban a mi amo por las calles do[363] pasaba, señalándole con el dedo, como si dijeran: «Aquél es el valiente que se atrevió a reñir solo con la

---

[348] *Más... amo:* mi amo tenía más altas pretensiones. [349] *sustentaba... bolsa:* tenía fama de valiente sin haber sufrido peligro físico, pero a costa de su dinero. [350] *freno:* instrumento que se ajusta a la cabeza y a la boca del animal, y que sirve para sujetarlo. [351] *denuedo:* esfuerzo. [352] *rufos:* rufianes. [353] *reparos:* defensas. [354] *cuenta:* cálculo. [355] *porque:* para que. [356] *Rodamonte:* personaje literario, símbolo de fuerza y arrogancia. [357] *Colegio de Mase Rodrigo:* antiguo nombre de la Universidad de Sevilla. [358] *vainas:* fundas de espadas. [359] *luego:* inmediatamente. [360] *licenciado Sarmiento de Valladares:* personaje histórico que desempeñó el cargo de asistente en Sevilla de 1589 a 1590. [361] *destruición:* destrucción. [362] *La Sauceda:* famoso refugio de malhechores, que, pese a las palabras de Berganza, no fue destruido. [363] *do:* donde.

flor de los bravos[364] de la Andalucía». En dar vueltas a la ciudad, para dejarse ver, se pasó lo que quedaba del día, y la
noche nos halló en Triana, en una calle junto al Molino de
la Pólvora; y habiendo mi amo avizorado[365] (como en la jácara[366] se dice) si alguien le veía, se entró en una casa, y yo
tras él, y hallamos en un patio a todos los jayanes de la pendencia,[367] sin capas ni espadas, y todos desabrochados; y
uno, que debía de ser el huésped,[368] tenía un gran jarro de
vino en la una mano y en la otra una copa grande de taberna, la cual, colmándola de vino generoso y espumante,
brindaba a toda la compañía. Apenas hubieron visto a mi
amo, cuando todos se fueron a él con los brazos abiertos, y
todos le brindaron, y él hizo la razón[369] a todos, y aun la
hiciera a otros tantos si le fuera algo en ello, por ser de condición afable y amigo de no enfadar a nadie por pocas
cosas. Quererte yo contar ahora lo que allí se trató, la cena
que cenaron, las peleas que se contaron, los hurtos que se
refirieron, las damas que de su trato se calificaron, y las que
se reprobaron,[370] las alabanzas que los unos a los otros se
dieron, los bravos ausentes que se nombraron, la destreza
que allí se puso en su punto, levantándose en mitad de la
cena a poner en prática[371] las tretas[372] que se les ofrecían,[373]
esgrimiendo con las manos,[374] los vocablos tan exquisitos[375]
de que usaban, y, finalmente, el talle de la persona del huésped, a quien todos respetaban como a señor y padre, sería
meterme en un laberinto donde no me fuese posible salir
cuando quisiese. Finalmente, vine a entender con toda
certeza que el dueño de la casa, a quien llamaban

---

364 *la flor de los bravos:* los más valentones y violentos.　365 *avizorado:* observado.
366 *jácara:* el lenguaje de los rufianes.　367 *jayanes de la pendencia:* los rufianes que
habían peleado contra el alguacil.　368 *huésped:* dueño de la casa (véase nota 129 a
La ilustre fregona).　369 *hizo la razón:* bebió cuando hicieron un brindis mostrando
la copa.　370 *las damas... se reprobaron:* las damas de cuyo trato (sexual) presumieron
y las que censuraron.　371 *prática:* práctica.　372 *tretas:* engaños usados en la esgrima para desarmar y herir al contrario.　373 *se les ofrecían:* imaginaban.　374 *esgrimiendo con las manos:* simulando con las manos combates de esgrima.　375 *exquisitos:*
extraordinarios, raros.

Monipodio,[376] [(68)] era encubridor de ladrones y pala[377] de rufianes, y que la gran pendencia de mi amo había sido primero concertada[378] con ellos, con las circunstancias del retirarse y de dejar las vainas, las cuales pagó mi amo allí, luego,[379] de contado[380] con todo cuanto Monipodio dijo que había costado la cena, que se concluyó casi al amanecer, con mucho gusto de todos.[(69)] Y fue su postre dar soplo a mi amo de un rufián forastero[381] que, nuevo y flamante, había llegado a la ciudad: debía de ser más valiente que ellos, y de envidia le soplaron. Prendióle mi amo la siguiente noche, desnudo en la cama; que si vestido estuviera, yo vi en su talle que no se dejara prender tan a mansalva.[382] Con esta prisión, que sobrevino sobre la pendencia,[383] creció la fama de mi cobarde, que lo era mi amo más que una liebre, y a fuerza de meriendas y tragos sustentaba la fama de ser valiente, y todo cuanto con su oficio y con sus inteligencias[384] granjeaba[385] se le iba y desaguaba por la canal de la valentía.

»Pero ten paciencia, y escucha ahora un cuento que le sucedió, sin añadir ni quitar de la verdad una tilde. Dos ladrones hurtaron en Antequera un caballo muy bueno; trujéronle a Sevilla, y para venderle sin peligro usaron de un

---

[376] *Monipodio:* personaje que desempeña un papel muy destacado en otra de las novelas cervantinas: *Rinconete y Cortadillo.* [377] *pala:* jefe de los ladrones, que los oculta y protege. [378] *concertada:* pactada. [379] *luego:* inmediatamente. [380] *de contado:* al contado. [381] *dar... forastero:* delatar a un rufián forastero. [382] *a mansalva:* sin peligro. [383] *con... pendencia:* con este apresamiento, que sucedió tras la pelea relatada más arriba. [384] *inteligencias:* pactos secretos. [385] *granjeaba:* obtenía.

[(68)] La aparición en varias novelas ejemplares de un mismo personaje (en este caso, Monipodio, que es un personaje de *Rinconete y Cortadillo*) constituye, como se ha dicho (véase **43**) uno de los recursos empleados por Cervantes para conseguir unidad entre ellas.

[(69)] De nuevo nos encontramos con la oposición entre el día y la noche (véanse **50** y **66**): toda la valentía y honestidad que aparenta el alguacil por el día se disuelve por la noche, tiempo en el que Berganza descubre la verdadera naturaleza de su amo.

ardid que, a mi parecer, tiene del agudo y del discreto.[386] Fuéronse a posar a posadas diferentes, y el uno se fue a la justicia y pidió por una petición[387] que Pedro de Losada le debía cuatrocientos reales prestados, como parecía por una cédula firmada de su nombre, de la cual hacía presentación. Mandó el Tiniente[388] que el tal Losada reconociese la cédula, y que si la reconociese, le sacasen prendas de la cantidad[389] o le pusiesen en la cárcel; tocó hacer esta diligencia a mi amo y al escribano su amigo. Llevóles el ladrón a la posada del otro, y al punto reconoció su firma, y confesó la deuda, y señaló por prenda de la ejecución[390] el caballo, el cual visto por mi amo, le creció el ojo;[391] y le marcó por suyo si acaso se vendiese. Dio el ladrón por pasados[392] los términos de la ley, y el caballo se puso en venta, y se remató[393] en quinientos reales en un tercero que mi amo echó de manga para que se le comprase.[394] Valía el caballo tanto y medio más de lo que dieron por él. Pero como el bien del vendedor estaba en la brevedad de la venta, a la primer postura[395] remató su mercaduría.[396] Cobró el un ladrón la deuda que no le debían, y el otro la carta de pago[397] que no había menester, y mi amo se quedó con el caballo, que para él fue peor que el Seyano[398] lo fue para sus dueños. Mondaron luego la haza[399] los ladrones, y de allí a dos días, después de haber trastejado[400] mi amo las guarniciones[401] y otras faltas[402] del caballo, pareció[403] sobre él en la plaza de San Francisco, más hueco[404] y pomposo que aldeano vestido de fiesta. Diéronle mil parabienes de la buena compra, afirmándole que valía ciento y cincuenta

---

[386] *discreto:* cuerdo, de buen juicio.   [387] *petición:* petición escrita.   [388] *Tiniente:* Teniente.   [389] *le sacasen... cantidad:* le embargasen bienes por la cantidad que debía.   [390] *prenda de la ejecución:* bien para ser embargado.   [391] *le creció el ojo:* le proporció mucha alegría la posibilidad de conseguirlo.   [392] *pasados:* cumplidos.   [393] *se remató:* se vendió al mejor postor.   [394] *en un... comprase:* a una tercera persona de la que mi amo se valió para comprarlo.   [395] *postura:* precio.   [396] *mercaduría:* mercancía.   [397] *carta de pago:* recibo.   [398] *Seyano:* caballo célebre en la Roma clásica por traer mala suerte a sus dueños.   [399] *mondaron... haza:* se marcharon rápidamente.   [400] *trastejado:* reparado.   [401] *guarniciones:* arreos de las cabalgaduras.   [402] *faltas:* defectos.   [403] *pareció:* apareció.   [404] *hueco:* presumido.

ducados como un huevo un maravedí;[405] y él, volteando y revolviendo el caballo, representaba su tragedia en el teatro de la referida plaza. Y estando en sus caracoles y rodeos,[406] llegaron dos hombres de buen talle y de mejor ropaje, y el uno dijo: "¡Vive Dios que éste es Piedehierro, mi caballo, que ha[407] pocos días que me le hurtaron en Antequera!". Todos los que venían con él, que eran cuatro criados, dijeron que así era la verdad: que aquél era Piedehierro, el caballo que le habían hurtado. Pasmóse mi amo, querellóse el dueño, hubo pruebas, y fueron las que hizo el dueño tan buenas, que salió la sentencia en su favor y mi amo fue desposeído del caballo. Súpose la burla y la industria[408] de los ladrones, que por manos e intervención de la misma justicia vendieron lo que habían hurtado, y casi todos se holgaban[409] de que la codicia de mi amo le hubiese rompido el saco.[410]

»Y no paró en esto su desgracia; que aquella noche, saliendo a rondar el mismo Asistente, por haberle dado noticia que hacia los barrios de San Julián andaban ladrones, al pasar de una encrucijada vieron pasar un hombre corriendo, y dijo a este punto el Asistente, asiéndome por el collar y zuzándome:[411] "¡Al ladrón, Gavilán! ¡Ea, Gavilán, hijo, al ladrón, al ladrón!". Yo, a quien ya tenían cansado las maldades de mi amo, por cumplir lo que el señor Asistente me mandaba, sin discrepar en nada, arremetí con mi propio amo, y sin que pudiese valerse, di con él en el suelo; y si no me le quitaran, yo hiciera a más de a cuatro vengados;[412] quitáronme con mucha pesadumbre de entrambos.[413] Quisieran los corchetes[414] castigarme, y aun matarme a palos, y lo hicieran si el Asistente no les dijera: "No le toque nadie, que el perro hizo lo que yo le mandé". Entendióse la malicia, y yo,

---

[405] *maravedí:* moneda antigua.   [406] *caracoles y rodeos:* ambos son movimientos que se hacen con el caballo.   [407] *ha:* hace.   [408] *industria:* ingenio y sutileza.   [409] *se holgaban:* se alegraban.   [410] *rompido el saco:* se refiere al refrán: «La codicia rompe el saco».   [411] *zuzándome:* azuzándome.   [412] *yo... vengados:* lo hubiera matado, vengando así a más de cuatro.   [413] *entrambos:* ambos.   [414] *corchetes:* los ayudantes del alguacil.

sin despedirme de nadie, por un agujero de la muralla salí al campo, y antes que amaneciese me puse en Mairena, que es un lugar que está cuatro leguas de Sevilla. Quiso mi buena suerte que hallé allí una compañía de soldados que, según oí decir, se iban a embarcar a Cartagena. Estaban en ella cuatro rufianes de los amigos de mi amo, y el atambor[415] era uno que había sido corchete, y gran chocarrero,[416] como lo suelen ser los más atambores. Conociéronme todos, y todos me hablaron, y así me preguntaban por mi amo como si les hubiera de responder; pero el que más afición me mostró fue el atambor, y así, determiné de acomodarme con él, si él quisiese, y seguir aquella jornada, aunque me llevase a Italia o a Flandes; porque me parece a mí, y aun a ti te debe parecer lo mismo, que puesto que dice el refrán: "Quien necio es en su villa, necio es en Castilla", el andar tierras y comunicar con diversas gentes hace a los hombres discretos.[417] [(70)]

CIPIÓN.— Es eso tan verdad, que me acuerdo haber oído decir a un amo que tuve de bonísimo ingenio que al famoso griego llamado Ulises[418] le dieron renombre de prudente por sólo haber andado muchas tierras y comunicado con diversas gentes y varias naciones; y así, alabo la intención que tuviste de irte donde te llevasen.

BERGANZA.— Es, pues, el caso que el atambor, por tener con qué mostrar más sus chacorrerías,[419] comenzó a enseñarme a bailar al son del atambor y a hacer otras monerías,

---

[415] *atambor:* el soldado encargado de tocar el tambor.   [416] *chocarrero:* el que siempre habla de burlas.   [417] *discretos:* cuerdos, de buen juicio.   [418] *Ulises:* el protagonista de la *Odisea*, que narra uno de los viajes más célebres de la historia de la literatura.   [419] *chacorrerías:* chocarrerías (véase nota 416).

---

(70) Berganza escapa de Sevilla, adonde no regresará nunca más. Comienza aquí un nuevo episodio, el quinto: Berganza sirve a un soldado encargado de tocar el tambor. Se trata del último episodio antes de llegar al que ocupa el centro del *Coloquio,* es decir, al episodio de la bruja Cañizares.

tan ajenas de poder aprenderlas otro perro que no fuera yo
como las oirás cuando te las diga.[71] Por acabarse el distrito
de la comisión,[420] se marchaba poco a poco; no había comisario que nos limitase; el capitán era mozo, pero muy buen
caballero y gran cristiano; el alférez no había muchos meses
que había dejado la Corte y el tinelo;[421] el sargento era
matrero[422] y sagaz, y grande harriero[423] de compañías, desde
donde se levantan hasta el embarcadero.[424] Iba la compañía
llena de rufianes churrulleros,[425] los cuales hacían algunas
insolencias por los lugares do[426] pasábamos, que redunda-
ban en maldecir a quien no lo merecía; infelicidad es del
buen príncipe ser culpado de sus súbditos por la culpa de sus
súbditos, a causa que los unos son verdugos de los otros, sin
culpa del señor; pues aunque quiera y lo procure no puede
remediar estos daños, porque todas o las más cosas de la guerra traen consigo aspereza, riguridad[427] y desconveniencia.[428]
En fin, en menos de quince días, con mi buen ingenio y con
la diligencia que puso el que había escogido por patrón,
supe saltar por el Rey de Francia y a no saltar por la mala
tabernera.[429] Enseñóme a hacer corvetas[430] como caballo
napolitano y a andar a la redonda como mula de atahona,[431]
con otras cosas que, si yo no tuviera cuenta en no adelantar-
me a mostrarlas, pusiera en duda si era algún demonio en

---

420 *distrito de la comisión:* el término en el que el comisario manda sobre la compañía.   421 *tinelo:* aposento donde come la familia de los señores.   422 *matrero:*
astuto.   423 *harriero:* arriero, conductor.   424 *desde... embarcadero:* desde donde se
forman hasta Cartagena.   425 *churrulleros:* desertores.   426 *do:* donde.   427 *rigui-
dad:* rigor.   428 *infelicidad... desconveniencia:* se refiere a los desmanes que solían
provocar los soldados por las villas que cruzaban, tema frecuente en los escritores
de la época.   429 *Rey... tabernera:* una atracción común de la época era ver saltar a
los perrillos que llevaban los ciegos, quienes decían: «¡Salta por el Rey de
Francia!»; luego gritaban: «¡Salta por la mala tabernera!»; y el perro no saltaba.
430 *hacer corvetas:* caminar sobre las patas traseras, dejando las manos al aire.
431 *atahona:* molino.

(71) Nueva referencia al episodio que debería de haber contado al
principio (véase **53**).

figura de perro el que las hacía.[432] Púsome nombre del «perro sabio», y no habíamos llegado al alojamiento cuando, tocando su atambor, andaba por todo el lugar pregonando que todas las personas que quisiesen venir a ver las maravillosas gracias y habilidades del perro sabio, en tal casa, o en tal hospital, las mostraban, a ocho o a cuatro maravedís, según era el pueblo grande o chico. Con estos encarecimientos no quedaba persona en todo el lugar que no me fuese a ver, y ninguno había que no saliese admirado y contento de haberme visto. Triunfaba mi amo con la mucha ganancia, y sustentaba seis camaradas como unos reyes. La codicia y la envidia despertó en los rufianes voluntad de hurtarme, y andaban buscando ocasión para ello; que esto del ganar de comer holgando tiene muchos aficionados y golosos; por esto hay tantos titereros[433] en España, tantos que muestran retablos,[434] tantos que venden alfileres y coplas, que todo su caudal,[435] aunque le vendiesen todo, no llega a poderse sustentar un día; y con esto los unos y los otros no salen de los bodegones y tabernas en todo el año; por do me doy a entender[436] que de otra parte que de la de sus oficios sale la corriente de sus borracheras. Toda esta gente es vagamunda,[437] inútil y sin provecho; esponjas del vino y gorgojos[438] del pan.

CIPIÓN.— No más, Berganza; no volvamos a lo pasado; sigue, que se va la noche, y no querría que al salir del sol quedásemos a la sombra del silencio.

BERGANZA.— Tenle,[439] y escucha. Como sea cosa fácil añadir a lo ya inventado, viendo mi amo cuán bien sabía imitar el corcel napolitano, hízome unas cubiertas de guadamací[440] y una silla pequeña, que me acomodó en las espaldas, y sobre

---

[432] *si yo... hacía:* si yo no hubiera tenido cuidado de mostrárselo con anticipación, él habría creído que yo era un demonio con figura de perro (a causa de lo rápido que aprendía). [433] *titereros:* titiriteros. [434] *retablos:* teatro de marionetas. [435] *caudal:* hacienda y bienes. [436] *por do me doy a entender:* de donde deduzco. [437] *vagamunda:* vagabunda. [438] *gorgojos:* insectos que corroen el trigo y otras semillas. [439] *Tenle:* ten silencio. [440] *guadamací:* guardamacil. Piel de cabritilla prensada, con figuras de colores.

ella puso una figura liviana de un hombre con una lancilla de correr sortija,[441] y enseñóme a correr derechamente a una sortija que entre dos palos ponía; y el día que había de correrla pregonaba que aquel día corría sortija el perro sabio, y hacía otras nuevas y nunca vistas galanterías, las cuales de mi santiscario,[442] como dicen, las hacía, por no sacar mentiroso[443] a mi amo. Llegamos, pues, por nuestras jornadas contadas[444] a Montilla, villa del famoso y gran cristiano Marqués de Priego, señor de la casa de Aguilar y de Montilla. Alojaron a mi amo, porque él lo procuró, en un hospital; echó luego el ordinario bando, y como ya la fama se había adelantado a llevar las nuevas de las habilidades y gracias del perro sabio, en menos de una hora se llenó el patio de gente. Alegróse mi amo viendo que la cosecha iba de guilla,[445] y mostróse aquel día chacorrero[446] en demasía. Lo primero en que comenzaba la fiesta era en los saltos que yo daba por un aro de cedazo,[447] que parecía de cuba: conjurábame por las ordinarias preguntas,[448] y cuando él bajaba una varilla de membrillo que en la mano tenía era señal del salto; y cuando la tenía alta, de que me estuviese quedo.[449] El primer conjuro deste día (memorable entre todos los de mi vida) fue decirme: «Ea, Gavilán amigo, salta por aquel viejo verde que tú conoces que se escabecha[450] las barbas; y si no quieres, salta por la pompa y aparato[451] de doña Pimpinela de Plafagonia, que fue compañera de la moza gallega que servía en Valdeastillas. ¿No te cuadra[452] el conjuro, hijo Gavilán? Pues salta por el bachiller Pasillas, que se firma licenciado sin tener grado alguno. ¡Oh, perezoso estás! ¿Por qué no saltas?

---

[441] *lancilla... sortija:* lanza que se utilizaba en un juego caballeresco que consistía en embocar al galope una sortija con la punta de la lanza.   [442] *santiscario:* capricho.   [443] *sacar mentiroso:* dejar por mentiroso.   [444] *por... contadas:* al cabo de unos días.   [445] *de guilla:* abundante.   [446] *chacorrero:* chocarrero (véase nota 416).   [447] *cedazo:* instrumento compuesto de un aro de madera cerrado con tela o malla para separar los pedazos finos que la atraviesan de los gruesos, que quedan sobre ella.   [448] *conjurábame... preguntas:* véase nota 429.   [449] *quedo:* quieto.   [450] *se escabecha:* se tiñe.   [451] *aparato:* adornos.   [452] *cuadra:* agrada.

Pero ya entiendo y alcanzo tus marrullerías:[453] ahora salta
por el licor[454] de Esquivias, famoso al par del de Ciudad Real,
San Martín y Ribadavia». Bajó la varilla y salté yo, y noté sus
malicias y malas entrañas. Volvióse luego al pueblo, y en voz
alta dijo: «No piense vuesa merced, senado valeroso,[455] que
es cosa de burla lo que este perro sabe: veinte y cuatro piezas
le tengo enseñadas, que por la menor dellas volaría un gavilán; quiero decir que por ver la menor se pueden caminar
treinta leguas. Sabe bailar la zarabanda y chacona[456] mejor
que su inventora misma; bébese una azumbre[457] de vino sin
dejar gota; entona un *sol fa mi re* tan bien como un sacristán;
todas estas cosas, y otras muchas que me quedan por decir,
las irán viendo vuesas mercedes en los días que estuviere aquí
la compañía; y por ahora dé otro salto nuestro sabio, y luego
entraremos en lo grueso».[458] Con esto suspendió el auditorio que había llamado senado, y les encendió el deseo de no
dejar de ver todo lo que yo sabía.[(72)] Volvióse a mí mi amo y
dijo: «Volved, hijo Gavilán, y con gentil[459] agilidad y destreza
deshaced los saltos que habéis hecho; pero ha de ser a devoción de la famosa hechicera que dicen que hubo en este
lugar». Apenas hubo dicho esto, cuando alzó la voz la hospitalera, que era una vieja, al parecer, de más de sesenta años,
diciendo: «¡Bellaco, charlatán, embaidor[460] y hijo de puta,
aquí no hay hechicera alguna! Si lo decís por la Camacha,[(73)]

---

[453] *marrullerías*: astucias, cautelas.   [454] *licor*: vino.   [455] *senado valeroso*: pueblo.
[456] *la zarabanda y chacona*: bailes populares. [457] *azumbre*: medida de capacidad para
líquidos. [458] *lo grueso*: lo mejor. [459] *gentil*: briosa. [460] *embaidor*: embustero.

(72) Este encarecimiento recuerda a los que lleva a cabo el alférez
Campuzano al comienzo del relato de su casamiento y al presentar
el *Coloquio*. El Saffar ha querido ver en él un reflejo del propio
Campuzano, que como este atambor, es mitad soldado mitad artista, y
usa como él su ingenio para sobrevivir.
(73) Entramos en el episodio de la hechicera Cañizares, al que debemos prestar mucha atención a juzgar por las advertencias que nos proporciona el texto: está situado en el centro geométrico del *Coloquio* (el

ya ella pagó su pecado, y está donde Dios se sabe; si lo decís por mí, chacorrero,[461] ni yo soy ni he sido hechicera en mi vida; y si he tenido fama de haberlo sido, merced a los testigos falsos, y a la ley del encaje,[462] y al juez arrojadizo[463] y mal informado; ya sabe todo el mundo la vida que hago, en penitencia, no de los hechizos que no hice, sino de otros muchos pecados, otros que como pecadora he cometido. Así que, socarrón[464] tamborilero, salid del hospital: si no, por vida de mi santiguada[465] que os haga salir más de paso».[466] Y con esto, comenzó a dar tantos gritos y a decir tantas y tan atropelladas injurias a mi amo, que le puso en confusión y sobresalto;[(74)] finalmente, no dejó que pasase adelante la fiesta en ningún modo. No le pesó a mi amo del alboroto, porque se quedó con los dineros y aplazó para otro día y en otro hospital lo que en aquél había faltado. Fuese la gente maldiciendo a la vieja, añadiendo al nombre de hechicera el de bruja, y el de barbuda sobre vieja. Con todo esto, nos quedamos en el hospital aquella noche; y encontrándome la vieja en el corral solo, me dijo: «¿Eres tú, hijo Montiel? ¿Eres tú, por ventura, hijo?». Alcé la cabeza y miréla muy de espacio;[467] lo cual visto por ella, con lágrimas en los ojos se vino a mí, y me echó los brazos al cuello, y si la dejara me besara en la boca; pero tuve asco y no lo consentí.

CIPIÓN.— Bien hiciste; porque no es regalo, sino tormento, el besar ni dejar besarse de una vieja.

　461　*chacorrero:* chocarrero (véase nota 416).　462　*ley del encaje:* resolución arbitraria que toma un juez sin atender a lo que dictan las leyes.　463　*arrojadizo:* temerario.　464　*socarrón:* bellaco.　465　*por... santiguada:* por la cruz, con seguridad.　466　*de paso:* deprisa.　467　*de espacio:* despacio.

sexto de once episodios) y además Berganza se ha referido a él en cuatro ocasiones a lo largo de su historia.

(74) Como vemos, la hechicera se toma muy en serio lo que para el atambor (reflejo, no lo olvidemos, del alférez Campuzano) es sólo pasatiempo y, desde luego, un modo de ganarse la vida. ¿no reacciona de manera semejante el licenciado Peralta, cuando Campuzano le asegura haber oído hablar a los dos perros?

BERGANZA.— Esto que ahora te quiero contar te lo había de haber dicho al principio de mi cuento, y así excusáramos la admiración que nos causó el vernos con habla. Porque has de saber que la vieja me dijo: «Hijo Montiel, vente tras mí, y sabrás mi aposento, y procura que esta noche nos veamos a solas en él, que yo dejaré abierta la puerta; y sabe que tengo muchas cosas que decirte de tu vida y para tu provecho».[75] Bajé yo la cabeza en señal de obedecerla, por lo cual ella se acabó de enterar en que yo era el perro Montiel que buscaba, según después me lo dijo. Quedé atónito y confuso, esperando la noche, por ver en lo que paraba aquel misterio o prodigio de haberme hablado la vieja; y como había oído llamarla de hechicera, esperaba de su vista y habla[468] grandes cosas. Llegóse, en fin, el punto de verme con ella en su aposento, que era escuro,[469] estrecho y bajo, y solamente claro con la débil luz de un candil de barro que en él estaba; atizóle[470] la vieja, y sentóse sobre una arquilla,[471] y llegóme junto a sí,[472] y, sin hablar palabra, me volvió a abrazar, y yo volví a tener cuenta[473] con que no me besase. Lo primero que me dijo fue:

---

[468] *vista y habla:* visita y conversación. [469] *escuro:* oscuro. [470] *atizóle:* limpió la mecha del candil para que luciese bien. [471] *arquilla:* diminutivo de *arca*, caja con tapa plana sujeta con goznes. [472] *llegóme junto a sí:* me acercó a ella. [473] *cuenta:* cuidado.

---

(75) Otro aspecto que distingue al episodio de la hechicera Cañizares de los demás (y que, por tanto, nos obliga a prestarle atención especial) es que se trata del único en el que habla un narrador diferente de Berganza. En los episodios anteriores y en los que restan por venir, la vida de Berganza llega hasta Cipión (hasta Peralta y hasta nosotros) mediante las palabras del perro. En este episodio, sin embargo, la bruja le arrebata la voz y se erige en narradora, de modo que la vida de Berganza llega al propio Berganza, a Cipión, a Peralta y a nosotros mediante las palabras de la Cañizares. De otro modo: en este episodio Berganza pasa de ser narrador a ser receptor o, si se quiere, lector. Se establece una equivalencia entre Campuzano (que relata para Peralta), Berganza (que relata para Cipión) y Cañizares (que relata para Berganza). Nótese además que la conversación, como era de esperar, sucede por la noche.

«Bien esperaba yo en el cielo[474] que antes que estos mis ojos se cerrasen con el último sueño te había de ver, hijo mío, y ya que te he visto, venga la muerte y lléveme desta cansada vida. Has de saber, hijo, que en esta villa vivió la más famosa hechicera que hubo en el mundo, a quien llamaron la Camacha de Montilla;[475] fue tan única en su oficio, que las Eritos, Circes, las Medeas,[476] de quien he oído decir que están las historias llenas, no la igualaron. Ella congelaba[477] las nubes cuando quería, cubriendo con ellas la faz del sol, y cuando se le antojaba, volvía sereno el más turbado cielo; traía los hombres en un instante de lejas[478] tierras; remediaba maravillosamente las doncellas que habían tenido algún descuido en guardar su entereza;[479] cubría a las viudas de modo que con honestidad fuesen deshonestas; descasaba las casadas, y casaba las que ella quería. Por diciembre tenía rosas frescas en su jardín y por enero segaba trigo. Esto de hacer nacer berros en una artesa[480] era lo menos que ella hacía, ni el hacer ver en un espejo, o en la uña de una criatura, los vivos o los muertos que le pedían que mostrase. Tuvo fama que convertía los hombres en animales, y que se había servido de un sacristán seis años, en forma de asno, real y verdaderamente, lo que yo nunca he podido alcanzar cómo se haga, porque lo que se dice de aquellas antiguas magas, que convertían los hombres en bestias, dicen los que más saben que no era otra cosa sino que ellas, con su mucha hermosura y con sus halagos, atraían los hombres de manera a que las quisiesen bien, y los sujetaban de suerte, sirviéndose dellos en todo cuanto querían, que parecían bestias.[(76)]

---

474 *esperaba... cielo:* tenía esperanza. 475 *Camacha de Montilla:* véase nota 126. 476 *las Eritos... Medeas:* célebres brujas literarias, que aparecen en la *Farsalia* de Lucano la primera, y en *La Odisea* las últimas. 477 *congelaba:* solidificaba. 478 *lejas:* lejanas. 479 *remediaba... entereza:* reconstruía hímenes. 480 *artesa:* recipiente de madera.

---

(76) La referencia a la mujer que con su mucha belleza convierte —en sentido figurado, como reconoce la propia Cañizares— a los hombres

Pero en ti, hijo mío, la experiencia me muestra lo contrario: que sé que eres persona racional y te veo en semejanza de perro, si ya no es que esto se hace con aquella ciencia que llaman *tropelía*,[481] que hace parecer una cosa por otra.[(77)] Sea lo que fuere, lo que me pesa es que yo ni tu madre, que fuimos discípulas de la buena Camacha, nunca llegamos a saber tanto como ella; y no por falta de ingenio, ni de habilidad, ni de ánimo, que antes nos sobraba que faltaba, sino por sobra de su malicia, que nunca quiso enseñarnos las cosas mayores, porque las reservaba para ella.

»Tu madre, hijo, se llamó la Montiela, que después de la Camacha fue famosa; yo me llamo la Cañizares, si ya no tan sabia como las dos, a lo menos de tan buenos deseos como cualquiera dellas. Verdad es que al ánimo que tu madre tenía de hacer y entrar en un cerco y encerrarse en él con una legión de demonios no le hacía ventaja la misma Camacha. Yo fui siempre algo medrosilla;[482] con conjurar media legión me contentaba; pero, con paz sea dicho de entrambas,[483] en esto de conficionar[484] las unturas con que las brujas nos untamos, a ninguna de las dos diera ventaja, ni la daré a cuantas hoy siguen y guardan nuestras reglas. Que has de saber, hijo, que como yo he visto y veo que la vida, que corre sobre las ligeras alas del tiempo, se acaba, he querido dejar todos los vicios de la hechicería en que estaba engolfada muchos años había,[485] y sólo me he quedado con la curiosidad[486] de ser bruja, que

---

481 *tropelía:* véase la Introducción.   482 *medrosilla:* miedosilla.   483 *entrambas:* ambas.   484 *conficionar:* confeccionar.   485 *estaba... había:* estaba metida desde hacía muchos años.   486 *curiosidad:* diligencia, aplicación cuidado.

en bestias nos remite al casamiento engañoso de Campuzano. El Alférez también fue atraído y sujetado por doña Estefanía, a quien estuvo sirviendo. Su avaricia y su lujuria hicieron de él una bestia. Esto mismo debió de pensar el Alférez mientras escuchaba (o imaginaba) el coloquio que nosotros leemos ahora.

(77) Éste es el episodio que sirve de base a una interpretación del *Coloquio* en términos de tropelía y eutrapelia (véase la Introducción).

es un vicio dificultosísimo de dejar. Tu madre hizo lo mismo: de muchos vicios se apartó; muchas buenas obras hizo en esta vida; pero al fin murió bruja, y no murió de enfermedad alguna, sino de dolor de que supo que la Camacha, su maestra, de envidia que la tuvo porque se le iba subiendo a las barbas en saber tanto como ella, o por otra pendenzuela[487] de celos, que nunca pude averiguar, estando tu madre preñada, y llegándose la hora del parto,[488] fue su comadre la Camacha, la cual recibió en sus manos lo que tu madre parió, y mostróle que había parido dos perritos; y así como los vio, dijo: "¡Aquí hay maldad, aquí hay bellaquería! Pero, hermana Montiela, tu amiga soy; yo encubriré este parto, y atiende tú a estar sana, y haz cuenta que esta tu desgracia queda sepultada en el mismo silencio; no te dé pena alguna este suceso, que ya sabes tú que puedo yo saber que si no es con Rodríguez, el ganapán[489] tu amigo, días ha que no tratas con otro; así que este perruno parto de otra parte viene y algún misterio contiene". Admiradas quedamos tu madre y yo, que me hallé presente a todo, del extraño suceso. La Camacha se fue y se llevó los cachorros; yo me quedé con tu madre para asistir a su regalo,[490] la cual no podía creer lo que le había sucedido.[78] Llegóse el fin de la Camacha, y estando en la última hora de su vida llamó a tu madre y le dijo cómo ella había convertido a sus hijos en perros por cierto enojo que con ella tuvo; pero que no tuviese pena; que ellos volverían a su ser cuando menos lo pensasen; mas

---

487 *pendenzuela:* disputa pequeña.   488 *la Camacha... parto:* anacoluto. El Sintagma Nominal (sujeto) «la Camacha» queda sin sintagma verbal.   489 *ganapán:* el mozo pobre que trabaja —normalmente de recadero— a cambio de comida.   490 *asistir a su regalo:* ayudar a su descanso.

(78) Acaba de aparecer un nuevo narrador, la Camacha, quien relata a la Montiela y a la Cañizares la historia de que aquélla ha parido dos perros. El suceso es lo sufcentemente «extraño» como para que Montiela y Cañizares, las receptoras (las lectoras), queden «admiradas». Sin embargo, para Montiela el suceso es inverosímil y no lo cree.

que no podía ser primero que ellos por sus mismos ojos viesen lo siguiente:

> Volverán en su forma verdadera
> cuando vieren con presta diligencia
> derribar los soberbios levantados,
> y alzar a los humildes abatidos
> por poderosa mano para hacello.[491]

»Esto dijo la Camacha a tu madre al tiempo de su muerte,
como ya te he dicho. Tomólo tu madre por escrito y de
memoria, y yo lo fijé en la mía para si sucediese tiempo
de poderlo decir a alguno de vosotros; y para poder conoce-
ros, a todos los perros que veo de tu color los llamo con el
nombre de tu madre, no por pensar que los perros han de
saber el nombre, sino por ver si respondían a ser llamados
tan diferentemente como se llaman los otros perros. Y esta
tarde, como te vi hacer tantas cosas, y que te llaman el *perro
sabio,* y también cómo alzaste la cabeza a mirarme cuando te
llamé en el corral, he creído que tú eres hijo de la Montiela,
a quien con grandísimo gusto doy noticia de tus sucesos y del
modo con que has de cobrar tu forma primera; el cual modo
quisiera yo que fuera tan fácil como el que se dice de
Apuleyo en *El asno de oro,* que consistía en sólo comer una
rosa;[492] pero éste tuyo va fundado en acciones ajenas, y no en
tu diligencia. Lo que has de hacer, hijo, es encomendarte a
Dios allá en tu corazón, y espera que éstas, que no quiero lla-
marlas profecías, sino adivinanzas, han de suceder presto y
prósperamente; que pues la buena de la Camacha las dijo,
sucederán sin duda alguna, y tú y tu hermano, si es vivo, os
veréis como deseáis.

»De lo que a mí me pesa es que estoy tan cerca de mi aca-
bamiento que no tendré lugar de verlo. Muchas veces he

---

491 *hacello:* hacerlo.   492 *El asno de oro:* famosa novela de Lucio Apuleyo, en la que
el protagonista convertido en asno recupera su ser al comer una rosa. Escrita en latín,
se tradujo al castellano en 1513 y tuvo gran influencia en la literatura española.

querido preguntar a mi cabrón[493] qué fin tendrá vuestro suceso; pero no me he atrevido, porque nunca a lo que le preguntamos responde a derechas, sino con razones torcidas y de muchos sentidos. Así, que a este nuestro amo y señor no hay que preguntarle nada, porque con una verdad mezcla mil mentiras; y a lo que yo he colegido de sus respuestas, él no sabe nada de lo por venir ciertamente, sino por conjeturas. Con todo esto, nos trae tan engañadas a las que somos brujas, que, con hacernos mil burlas, no le podemos dejar. Vamos a verle muy lejos de aquí, a un gran campo, donde nos juntamos infinidad de gente, brujos y brujas, y allí nos da de comer desabridamente, y pasan otras cosas que en verdad y en Dios y en mi ánima[494] que no me atrevo a contarlas, según son sucias y asquerosas, y no quiero ofender tus castas orejas. Hay opinión que no vamos a estos convites sino con la fantasía en la cual nos representa el demonio las imágenes de todas aquellas cosas que después contamos que nos han sucedido. Otros dicen que no, sino que verdaderamente vamos en cuerpo y en ánima; y entrambas[495] opiniones tengo para mí que son verdaderas, puesto que nosotras no sabemos cuándo vamos de una o de otra manera, porque todo lo que nos pasa en la fantasía es tan intensamente que no hay diferenciarlo de cuando vamos real y verdaderamente. Algunas experiencias desto han hecho los señores inquisidores con algunas de nosotras que han tenido presas, y pienso que han hallado ser verdad lo que digo.

»Quisiera yo, hijo, apartarme deste pecado, y para ello he hecho mis diligencias:[496] heme acogido a ser hospitalera; curo a los pobres, y algunos se mueren que me dan a mí la vida con lo que me mandan o con lo que se les queda entre los remiendos, por el cuidado que yo tengo de espulgarlos los vestidos;[497] rezo poco, y en público; murmuro mucho, y

---

[493] *cabrón:* demonio. [494] *en Dios y en mi ánima:* por Dios y por mi alma. [495] *entrambas:* ambas. [496] *diligencias:* medios para conseguir un fin. [497] *espulgarlos los vestidos:* quitar todo lo que haya de valor en los vestidos.

en secreto; vame mejor con ser hipócrita que con ser pecadora declarada: las apariencias de mis buenas obras presentes van borrando en la memoria de los que me conocen las
malas obras pasadas. En efeto:[498] la santidad fingida no hace
daño a ningún tercero, sino al que la usa. Mira, hijo Montiel,
este consejo te doy: que seas bueno en todo cuanto pudieres;
y si has de ser malo, procura no parecerlo en todo cuanto
pudieres. Bruja soy, no te lo niego; bruja y hechicera fue tu
madre, que tampoco te lo puedo negar; pero las buenas apariencias de las dos podían acreditarnos en todo el mundo.
Tres días antes que muriese habíamos estado las dos en un
valle de los Montes Perineos[499] en una gran gira;[500] y con todo
eso, cuando murió fue con tal sosiego y reposo, que si no fueron algunos visajes[501] que hizo un cuarto de hora antes que
rindiese el alma, no parecía sino que estaba en aquélla[502]
como en un tálamo de flores. Llevaba atravesados en el corazón sus dos hijos, y nunca quiso, aun en el artículo de la
muerte,[503] perdonar a la Camacha: tal era ella de entera y
firme en sus cosas. Yo le cerré los ojos; y fui con ella hasta la
sepultura; allí la dejé para no verla más, aunque no tengo
perdida la esperanza de verla antes que me muera, porque se
ha dicho por el lugar que la han visto algunas personas andar
por los cimenterios[504] y encrucijadas en diferentes figuras,[505]
y quizá alguna vez la toparé yo, y le preguntaré si manda que
haga alguna cosa en descargo de su conciencia».

»Cada cosa destas que la vieja me decía en alabanza de la
que decía ser mi madre era una lanzada que me atravesaba el
corazón, y quisiera arremeter a ella y hacerla pedazos entre
los dientes; y si lo dejé de hacer fue porque no le tomase la
muerte en tan mal estado. Finalmente, me dijo que aquella
noche pensaba untarse para ir a uno de sus usados convites,
y que cuando allá estuviese pensaba preguntar a su dueño

---

[498] *En efeto:* en efecto.   [499] *Montes Perineos:* Pirineos.   [500] *gira:* aquelarre, fiesta
de brujas.   [501] *visajes:* gestos.   [502] *en aquélla:* en aquella hora, en la hora de la
muerte.   [503] *el artículo de la muerte:* al borde de la muerte.   [504] *cimenterios:* cemen-
terios.   [505] *en diferentes figuras:* la Montiela se aparece con formas diferentes.

algo de lo que estaba por sucederme. Quisiérale yo preguntar qué unturas eran aquellas que decía, y parece que me leyó el deseo, pues respondió a mi intención como si se lo hubiera preguntado, pues dijo:

"Este ungüento con que las brujas nos untamos es compuesto de jugos de yerbas en todo extremo fríos, y no es, como dice el vulgo, hecho con la sangre de los niños que ahogamos. Aquí pudieras también preguntarme qué gusto o provecho saca el demonio de hacernos matar las criaturas tiernas, pues sabe que estando bautizadas, como inocentes y sin pecado, se van al cielo, y él recibe pena particular con cada alma cristiana que se le escapa; a lo que no te sabré responder otra cosa sino lo que dice el refrán: 'que tal hay que[506] se quiebra dos ojos porque su enemigo se quiebre uno'; y por la pesadumbre que da a sus padres matándoles los hijos, que es la mayor que se puede imaginar. Y lo que más le importa es hacer que nosotras cometamos a cada paso tan cruel y perverso pecado; y todo esto lo permite Dios por nuestros pecados, que sin su permisión yo he visto por experiencia que no puede ofender el diablo a una hormiga; y es tan verdad esto, que rogándole yo una vez que destruyese una viña de un mi enemigo, me respondió que ni aun tocar a una hoja della no podía, porque Dios no quería; por lo cual podrás venir a entender cuando seas hombre que todas las desgracias que vienen a las gentes, a los reinos, a las ciudades y a los pueblos; las muertes repentinas, los naufragios, las caídas, en fin, todos los males que llaman de daño, vienen de la mano del Altísimo y de su voluntad permitente; y los daños y males que llaman de culpa vienen y se causan por nosotros mismos. Dios es impecable;[507] de do[508] se infiere que nosotros somos autores del pecado, formándole en la intención, en la palabra y en la obra, todo permitiéndolo Dios por nuestros pecados, como ya he dicho. Dirás tú ahora, hijo, si es que acaso

---

506 *que tal hay que:* que hay quien.   507 *impecable:* que no puede pecar. 508 *do:* donde.

me entiendes, que quién me hizo a mí teóloga, y aun quizá
dirás entre ti: '¡Cuerpo de tal[509] con la puta vieja! ¿Por qué no
deja de ser bruja, pues sabe tanto, y se vuelve a Dios, pues
sabe que está más pronto[510] a perdonar pecados que a per-
mitirlos?'. A esto te respondo, como si me lo preguntaras,
que la costumbre del vicio se vuelve en naturaleza,[511] y éste
de ser brujas se convierte en sangre y carne, y en medio de
su ardor, que es mucho, trae un frío que pone en el alma tal,
que la resfría y entorpece aun en la fe, de donde nace un
olvido de sí misma, y ni se acuerda de los temores con que
Dios la amenaza ni de la gloria con que la convida; y, en
efeto,[512] como es pecado de carne y de deleites, es fuerza que
amortigüe[513] todos los sentidos, y los embelese y absorte, sin
dejarlos usar sus oficios[514] como deben; y así, quedando el
alma inútil, floja y desmazalada,[515] no puede levantar la
consideración siquiera a tener algún buen pensamiento; y
así, dejándose estar sumida en la profunda sima de su miseria, no quiere alzar la mano a la de Dios, que se la está dando,
por sola su misericordia, para que se levante. Yo tengo una
destas almas que te he pintado: todo lo veo y todo lo entiendo, y como el deleite me tiene echados grillos[516] a la voluntad, siempre he sido y seré mala.

"Pero dejemos esto y volvamos a lo de las unturas; y digo
que son tan frías, que nos privan de todos los sentidos en
untándonos con ellas, y quedamos tendidas y desnudas en el
suelo, y entonces dicen que en la fantasía pasamos todo
aquello que nos parece pasar verdaderamente. Otras veces,
acabadas de untar, a nuestro parecer, mudamos forma, y con-
vertidas en gallos, lechuzas o cuervos, vamos al lugar donde
nuestro dueño[517] nos espera, y allí cobramos nuestra primera forma y gozamos de los deleites que te dejo de decir, por
ser tales que la memoria se escandaliza en acordarse dellos,

---

[509] *¡Cuerpo de tal:* juramento.   [510] *pronto:* dispuesto.   [511] *costumbre... naturaleza:* el
hábito vicioso se convierte en necesidad.   [512] *en efeto:* en efecto.   [513] *amortigüe:*
apague.   [514] *usar sus oficios:* funcionen.   [515] *desmazalada:* floja, caída.   [516] *grillos:*
grilletes.   [517] *dueño:* el demonio.

y así la lengua huye de contarlos; y con todo esto soy bruja, y cubro con la capa de la hipocresía todas mis muchas faltas. Verdad es que si algunos me estiman y honran por buena, no faltan muchos que me dicen, no dos dedos del oído,[518] el nombre de las fiestas,[519] que es el que les imprimió la furia de un juez colérico que en los tiempos pasados tuvo que ver[520] conmigo y con tu madre, depositando su ira en las manos de un verdugo que, por no estar sobornado, usó de toda su plena potestad[521] y rigor con nuestras espaldas. Pero esto ya pasó, y todas las cosas se pasan; las memorias se acaban, las vidas no vuelven, las lenguas se cansan, los sucesos nuevos hacen olvidar los pasados. Hospitalera soy; buenas muestras doy de mi proceder; buenos ratos me dan mis unturas; no soy tan vieja que no pueda vivir un año, puesto que tengo setenta y cinco; y ya que no puedo ayunar, por la edad; ni rezar, por los vaguidos;[522] ni andar romerías, por la flaqueza de mis piernas; ni dar limosna, porque soy pobre; ni pensar en bien, porque soy amiga de murmurar, y para haberlo de hacer es forzoso pensarlo primero, así que siempre mis pensamientos han de ser malos; con todo esto sé que Dios es bueno y misericordioso y que Él sabe lo que ha de ser de mí, y basta. Y quédese aquí esta plática, que verdaderamente me entristece. Ven, hijo, y verásme untar; que todos los duelos con pan son buenos;[523] el buen día, meterle en casa,[524] pues mientras se ríe no se llora; quiero decir que aunque los gustos que nos da el demonio son aparentes y falsos, todavía nos parecen gustos, y el deleite mucho mayor es imaginado que gozado, aunque en los verdaderos gustos debe de ser al contrario".

»Levantóse en diciendo esta larga arenga,[525] y tomando el candil se entró en otro aposentillo más estrecho; seguíla combatido de[526] mil varios pensamientos y admirado de lo

---

[518] *no dos dedos del oído:* cerca del oído.   [519] *me dicen... fiestas:* me insultan.   [520] *tuvo que ver:* tuvo relaciones sexuales.   [521] *potestad:* poder.   [522] *vaguidos:* vahído, desvanecimiento.   [523] *todos... buenos:* variante del refrán: «Los duelos con pan son menos».   [524] *el buen... casa:* refrán que da a entender que no hay que dejar pasar la ocasión.   [525] *arenga:* discurso.   [526] *combatido de:* instado, estrechado por.

que había oído y de lo que esperaba ver. Colgó la Cañizares
el candil de la pared, y con mucha priesa[527] se desnudó hasta
la camisa, y sacando de un rincón una olla vidriada, metió en
ella la mano, y murmurando entre dientes, se untó desde los
pies a la cabeza, que tenía sin toca.[528] Antes que se acabase de
untar me dijo que, ora se quedase su cuerpo en aquel aposento, sin sentido; ora[529] desapareciese dél, que no me espan-
tase, ni dejase de aguardar allí hasta la mañana, porque
sabría las nuevas[530] de lo que me quedaba por pasar hasta ser
hombre. Díjele bajando la cabeza que sí haría, y con esto
acabó su untura, y se tendió en el suelo como muerta. Llegué
mi boca a la suya, y vi que no respiraba poco ni mucho.

»Una verdad te quiero confesar, Cipión amigo: que me dio
gran temor verme encerrado en aquel estrecho aposento con
aquella figura delante, la cual te la pintaré como mejor supie-
re. Ella era larga de más de siete pies; toda era notomía[531] de
huesos, cubiertos con una piel negra, vellosa y curtida; con la
barriga, que era de badana,[532] se cubría las partes deshonestas, y aun le colgaba hasta la mitad de los muslos; las tetas
semejaban dos vejigas de vaca secas y arrugadas; denegridos[533] los labios, traspillados[534] los dientes, la nariz corva y
entablada,[535] desencasados[536] los ojos, la cabeza desgreñada,[537] las mejillas chupadas, angosta la garganta y los pechos
sumidos; finalmente, toda era flaca y endemoniada. Púseme
de espacio[538] a mirarla, y apriesa[539] comenzó a apoderarse de
mí el miedo, considerando la mala visión de su cuerpo y la
peor ocupación de su alma. Quise morderla, por ver si volvía
en sí, y no hallé parte en toda ella que el asco no me lo estorbase; pero, con todo esto, la así de un carcaño[540] y la saqué
arrastrando al patio; mas ni por esto dio muestras de tener

---

[527] *priesa:* prisa.   [528] *toca:* adorno para cubrir la cabeza, hecho con tela delgada.
[529] *ora... ora:* bien... bien.   [530] *nuevas:* noticias.   [531] *notomía:* esqueleto.   [532] *badana:* la piel del carnero curtida.   [533] *denegridos:* de color negro.   [534] *traspillados:*
debilitados.   [535] *corva y entablada:* torcida y puesta entre tablillas.   [536] *desencasados:*
desencajados.   [537] *desgreñada:* despeinada.   [538] *de espacio:* despacio.   [539] *apriesa:*
aprisa.   [540] *carcaño:* calcañar. La parte posterior de la planta del pie.

sentido. Allí, con mirar el cielo y verme en parte ancha, se me quitó el temor; a lo menos, se templó de manera que tuve ánimo de esperar a ver en lo que paraba la ida y vuelta de aquella mala hembra y lo que me contaba de mis sucesos. En esto me preguntaba yo a mí mismo: "¿Quién hizo a esta mala vieja tan discreta[541] y tan mala? ¿De dónde sabe ella cuáles son males de daño y cuáles de culpa? ¿Cómo entiende y habla tanto de Dios y obra tanto del diablo? ¿Cómo peca tan de malicia no excusándose con ignorancia?".[542]

»En estas consideraciones se pasó la noche y se vino el día, que nos halló a los dos en mitad del patio, ella no vuelta en sí y a mí junto a ella, en cuclillas, atento, mirando su espantosa y fea catadura.[543] Acudió gente del hospital, y viendo aquel retablo,[544] unos decían: "Ya la bendita Cañizares es muerta; mirad cuán disfigurada[545] y flaca la tenía la penitencia"; otros, más considerados, la tomaron el pulso, y vieron que le tenía, y que no era muerta, por do se dieron a entender[546] que estaba en éxtasis y arrobada,[547] de puro buena. Otros hubo que dijeron: "Esta puta vieja, sin duda debe de ser bruja, y debe de estar untada; que nunca los santos hacen tan deshonestos arrobos, y hasta ahora, entre los que la conocemos, más fama tiene de bruja que de santa". Curiosos hubo que se llegaron a hincarle alfileres por las carnes, desde la punta[548] hasta la cabeza; ni por eso recordaba[549] la dormilona, ni volvió en sí hasta las siete del día; y como se sintió acribada[550] de los alfileres, y mordida de los carcañares,[551] y magullada del arrastramiento fuera de su aposento, y a vista de tantos ojos que la estaban mirando, creyó, y creyó la verdad, que yo había sido el autor de su deshonra; y así, arremetió a mí, y echándome ambas manos a la garganta, procuraba

---

[541] *discreta:* cuerda, de buen juicio.   [542] *¿Cómo... ignorancia?:* ¿Por qué comete tales pecados conscientemente, sin alegar desconocimiento? [543] *catadura:* semblante.   [544] *retablo:* escena, suceso. [545] *disfigurada:* desfigurada.   [546] *por... entender:* de donde dedujeron.   [547] *arrobada:* traspuesta, suspensa. [548] *punta:* el extremo de los pies.   [549] *recordaba:* despertaba.   [550] *acribada:* agujereada.   [551] *carcañares:* calcañar. La parte posterior de la planta del pie.

ahogarme, diciendo: "¡Oh bellaco, desagradecido, ignorante y malicioso! Y ¿es éste el pago que merecen las buenas
obras que a tu madre hice y de las que te pensaba hacer a
ti?" Yo, que me vi en peligro de perder la vida entre las uñas
de aquella fiera arpía,[552] sacudíme y asiéndole de las luengas
faldas de su vientre la zamarreé[553] y arrastré por todo el
patio: ella daba voces que la librasen de los dientes de aquel
maligno espíritu.

»Con estas razones de la mala vieja creyeron los más que
yo debía de ser algún demonio de los que tienen ojeriza con-
tinua con los buenos cristianos, y unos acudieron a echarme
agua bendita, otros no osaban llegar a quitarme, otros daban
voces que me conjurasen; la vieja gruñía; yo apretaba los
dientes; crecía la confusión, y mi amo, que ya había llegado
al ruido, se desesperaba oyendo decir que yo era demonio.
Otros, que no sabían de exorcismos, acudieron a[554] tres
o cuatro garrotes, con los cuales comenzaron a santiguarme[555]
los lomos; escocióme la burla, solté la vieja, y en tres saltos me
puse en la calle, y en pocos más salí de la villa, perseguido de
una infinidad de muchachos, que iban a grandes voces
diciendo: "¡Apártense, que rabia el perro sabio!". Otros decían:
"¡No rabia, sino que es demonio en figura de perro!". Con
este molimiento, a campana herida[556] salí del pueblo,
siguiéndome muchos que indubitablemente[557] creyeron que
era demonio, así por las cosas que me habían visto hacer
como por las palabras que la vieja dijo cuando despertó de su
maldito sueño. Dime tanta priesa[558] a huir y a quitarme
delante de sus ojos, que creyeron que me había desparecido[559]
como demonio; en seis horas anduve doce leguas, y llegué a un
rancho de gitanos que estaba en un campo junto a Granada.
Allí me reparé[560] un poco, porque algunos de los gitanos me
conocieron por el perro sabio, y con no pequeño gozo

---

[552] *arpía*: ave de rapia imaginaria con cabeza de mujer.   [553] *zamarreé*: sacudí.
[554] *acudieron a*: cogieron.   [555] *santiguarme*: maltratarme, castigarme.   [556] *a campana herida*: con gran prisa.   [557] *indubitablemente*: sin duda.   [558] *priesa*: prisa.   [559] *desparecido*: desaparecido.   [560] *reparé*: detuve.

me acogieron y escondieron en una cueva, porque[561] no me hallasen si fuese buscado, con intención, a lo que después entendí, de ganar conmigo como lo hacía el atambor mi amo. Veinte días estuve con ellos, en los cuales supe y noté[562] su vida y costumbres, que por ser notables es forzoso que te las cuente.

CIPIÓN.— Antes, Berganza, que pases adelante, es bien que reparemos en lo que te dijo la bruja y averigüemos si puede ser verdad la grande mentira a quien das crédito. Mira, Berganza, grandísimo disparate sería creer que la Camacha mudase los hombres en bestias y que el sacristán en forma de jumento[563] la sirviese los años que dicen que la sirvió. Todas estas cosas y las semejantes son embelecos,[564] mentiras o apariencias del demonio; y si a nosotros nos parece ahora que tenemos algún entendimiento y razón, pues hablamos siendo verdaderamente perros, o estando en su figura, ya hemos dicho que éste es caso portentoso y jamás visto, y que aunque le tocamos con las manos, no le habemos de dar crédito hasta tanto que el suceso dél nos muestre lo que conviene que creamos. ¿Quiéreslo ver más claro? Considera en cuán vanas cosas y en cuán tontos puntos dijo la Camacha que consistía nuestra restauración; y aquellas que a ti te deben parecer profecías no son sino palabras de consejas[565] o cuentos de viejas, como aquellos del caballo sin cabeza y de la varilla de virtudes, con que se entretienen al fuego las dilatadas noches del invierno,[566] porque, a ser otra cosa, ya estaban cumplidas, si no es que sus palabras se han de tomar en un sentido, que he oído decir se llama alegórico, el cual sentido no quiere decir lo que la letra suena,[567] sino otra cosa que, aunque diferente, le haga semejanza, y así, decir:

Volverán a su forma verdadera
cuando vieren con presta diligencia

---

561 *porque:* para que. 562 *noté:* observé. 563 *jumento:* asno. 564 *embelecos:* embustes. 565 *consejas:* patrañas, fábulas. 566 *caballo... invierno:* se refiere a cuentos folclóricos relacionados con el demonio. 567 *no quiere... suena:* no es literal.

derribar los soberbios levantados,
y alzar a los humildes abatidos
por mano poderosa para hacello,

tomándolo en el sentido que he dicho, paréceme que quiere
decir que cobraremos nuestra forma cuando viéremos que los
que ayer estaban en la cumbre de la rueda de fortuna,[568] hoy
están hollados[569] y abatidos a los pies de la desgracia y teni-
dos en poco de aquellos que más los estimaban. Y asimismo,
cuando viéremos que otros que no ha[570] dos horas que
no tenían deste mundo otra parte que servir en él de número
que acrecentase el de las gentes,[571] y ahora están tan encum-
brados sobre la buena dicha que los perdemos de vista; y si
primero no parecían[572] por pequeños y encogidos, ahora no
los podemos alcanzar por grandes y levantados. Y si en esto
consistiera volver nosotros a la forma que dices, ya lo hemos
visto y lo vemos a cada paso; por do me doy a entender[573] que
no en el sentido alegórico, sino en el literal, se han de tomar
los versos de la Camacha; ni tampoco en éste consiste nuestro
remedio, pues muchas veces hemos visto lo que dicen y nos
estamos tan perros como ves; así, que la Camacha fue bur-
ladora falsa, y la Cañizares embustera, y la Montiela tonta,
maliciosa y bellaca, con perdón sea dicho, si acaso es nuestra madre, de entrambos[574] o tuya, que yo no la quiero tener
por madre. Digo, pues, que el verdadero sentido es un juego
de bolos,[575] donde con presta diligencia derriban los que
están en pie y vuelven a alzar los caídos, y esto por la mano
de quien lo puede hacer. Mira, pues, si en el discurso de
nuestra vida habremos visto jugar a los bolos, y si hemos visto
por esto haber vuelto a ser hombres, si es que lo somos.

---

[568] *rueda de fortuna:* véase nota 263 a *La ilustre fregona.*   [569] *hollados:* abatidos.
[570] *ha:* hace.   [571] *no tenían... gentes:* no tenían otra función en el mundo que acrecentar el número de personas.   [572] *parecían:* aparecían.   [573] *por... entender:* de
donde deduzco.   [574] *entrambos:* ambos.   [575] *juego de bolos:* juego que consiste en
lanzar una bola y derribar el mayor número de bolos, que son cilindros de madera tallados.

BERGANZA.— Digo que tienes razón, Cipión hermano, y que eres más discreto[576] de lo que pensaba; y de lo que has dicho vengo a pensar y creer que todo lo que hasta aquí hemos pasado y lo que estamos pasando es sueño, y que somos perros; pero no por esto dejemos de gozar deste bien de la habla que tenemos y de la excelencia tan grande de tener discurso humano todo el tiempo que pudiéremos; y así, no te canse el oírme contar lo que me pasó con los gitanos que me escondieron en la cueva.[(79)]

CIPIÓN.— De buena gana te escucho, por obligarte a que me escuches cuando te cuente, si el cielo fuere servido,[577] los sucesos de mi vida.

BERGANZA.— La que tuve[578] con los gitanos fue considerar en aquel tiempo sus muchas malicias, sus embaimientos[579] y embustes, los hurtos en que se ejercitan así gitanas como gitanos, desde el punto casi que salen de las mantillas[580] y saben andar. ¿Ves la multitud que hay dellos esparcida por España? Pues todos se conocen y tienen noticia los unos de los otros, y trasiegan y trasponen[581] los hurtos déstos en aquéllos y los de aquéllos en éstos. Dan la obediencia, mejor que a su rey, a uno que llaman Conde,[582] al cual, y a todos los que dél suceden, tienen el sobrenombre de Maldonado; y no porque vengan del apellido deste noble linaje, sino porque un paje de un caballero deste nombre se enamoró de una gitana, la cual no le quiso conceder su amor si no se hacía gitano y la tomaba por mujer. Hízolo así el paje, y agradó

---

[576] *discreto:* cuerdo, de buen juicio.   [577] *si... servido:* si Dios quiere.   [578] *la que tuve:* la vida que tuve.   [579] *embaimientos:* engaños.   [580] *mantillas:* piezas de tela cuadrada en las que se envuelven y abrigan los niños de pecho.   [581] *trasiegan y trasponen:* cambian de orden y lugar.   [582] *Conde:* jefe de los gitanos.

---

(79) Recuérdese que Campuzano y Peralta mostraban una actitud semejante frente a la imposibilidad de que dos perros hablasen: decidieron dejar la cuestión aparte y deleitarse con el diálogo entre los canes. La historia narrada por la Cañizares es a Cipión y Berganza lo que el *Coloquio* a Campuzano y Peralta.

tanto a los demás gitanos, que le alzaron por señor y le dieron la obediencia;[80] y como en señal de vasallaje le acuden con parte de los hurtos que hacen, como sean de importancia.[583] Ocúpanse, por dar color[584] a su ociosidad, en labrar[585] cosas de hierro, haciendo instrumentos con que facilitan sus hurtos; y así, los verás siempre traer a vender por las calles tenazas, barrenas, martillos, y ellas trébedes[586] y badiles.[587] Todas ellas son parteras, y en esto llevan ventaja a las nuestras, porque sin costa ni adherentes[588] sacan sus partos a luz,[589] y lavan las criaturas con agua fría en naciendo; y desde que nacen hasta que mueren se curten y muestran[590] a sufrir las inclemencias y rigores del cielo; y así verás que todos son alentados,[591] volteadores,[592] corredores y bailadores. Cásanse siempre entre ellos, porque[593] no salgan sus malas costumbres a ser conocidas de otros; ellas guardan el decoro a sus maridos, y pocas hay que les ofendan con otros que no sean de su generación.[594] Cuando piden limosna, más la sacan con invenciones y chocarrerías que con devociones; y a título[595] que no hay quien se fíe dellas, no sirven, y dan en ser holgazanas; y pocas o ninguna vez he visto, si mal no me acuerdo, ninguna gitana a pie de altar comulgando, puesto que muchas veces he entrado en las iglesias. Son sus pensamientos imaginar cómo han de engañar y dónde han de hurtar; confieren[596] sus hurtos y el modo que tuvieron en hacellos; y así, un día contó un gitano delante de mí a otros un engaño y hurto que un día había hecho a un labrador, y fue que el

---

583 *como... importancia:* cuando son de importancia.   584 *dar color:* embellecer, disimular.   585 *labrar:* trabajar a mano.   586 *trébedes:* trípode para sujetar recipientes sobre el fuego.   587 *badiles:* palas pequeñas para recoger la lumbre de las chimeneas y los braseros.   588 *sin costa ni adherentes:* sin fatiga ni mayores requisitos.   589 *sacan... luz:* dan a luz.   590 *muestran:* enseñan, adiestran.   591 *alentados:* animosos.   592 *volteadores:* los que voltean con habilidad.   593 *porque:* para que.   594 *generación:* raza.   595 *a título:* con razón.   596 *confieren:* consultan.

(80) Toda esta historia conecta el episodio séptimo de los gitanos (y el *Coloquio* en sí) con *La Gitanilla* (véanse **43** y **68**).

gitano tenía un asno rabón,[597] y en el pedazo de la cola que tenía sin cerdas[598] le ingirió[599] otra peluda, que parecía ser suya natural. Sacóle al mercado, comprósele un labrador por diez ducados, y en habiéndose vendido y cobrado el dinero, le dijo que si quería comprarle otro asno, hermano del mismo, y tan bueno como el que llevaba, que se le vendería por más buen precio. Respondióle el labrador que fuese por él y le trujese,[600] que él se le compraría, y que en tanto que volviese llevaría el comprado a su posada. Fuese el labrador, siguióle el gitano, y sea como sea, el gitano tuvo maña[601] de hurtar al labrador el asno que le había vendido, y al mismo instante le quitó la cola postiza, y quedó con la suya pelada; mudóle la albarda[602] y jáquima,[603] y atrevióse a ir a buscar al labrador para que se le comprase y hallóle antes que hubiese echado menos[604] el asno primero, y a pocos lances[605] compró el segundo. Fuésele a pagar a la posada, donde halló menos la bestia a la bestia;[606] y aunque lo era mucho,[607] sospechó que el gitano se le había hurtado, y no quería pagarle. Acudió el gitano por testigos, y trujo[608] a los que habían cobrado la alcabala[609] del primer jumento,[610] y juraron que el gitano había vendido al labrador un asno con una cola muy larga y muy diferente del asno segundo que vendía. A todo esto, se halló presente un alguacil, que hizo las partes[611] del gitano con tantas veras que el labrador hubo de pagar el asno dos veces.[81] Otros muchos hurtos contaron, y todos, o los más, de bestias, en quien son ellos graduados y en lo que más

---

[597] *rabón:* sin rabo con el rabo pelado.   [598] *cerdas:* pelos.   [599] *ingirió:* injertó.
[600] *trujese:* trajese.   [601] *tuvo maña:* se las ingenió.   [602] *albarda:* aparejo que se pone a los animales de carga para que puedan llevarla.   [603] *jáquima:* la cabezada del cordel que sirve para atar a los animales.   [604] *echado menos:* echado de menos.   [605] *a pocos lances:* a breve tiempo.   [606] *halló... bestia:* el labrador echó de menos al asno.   [607] *lo era mucho:* era muy bestia.   [608] *trujo:* trajo.   [609] *alcabala:* impuesto de compraventa.   [610] *jumento:* asno.   [611] *hizo las partes:* protegió los intereses.

(81) Es inevitable la conexión de este episodio con el cuarto, el del alguacil confabulado con los delincuentes.

se ejercitan. Finalmente, ella es mala gente, y aunque muchos
y muy prudentes jueces han salido contra ellos, no por eso se
enmiendan.

»A cabo de veinte días me quisieron llevar a Murcia; pasé
por Granada, donde ya estaba el capitán cuyo atambor era
mi amo; como los gitanos lo supieron, me encerraron en un
aposento del mesón, donde vivían; oíles decir la causa, no
me pareció bien el viaje que llevaban, y así, determiné sol-
tarme, como lo hice, y saliéndome de Granada di en una
huerta de un morisco[612] que me acogió de buena voluntad, y
yo quedé con mejor, pareciéndome que no me querría para
más de para guardarle la huerta, oficio, a mi cuenta,[613] de
menos trabajo que el de guardar ganado;[(82)] y como no había
allí altercar sobre tanto más cuanto al salario,[614] fue cosa fácil
hallar el morisco criado a quien mandar y yo amo a quien
servir. Estuve con él más de un mes, no por el gusto de la vida
que tenía, sino por el que me daba saber la de mi amo, y por
ella la de todos cuantos moriscos viven en España. ¡Oh cuántas
y cuáles cosas te pudiera decir, Cipión amigo, desta morisca
canalla, si no temiera no poderlas dar fin en dos semanas! Y
si las hubiera de particularizar, no acabara en dos meses;
mas, en efeto,[615] habré de decir algo; y así, oye en general lo
que yo vi y noté en particular desta buena gente.

---

612 *morisco:* musulmán convertido a la fe católica.   613 *a mi cuenta:* en mi opinión.
614 *no había... salario:* no había que negociar el salario.   615 *en efeto:* en efecto.

(82) Episodio octavo: el morisco. Nótese la referencia que hace
Berganza al de los pastores: efectivamente, a partir del episodio de la
bruja Cañizares, Berganza recorre un camino equivalente al de los dos
primeros episodios, pero con grupos situados en el exterior de la sociedad dominante. Así, los gitanos equivalen a los carniceros, en tanto en
cuanto ambos colectivos viven de dicha sociedad dominante y cuentan
con la complicidad de ciertos elementos de la justicia. La diferencia
radica en que mientras los carniceros forman parte de esa sociedad, los
gitanos están al margen. Lo mismo sucede con el morisco, que, como
los pastores, vive en el campo, fuera de la ciudad.

»Por maravilla se hallará entre tantos uno que crea derechamente en la sagrada ley cristiana; todo su intento es acuñar[616] y guardar dinero acuñado, y para conseguirle trabajan y no comen; en entrando el real en su poder, como no sea sencillo, le condenan a cárcel perpetua y a escuridad eterna;[617] de modo que ganando siempre y gastando nunca, llegan y amontonan la mayor cantidad de dinero que hay en España. Ellos son su hucha, su polilla, sus picazas[618] y sus comadrejas; todo lo llegan,[619] todo lo esconden, y todo lo tragan. Considérese que ellos son muchos y que cada día ganan y esconden poco o mucho, y que una calentura lenta acaba la vida como la de un tabardillo;[620] y como van creciendo, se van aumentando los escondedores, que crecen y han de crecer en infinito, como la experiencia lo muestra. Entre ellos no hay castidad, ni entran en religión ellos ni ellas; todos se casan, todos multiplican,[621] porque el vivir sobriamente aumenta las causas de la generación. No los consume la guerra, ni ejercicio que demasiadamente los trabaje; róbannos a pie quedo,[622] y con los frutos de nuestras heredades,[623] que nos revenden, se hacen ricos. No tienen criados, porque todos lo son de sí mismos; no gastan con sus hijos en los estudios, porque su ciencia no es otra que la del robarnos. De los doce hijos de Jacob que he oído decir que entraron en Egipto, cuando los sacó Moisés[624] de aquel cautiverio, salieron seiscientos mil varones, sin niños y mujeres; de aquí se podrá inferir lo que multiplicarán las déstos,[625] que, sin comparación, son en mayor número.

CIPIÓN.— Buscado se ha remedio para todos los daños que has apuntado y bosquejado en sombra:[626] que bien sé

---

[616] *acuñar:* ganar.   [617] *en entrando... eterna:* cuando tienen una moneda, si no es pequeña, la guardan.   [618] *picazas:* aves un poco más pequeñas que la paloma.   [619] *llegan:* reúnen.   [620] *tabardillo:* enfermedad peligrosa con fiebres muy altas.   [621] *multiplican:* se reproducen.   [622] *a pie quedo:* sin trabajo.   [623] *heredades:* tierras que se cultivan.   [624] *Moisés:* en la primera edición se lee *Moyssen.*   [625] *las déstos:* las generaciones de los moriscos.   [626] *bosquejado en sombra:* pintado sin claridad, bosquejado.

que son más y mayores los que callas que los que cuentas, y hasta ahora no se ha dado con el que conviene; pero celadores[627] prudentísimos tiene nuestra república, que considerando que España cría y tiene en su seno tantas víboras como moriscos, ayudados de Dios hallarán a tanto daño cierta, presta y segura salida. Di adelante.[628]

BERGANZA.— Como mi amo era mezquino, como lo son todos los de su casta, sustentábame con pan de mijo[629] y con algunas sobras de zahínas,[630] común sustento suyo; pero esta miseria me ayudó a llevar[631] el cielo por un modo tan extraño como el que ahora oirás. Cada mañana, juntamente con el alba, amanecía sentado al pie de un granado, de muchos que en la huerta había, un mancebo, al parecer estudiante, vestido de bayeta,[632] no tan negra ni tan peluda que no pareciese parda y tundida.[633] Ocupábase en escribir en un cartapacio,[634] y de cuando en cuando se daba palmadas en la frente y se mordía las uñas, estando mirando al cielo; y otras veces se ponía tan imaginativo,[635] que no movía pie ni mano, ni aun las pestañas; tal era su embelesamiento. Una vez me llegué junto a él sin que me echase de ver; oíle murmurar entre dientes, y al cabo de un buen espacio dio una gran voz, diciendo: «¡Vive el Señor que es la mejor octava[636] que he hecho en todos los días de mi vida!». Y escribiendo apriesa[637] en su cartapacio, daba muestras de gran contento; todo lo cual me dio a entender que el desdichado era poeta.[638] (83) Hícele mis acostumbradas caricias, por asegurarle de mi mansedumbre; echéme a sus pies, y él, con esta seguridad, prosiguió en sus pensamientos y tornó a rascarse la cabeza, y

---

627 *celadores:* los que cuidan del cumplimiento de las leyes. 628 *Di adelante:* continúa hablando. 629 *mijo:* maíz. 630 *zahínas:* sopas, gachas. 631 *llevar:* ganar. 632 *bayeta:* tejido de lana. 633 *tundida:* tela cuyos pelos han sido igualados con una tijera. 634 *cartapacio:* cuaderno. 635 *imaginativo:* pensativo. 636 *octava:* composición de ocho versos. 637 *apriesa:* deprisa. 638 *poeta:* autor teatral.

---

(83) Comienza aquí el episodio noveno, el del poeta, cuya pobreza y generosidad va a contrastar con la riqueza y avaricia del morisco.

a sus arrobos,[639] y a volver a escribir lo que había pensado. Estando en esto entró en la huerta otro mancebo, galán y bien aderezado,[640] con unos papeles en la mano, en los cuales de cuando en cuando leía; llegó donde estaba el primero y díjole: «¿Habéis acabado la primera jornada?»[641] «Ahora le di fin —respondió el poeta—, la más gallardamente que imaginarse puede». «¿De qué manera?», preguntó el segundo. «Désta —respondió el primero—: sale Su Santidad del Papa[642] vestido de pontifical,[643] con doce cardenales, todos vestidos de morado, porque cuando sucedió el caso que cuenta la historia de mi comedia era tiempo de *mutatio caparum*,[644] en el cual los cardenales no se visten de rojo, sino de morado; y así, en todas maneras conviene, para guardar la propiedad, que estos mis cardenales salgan de morado; y éste es un punto que hace mucho al caso para la comedia, y a buen seguro dieran en él,[645] y así hacen a cada paso mil impertinencias y disparates. Yo no he podido errar en esto, porque he leído todo el ceremonial romano,[646] por sólo acertar en estos vestidos».[84] «Pues ¿de dónde queréis vos —replicó el otro— que tenga mi autor[647] vestidos morados para doce cardenales?» «Pues si me quita uno tan sólo —respondió el poeta—, así le daré yo mi comedia como volar.[648] ¡Cuerpo de tal! ¿Esta apariencia tan grandiosa se ha de perder?

---

[639] *arrobos:* véase nota 547.   [640] *aderezado:* arreglado.   [641] *primera jornada:* primer acto de una comedia.   [642] *Su Santidad del Papa:* el Papa.   [643] *vestido de pontifical:* vestido de obispo.   [644] *mutatio caparum:* ceremonia cardenalicia en la que los cardenales cambian el color rojo por el morado.   [645] *dieran en él:* repararan en él. [646] *ceremonial romano:* libro en el que están descritas todas las ceremonias de la Iglesia católica.   [647] *autor:* director de la compañía o empresario teatral. [648] *así... volar:* le daré mi comedia igual que puedo volar, es decir, no se la daré.

---

(84) Cervantes se burla de esta estrecha concepción de la verosimilitud, que se basa exclusivamente en su correspondencia con la realidad. Para él la verosimilitud es un problema interno, de construcción, puramente literario en el que la realidad exterior no desempeña ningún papel. Por si lo hemos olvidado, estamos leyendo un coloquio entre dos perros.

Imaginad vos desde aquí lo que parecerá en un teatro un
Sumo Pontífice con doce graves cardenales y con otros ministros de acompañamiento que forzosamente han de traer consigo. ¡Vive el cielo que sea uno de los mayores y más altos
espectáculos que se haya visto en comedia, aunque sea la
del *Ramillete de Daraja!*»[649]

»Aquí acabé de entender que el uno era poeta y el otro
comediante. El comediante aconsejó al poeta que cercenase[650] algo de los cardenales, si no quería imposibilitar al autor
el hacer la comedia. A lo que dijo el poeta que le agradecie-
sen que no había puesto todo el cónclave[651] que se halló
junto al[652] acto memorable que pretendía traer a la memoria
de las gentes en su felicísima comedia. Rióse el recitante, y
dejóle en su ocupación por irse a la suya, que era estudiar un
papel de una comedia nueva. El poeta, después de haber
escrito algunas coplas de su magnífica comedia, con mucho
sosiego y espacio[653] sacó de la faldriquera[654] algunos mendrugos de pan y obra de[655] veinte pasas, que, a mi parecer, entiendo que se las conté, y aun estoy en duda si eran tantas, porque
juntamente con ellas hacían bulto ciertas migajas de pan
que las acompañaban. Sopló y apartó las migajas, y una a una
se comió las pasas y los palillos, porque no le vi arrojar ninguno, ayudándolas con los mendrugos, que morados con la
borra[656] de la faldriquera, parecían mohosos, y eran tan
duros de condición, que aunque él procuró enternecerlos
paseándolos por la boca una y muchas veces, no fue posible
moverlos de su terquedad; todo lo cual redundó en mi provecho, porque me los arrojó, diciendo: "¡To, to! Toma, que
buen provecho te hagan". "¡Mirad —dije entre mí— qué néc-
tar o ambrosía[657] me da este poeta, de los que ellos dicen que
se mantienen los dioses y su Apolo allá en el cielo!" En fin,

---

[649] *Ramillete de Daraja:* comedia célebre de asunto morisco, que está perdida.
[650] *cercenase:* acortase. [651] *cónclave:* asamblea de cardenales. [652] *junto al:* en el.
[653] *e spacio:* lentitud. [654] *faldriquera:* faltriquera, bolsillo. [655] *obra de:* alrededor
de. [656] *borra:* restos de lana que quedan en las telas. [657] *ambrosía:* licor con el que
se mantenían los dioses.

por la mayor parte,[658] grande es la miseria de los poetas; pero mayor era mi necesidad, pues me obligó a comer lo que él desechaba. En tanto que duró la composición de su comedia no dejó de venir a la huerta ni a mí me faltaron mendrugos, porque los repartía conmigo con mucha liberalidad,[659] y luego nos íbamos a la noria,[660] donde, yo de bruces y él con un cangilón,[661] satisfacíamos la sed como unos monarcas. Pero faltó el poeta, y sobró en mí la hambre tanto, que determiné dejar al morisco y entrarme en la ciudad a buscar ventura, que la halla el que se muda. Al entrar de la ciudad vi que salía del famoso monasterio de San Jerónimo[662] mi poeta, que como me vio se vino a mí con los brazos abiertos, y yo me fui a él con nuevas muestras de regocijo por haberle hallado. Luego al instante[663] comenzó a desembaular[664] pedazos de pan, más tiernos de los que solía llevar a la huerta, y a entregarlos a mis dientes sin repasarlos por los suyos, merced que con nuevo gusto satisfizo mi hambre. Los tiernos mendrugos y el haber visto salir a mi poeta del monasterio dicho me pusieron en sospecha de que tenía las musas vergonzantes[665] como otros muchos las tienen. Encaminóse a la ciudad, y yo le seguí con determinación de tenerle por amo si él quisiese, imaginando que de las sobras de su castillo se podía mantener mi real;[666] porque no hay mayor ni mejor bolsa que la de la caridad, cuyas liberales manos jamás están pobres, y así, no estoy bien[667] con aquel refrán que dice: "Más da el duro que el desnudo", como si el duro y avaro diese algo, como lo da el liberal desnudo, que, en efeto,[668] da el buen deseo cuando más no tiene. De lance en lance,[669] paramos

---

658 *por la mayor parte:* en su mayor número.   659 *liberalidad:* generosidad.   660 *noria:* pozo del que se saca agua.   661 *cangilón:* vaso de barro.   662 *San Jerónimo:* célebre monasterio de Granada, donde está enterrado Gonzalo Fernández de Córdoba.   663 *Luego al instante:* inmediatamente.   664 *desembaular:* sacar.   665 *tenía… vergonzantes:* pedía secretamente y con vergüenza.   666 *de las sobras… real:* lugar donde está acampado el ejército del rey. Si el poeta está, metafóricamente, en un castillo, él, que le sirve, está en el real.   667 *no estoy bien:* no estoy de acuerdo.   668 *en efeto:* en efecto.   669 *De lance en lance:* de una acción en otra.

en la casa de un autor de comedias que, a lo que me acuerdo, se llamaba Angulo el Malo,[670] de otro Angulo, no autor, sino representante,[671] el más gracioso que entonces tuvieron y ahora tienen las comedias. Juntóse toda la compañía a oír la comedia de mi amo, que ya por tal le tenía, y a la mitad de la jornada primera,[672] uno a uno y dos a dos se fueron saliendo todos, excepto el autor y yo, que servíamos de oyentes. La comedia era tal, que con ser yo un asno en esto de la poesía me pareció que la había compuesto el mismo Satanás, para total ruina y perdición del mismo poeta, que ya iba tragando saliva viendo la soledad en que el auditorio le había dejado; y no era mucho, si el alma, présaga,[673] le decía allá dentro la desgracia que le estaba amenazando, que fue volver todos los recitantes,[674] que pasaban de doce, y sin hablar palabra asieron de mi poeta, y si no fuera porque la autoridad del autor, llena de ruegos y voces, se puso de por medio, sin duda le mantearan. Quedé yo del caso pasmado; el autor, desabrido; los farsantes, alegres, y el poeta, mohíno,[675] el cual con mucha paciencia, aunque algo torcido el rostro, tomó su comedia, y encerrándosela en el seno, medio murmurando, dijo: "No es bien echar las margaritas a los puercos". Y con esto se fue con mucho sosiego. Yo, de corrido,[676] ni pude ni quise seguirle; y acertélo, a causa que el autor me hizo tantas caricias que me obligaron a que con él me quedase,[(85)] y en menos de un mes salí grande entremesista[677] y gran farsante de figuras mudas.[678] Pusiéronme un freno de orillos[679] y

---

670 *Angulo el Malo:* fue un autor o empresario teatral que existió realmente. 671 *no autor, sino representante:* no empresario, sino actor.   672 *jornada primera:* primer acto.   673 *présaga:* adivinadora.   674 *recitantes:* actores de la compañía. 675 *mohíno:* enojado, airado.   676 *corrido:* avergonzado.   677 *entremesista:* especialista en entremeses, piezas de teatro breve.   678 *farsante de figuras mudas:* actor sin texto.   679 *freno de orillos:* freno (véase nota 350) fabricado con un tipo de tela basta llamada orillo.

(85) Comienza el décimo episodio con la entrada de Berganza al servicio del empresario teatral.

enseñáronme a que arremetiese en el teatro a quien ellos querían; de modo que como los entremeses solían acabar por la mayor parte en palos, en la compañía de mi amo acababan en zuzarme,[680] y yo derribaba y atropellaba a todos, con que daba que reír a los ignorantes y mucha ganancia a mi dueño.[(86)] ¡Oh Cipión, quién te pudiera contar lo que vi en ésta y en otras dos compañías de comediantes en que anduve! Mas por no ser posible reducirlo a narración sucinta y breve, lo habré de dejar para otro día, si es que ha de haber otro día en que nos comuniquemos. ¿Ves cuán larga ha sido mi plática? ¿Ves mis muchos y diversos sucesos? ¿Consideras mis caminos y mis amos tantos? Pues todo lo que has oído es nada comparado a lo que te pudiera contar de lo que noté, averigüé y vi desta gente, su proceder, su vida, sus costumbres, sus ejercicios, su trabajo, su ociosidad, su ignorancia y su agudeza, con otras infinitas cosas, unas para decirse al oído y otras para aclamallas[681] en público, y todas para hacer memoria dellas y para desengaño de muchos que idolatran en figuras fingidas y en bellezas de artificio y de transformación.

CIPIÓN.— Bien se me trasluce, Berganza, el largo campo que se te descubría para dilatar tu plática, y soy de parecer que la dejes para cuento particular[682] y para sosiego no sobresaltado.

BERGANZA.— Sea así, y escucha. Con una compañía llegué a esta ciudad de Valladolid, donde en un entremés[683] me dieron una herida que me llegó casi al fin de la vida; no pude

---

[680] *zuzarme:* azuzarme.   [681] *aclamallas:* aclamarlas.   [682] *particular:* individual, especial.   [683] *entremés:* véase nota 677.

~~~~~~

(86) El éxito de la compañía teatral, que no tiene reparo en ofrecer al público la zafiedad que demanda con tal de obtener su aplauso, contrasta con el fracaso del poeta, más preocupado por permanecer fiel a su arte. Recordemos la enemistad pública y privada que existió entre Lope de Vega, siempre dispuesto a satisfacer los deseos de su público, y Cervantes.

vengarme, por estar enfrenado entonces, y después, a sangre
fría, no quise: que la venganza pensada arguye[684] crueldad
y mal ánimo. Cansóme aquel ejercicio, no por ser trabajo,
sino porque veía en él cosas que juntamente pedían
enmienda y castigo; y como a mí estaba más el sentillo que
el remediallo,[685] acordé de no verlo, y así, me acogí a sagrado,[686] como hacen aquellos que dejan los vicios cuando no
pueden ejercitallos,[687] aunque más vale tarde que nunca.
Digo, pues, que viéndote una noche llevar la linterna con el
buen cristiano Mahudes,[688] te consideré contento y justa y
santamente ocupado; y lleno de buena envidia quise seguir
tus pasos, y con esta loable intención me puse delante de
Mahudes, que luego[689] me eligió para tu compañero y me
trujo[690] a este hospital.[(87)] Lo que en él me ha sucedido no
es tan poco que no haya menester espacio para contallo,[691]
especialmente lo que oí a cuatro enfermos que la suerte y
la necesidad trujo a este hospital y a estar todos cuatro juntos en cuatro camas apareadas.[692] Perdóname, porque el
cuento es breve, y no sufre dilación, y viene aquí de
molde.[693]

CIPIÓN.— Sí perdono. Concluye, que, a lo que creo, no
debe de estar lejos el día.

BERGANZA.— Digo que en las cuatro camas que están al
cabo desta enfermería, en la una estaba un alquimista,[694] en

---

[684] *arguye:* da indicio de.   [685] *sentillo... remediallo:* sentirlo... remediarlo.   [686] *me acogí a sagrado:* me refugié en un lugar sagrado, es decir, el Hospital de Mahudes.   [687] *ejercitallos:* ejercitarlos.   [688] *Mahudes:* personaje real, encargado, en efecto, del vallisoletano Hospital de la Resurrección. Véase la Introducción.   [689] *luego:* inmediatamente.   [690] *trujo:* trajo.   [691] *contallo:* contarlo.   [692] *apareadas:* puestas de dos en dos.   [693] *de molde:* a propósito.   [694] *alquimista:* el que practica la alquimia, ciencia antigua que centraba su interés en la trasmutación de la materia, especialmente de los metales.

(87) Decimoprimer y último trabajo de Berganza: el hospital de
Mahudes. Repárese en que el Hospital de la Resurrección es para
Berganza —igual que para el alférez Campuzano— final y principio
Final de un período vital y comienzo de otro nuevo.

la otra un poeta, en la otra un matemático y en la otra uno de los que llaman arbitristas.[695]

CIPIÓN.— Ya me acuerdo haber visto a esa buena gente.

BERGANZA.— Digo, pues, que una siesta de las del verano pasado, estando cerradas las ventanas y yo cogiendo el aire debajo de la cama del uno dellos, el poeta se comenzó a quejar lastimosamente de su fortuna, y preguntándole el matemático de qué se quejaba, respondió que de su corta suerte. «¿Cómo, y no será razón que me queje —prosiguió—, que habiendo yo guardado[696] lo que Horacio manda en su *Poética*,[697] que no salga a luz la obra que después de compuesta no hayan pasado diez años por ella, y que tenga yo una de veinte años de ocupación y doce de pasante,[698] grande en el sujeto,[699] admirable y nueva en la invención, grave en el verso, entretenida en los episodios, maravillosa en la división,[700] porque el principio responde al medio y al fin, de manera que constituyen el poema alto, sonoro, heroico,[701] deleitable y sustancioso, y que, con todo esto, no hallo un príncipe a quién dirigirle?[702] Príncipe, digo, que sea inteligente, liberal y magnánimo. ¡Mísera edad y depravado siglo nuestro!» «¿De qué trata el libro?», preguntó el alquimista. Respondió el poeta: «Trata de lo que dejó de escribir el Arzobispo Turpín del Rey Artús de Inglaterra, con otro suplemento de la *Historia de la demanda del Santo Brial*,[703] y todo en verso heroico, parte en octavas y parte en verso suelto; pero todo esdrújulamente, digo, en esdrújulos de nombres sustantivos, sin admitir verbo

---

695 *arbitristas:* los que discurren y proponen medios para acrecentar el erario público. 696 *guardado:* cumplido. 697 *Horacio... Poética:* se refiere a la *Epístola ad Pisones* del poeta latino Horacio, una de las fuentes, junto a Aristóteles, de las ideas literarias de los Siglos de Oro. 698 *pasante:* el que antiguamente servía de ayudante al maestro de cualquier disciplina. 699 *sujeto:* asunto, tema. 700 *división:* estructura. 701 *heroico:* excelente. 702 *no hallo dirigirle:* no encuentra ningún noble que acepte la dedicatoria del libro y, en consecuencia, se comprometa a favorecerlo. 703 *Historia de la demanda del Santo Brial:* se refiere a *La demanda del Santo Grial* (1515). *Grial* significa *cáliz*, mientras que *brial* es *falda*.

alguno».[88] «A mí —respondió el alquimista— poco se me
entiende de poesía; y así, no sabré poner en su punto la desgracia de que vuesa merced se queja, puesto que, aunque
fuera mayor, no se igualaba a la mía, que es que, por faltar-
me instrumento, o un príncipe que me apoye y me dé a la
mano los requisitos que la ciencia de la alquimia pide, no
estoy ahora manando en oro[704] y con más riquezas que los
Midas, que los Crasos y Cresos.»[705] «¿Ha hecho vuesa merced
—dijo a esta sazón[706] el matemático—, señor alquimista, la
experiencia de sacar plata de otros metales?» «Yo —respondió el alquimista— no la he sacado hasta agora;[707] pero realmente sé que se saca, y a mí no me faltan dos meses para
acabar la piedra filosofal,[708] con que se puede hacer plata y
oro de las mismas piedras». «Bien han exagerado vuesas mercedes sus desgracias —dijo a esta sazón el matemático—;
pero, al fin, el uno tiene libro que dirigir y el otro está en
potencia propincua de[709] sacar la piedra filosofal; más ¿qué
diré yo de la mía, que es tan sola que no tiene donde arri-
marse? Veinte y dos años ha que ando tras hallar el punto
fijo,[710] y aquí lo dejo y allí lo tomo, y pareciéndome que ya lo
he hallado y que no se me puede escapar en ninguna manera, cuando no me cato,[711] me hallo tan lejos dél, que me
admiro. Lo mismo me acaece con la cuadratura del círculo:
que he llegado tan al remate de hallarla,[712] que no sé ni puedo
pensar cómo no la tengo ya en la faldriquera;[713] y así, es mi

---

[704] *manando en oro:* con abundancia de oro.　[705] *Midas... Cresos:* míticos símbo-
los de la riqueza.　[706] *a esta sazón:* en este momento.　[707] *agora:* ahora.　[708] *piedra
filosofal:* la materia con la que los alquimistas pretendían fabricar oro.　[709] *en potencia propincua de:* en potencia cercana de, a punto de.　[710] *punto fijo:* punto geográ-
fico, cuya situación se ignoraba, desde el que se pensaba que debía comenzarse a
medir la longitud geográfica.　[711] *cuando no me cato:* de improviso.　[712] *al remate de
hallarla:* a punto de encontrarla.　[713] *faldriquera:* faltriquera, bolsillo.

(88) El poeta, como el resto de los contertulios, es una mezcla de
pureza e ignorancia: no sólo pronuncia mal la palabra «grial», sino que
confunde al autor de la historia del Rey Arturo con la de Carlomagno y
Turpín.

pena semejable[714] a las de Tántalo,[715] que está cerca del fruto y muere de hambre, y propincuo[716] al agua y perece de sed. Por momentos pienso dar en la coyuntura[717] de la verdad, y por minutos me hallo tan lejos della, que vuelvo a subir el monte que acabé de bajar, con el canto de mi trabajo a cuestas, como otro nuevo Sísifo».[718]

»Había hasta este punto guardado silencio el arbitrista, y aquí le rompió, diciendo: "Cuatro quejosos tales que lo pueden ser del Gran Turco[719] ha juntado en este hospital la pobreza, y reniego yo de oficios y ejercicios que ni entretienen ni dan de comer a sus dueños. Yo, señores, soy arbitrista, y he dado a Su Majestad en diferentes tiempos muchos y diferentes arbitrios, todos en provecho suyo y sin daño del reino; y ahora tengo hecho un memorial[720] donde le suplico me señale persona con quien comunique un nuevo arbitrio que tengo, tal que ha de ser la total restauración de sus empeños;[721] pero por lo que me ha sucedido con otros memoriales, entiendo que éste también ha de parar en el carnero.[722] Mas porque vuesas mercedes no me tengan por mentecapto,[723] aunque mi arbitrio quede desde este punto público, le quiero decir que es éste. Hase de pedir en Cortes que todos los vasallos de Su Majestad, desde edad de catorce a sesenta años, sean obligados a ayunar una vez en el mes a pan y agua, y esto ha de ser el día que se escogiere y señalare, y que todo el gasto que en otros condumios[724] de fruta, carne y pescado, vinos, huevos y legumbres que han de gastar aquel día, se reduzga[725] a dinero, y se dé a Su Majestad,

---

714 *semejable:* semejante.   715 *Tántalo:* mito griego. Tántalo estaba sumergido en una laguna hasta el cuello; pero cuando intentaba beber, las aguas bajaban. Sobre él había unos frutales que alejaban sus ramas cuando trataba de alcanzarlas para alimentarse.   716 *propincuo:* cercano.   717 *coyuntura:* momento, ocasión. 718 *Sísifo:* en la mitología griega, Sísifo estaba condenado a empujar infinitas veces un peñasco monte arriba, para dejarlo caer tan pronto como alcanzara la cumbre. 719 *quejosos... Turco:* comparación hiperbólica para expresar que se quejan mucho. 720 *memorial:* memoria, proyecto.   721 *empeños:* bienes empeñados.   722 *el carnero:* la fosa común.   723 *mentecapto:* mentecato.   724 *condumios:* manjares.   725 *reduzga:* reduzca.

sin defraudalle[726] un ardite,[727] so cargo de juramento;[728] y con
esto, en veinte años queda libre de socaliñas[729] y desempeña-
do. Porque si se hace la cuenta, como yo la tengo hecha, bien
hay en España más de tres millones de personas de la dicha
edad, fuera de los enfermos, más viejos o más muchachos, y
ninguno destos dejará de gastar, y esto contado al menorete,[730] cada día real y medio; y yo quiero que sea no más de un
real, que no puede ser menos aunque coma alholvas.[731] Pues
¿paréceles a vuesas mercedes que sería barro[732] tener cada
mes tres millones de reales como ahechados?[733] Y esto antes
sería provecho que daño a los ayunantes, porque con el
ayuno agradarían al cielo y servirían a su Rey; y tal podría
ayunar que le fuese conveniente para su salud. Éste es arbitrio
limpio de polvo y de paja,[734] y podríase coger por parroquias,[735] sin costa de comisarios,[736] que destruyen la república".[(89)] Riyéronse[737] todos del arbitrio y del arbitrante, y él
también se riyó[738] de sus disparates, y yo quedé admirado de
haberlos oído y de ver que, por la mayor parte, los de semejantes humores[739] venían a morir en los hospitales.

---

[726] *defraudalle:* defraudarle.   [727] *ardite:* moneda de poco valor.   [728] *so cargo de
juramento:* bajo obligación de juramento.   [729] *socaliña:* ardid con el que se saca a
alguien lo que no está obligado a dar.   [730] *contado al menorete:* calculando a la baja.
[731] *alholvas:* tipo de planta muy usada en las boticas.   [732] *barro:* cosa sin importancia.   [733] *ahechados:* limpios.   [734] *limpio... paja:* sin cargo, gratis.   [735] *parroquias:*
distritos.   [736] *sin costa:* sin el gasto de contratar recaudadores.   [737] *riyéronse:* rié-
ronse.   [738] *riyó:* rió.   [739] *humores:* caracteres, condiciones.

(89) Las diferentes búsquedas de los tertulianos del hospital tienen el
mismo fin idealista, expresado de modo diferente según la disciplina
que cultiven: alcanzar el origen, el misterio de la existencia, el motor
inmóvil, la verdad. Nótese la ironía socarrona de Cervantes al hacerles
contraer a todos ellos una enfermedad nada idealista, como es la sífilis;
razón por la que se encuentran —no lo olvidemos— internados en el
hospital de Mahudes. Algunos críticos han interpretado este ejemplo de
dialoguismo cervantino de un modo más pesimista: son precisamente
quienes buscan la salvación social y no solamente como hacen los personajes que han ido desfilando por la vida contada de Berganza, la individual, los que van a morir al hospital de Mahudes.

CIPIÓN.— Tienes razón, Berganza. Mira si te queda más que decir.

BERGANZA.— Dos cosas no más, con que daré fin a mi plática, que ya me parece que viene el día. Yendo una noche mi mayor[740] a pedir limosna en casa del Corregidor[741] desta ciudad, que es un gran caballero y muy gran cristiano, hallámosle solo, y parecióme a mí tomar ocasión de aquella soledad para decirle ciertos advertimientos que había oído decir a un viejo enfermo deste hospital acerca de cómo se podía remediar la perdición tan notoria de las mozas vagamundas,[742] que por no servir[743] dan en malas, y tan malas, que pueblan dos veranos todos los hospitales de los perdidos que las siguen: plaga intolerable y que pedía presto y eficaz remedio. Digo que queriendo decírselo, alcé la voz, pensando que tenía habla, y en lugar de pronunciar razones concertadas[744] ladré con tanta priesa[745] y con tan levantado tono, que, enfadado el Corregidor, dio voces a sus criados que me echasen de la sala a palos; y un lacayo que acudió a la voz de su señor, que fuera mejor que por entonces estuviera sordo, asió de una cantimplora de cobre que le vino a la mano, y diómela tal en mis costillas, que hasta ahora guardo las reliquias de aquellos golpes.

CIPIÓN.— ¿Y quéjaste deso, Berganza?

BERGANZA.— Pues ¿no me tengo de quejar, si hasta ahora me duele como he dicho, y si me parece que no merecía tal castigo mi buena intención?

CIPIÓN.— Mira, Berganza, nadie se ha de meter donde no le llaman, ni ha de querer usar del oficio que por ningún caso le toca. Y has de considerar que nunca el consejo del pobre, por bueno que sea, fue admitido, ni el pobre humilde ha de tener presunción de aconsejar a los grandes y a los que piensan que se lo saben todo. La sabiduría en el pobre

---

740 *mayor:* superior. 741 *Corregidor:* el representante del rey en una ciudad o villa. 742 *vagamundas:* vagabundas. 743 *servir:* trabajar de sirvientas. 744 *razones concertadas:* palabras y argumentos compuestos y ordenados. 745 *priesa:* prisa.

está asombrada;[746] que la necesidad y miseria son las sombras y nubes que la escurecen,[747] y si acaso se descubre, la juzgan por tontedad y la tratan con menosprecio.

BERGANZA.— Tienes razón, y escarmentando en mi cabeza, de aquí adelante seguiré tus consejos. Entré asimismo otra noche en casa de una señora principal, la cual tenía en los brazos una perrilla, destas que llaman de falda, tan pequeña, que la pudiera esconder en el seno; la cual, cuando me vio, saltó de los brazos de su señora y arremetió a mí ladrando, y con tan gran denuedo,[748] que no paró hasta morderme de una pierna. Volvíla a mirar con respecto[749] y con enojo, y dije entre mí: «Si yo os cogiera, animalejo ruin, en la calle, o no hiciera caso de vos, o os hiciera pedazos entre los dientes». Consideré en ella que hasta los cobardes y de poco ánimo son atrevidos e insolentes cuando son favorecidos, y se adelantan a ofender a los que valen más que ellos.

CIPIÓN.— Una muestra y señal desa verdad que dices nos dan algunos hombrecillos que a la sombra de sus amos se atreven a ser insolentes; y si acaso la muerte o otro accidente de fortuna derriba el árbol donde se arriman, luego[750] se descubre y manifiesta su poco valor, porque, en efeto,[751] no son de más quilates sus prendas que los que les dan sus dueños y valedores. La virtud y el buen entendimiento siempre es una y siempre es uno: desnudo o vestido, solo o acompañado. Bien es verdad que puede padecer acerca de la estimación de las gentes, mas no en la realidad verdadera de lo que merece y vale. Y con esto pongamos fin a esta plática, que la luz que entra por estos resquicios muestra que es muy entrado el día, y esta noche que viene, si no nos ha dejado este grande beneficio de la habla, será la mía, para contarte mi vida.

BERGANZA.— Sea ansí,[752] y mira que acudas a este mismo puesto.

---

[746] *asombrada:* ensombrecida.   [747] *escurecen:* oscurecen.   [748] *denuedo:* brío.
[749] *respecto:* respeto.   [750] *luego:* inmediatamente.   [751] *en efeto:* en efecto.   [752] *ansí:* así.

El acabar el *Coloquio* el Licenciado y el despertar el Alférez fue todo a un tiempo, y el Licenciado dijo:

—Aunque este coloquio sea fingido y nunca haya pasado, paréceme que está tan bien compuesto que puede el señor Alférez pasar adelante con el segundo.

—Con ese parecer —respondió el Alférez— me animaré y disporné⁷⁵³ a escribirle, sin ponerme más en disputas con vuesa merced si hablaron los perros o no.

A lo que dijo el Licenciado:

—Señor Alférez, no volvamos más a esa disputa. Yo alcanzo el artificio del *Coloquio* y la invención, y basta.[90] Vámonos al Espolón⁷⁵⁴ a recrear los ojos del cuerpo, pues ya he recreado los del entendimiento.

—Vamos —dijo el Alférez.

Y con esto, se fueron.

---

⁷⁵³ *disporné:* dispondré.   ⁷⁵⁴ *Espolón:* la plaza de Valladolid.

(90) Nótese cómo Peralta deja de lado la cuestión de si el *Coloquio* es o no verdad histórica. Acepta su verdad literaria, es decir, su verosimilitud, su funcionamiento dentro de la ficción, y eso le basta.

Documentos y juicios críticos

1. *Las ideas sobre la verosimilitud y la variedad literarias expresadas por el canónigo, uno de los personajes que aparecen en la primera parte del* Quijote, *han sido tradicionalmente tomadas por la crítica como propias de Cervantes.*

—Verdaderamente, señor cura, yo hallo por mi cuenta que son perjudiciales en la república estos que llaman libros de caballerías; y aunque he leído, llevado de un ocioso y falso gusto, casi el principio de todos los más que hay impresos, jamás me he podido acomodar a leer ninguno del principio al cabo, porque me parece que, cuál más, cuál menos, todos ellos son una mesma cosa, y no tiene más éste que aquél, ni estotro que el otro. Y según a mí me parece, este género de escritura y composición cae debajo de aquel de las fábulas que llaman milesias, que son cuentos disparatados, que atienden solamente a deleitar, y no a enseñar: al contrario de lo que hacen las fábulas apólogas, que deleitan y enseñan juntamente. Y puesto que el principal intento de semejantes libros sea el deleitar, no sé yo cómo puedan conseguirle, yendo llenos de tantos y tan desaforados disparates; que el deleite que en el alma se concibe ha de ser de la hermosura y concordancia que vee o contempla en las cosas que la vista o la imaginación le ponen delante; y toda cosa que tiene en sí fealdad y descompostura no nos puede causar contento alguno. Pues ¿qué hermosura puede haber, o qué proporción de partes con el todo, y del todo con las partes, en un libro o fábula donde un mozo de diez y seis años da una cuchillada a un gigante como una torre, y le divide en dos mitades, como si fuera de alfeñique, y que cuando nos quieren pintar una batalla, después de haber dicho que hay de la parte de los enemigos un

millón de competientes, como sea contra ellos el señor del libro, forzosamente, mal que nos pese, habemos de entender que el tal caballero
alcanzó la vitoria por solo el valor de su fuerte brazo? Pues ¿qué dire-
mos de la facilidad con que una reina o emperatriz heredera se conduce
en los brazos de un andante y no conocido caballero? ¿Qué ingenio, si
no es del todo bárbaro e inculto, podrá contentarse leyendo que una
gran torre llena de caballeros va por la mar adelante, como nave con
próspero viento, y hoy anochece en Lombardía, y mañana amanezca en
tierras del Preste Juan de las Indias,[1] o en otras que ni las descubrió
Tolomeo ni las vio Marco Polo? Y si a esto se me respondiese que los
que tales libros componen los escriben como cosas de mentira, y que
así, no están obligados a mirar en delicadezas ni verdades, responderles
hía[2] yo que tanto la mentira es mejor cuanto más parece verdadera, y
tanto más agrada cuanto tiene más de lo dudoso y posible. Hanse de
casar las fábulas mentirosas con el entendimiento de los que las leye-
ren, escribiéndose de suerte que, facilitando los imposibles, allanando
las grandezas, suspendiendo los ánimos, admiren, suspendan, alboro-
cen y entretengan, de modo que anden a un mismo paso la admiración
y la alegría juntas; y todas estas cosas no podrá hacer el que huyere de
la verisimilitud y de la imitación, en quien[3] consiste la perfeción de lo
que se escribe. [...]

El cura le estuvo escuchando con grande atención, y parecióle hombre de buen entendimiento, y que tenía razón en cuanto decía; y así, le
dijo que, por ser él de su mesma opinión, y tener ojeriza a los libros de
caballerías, había quemado todos los de don Quijote, que eran muchos.
Y contóle el escrutinio que dellos había hecho, y los que había condenado al fuego y dejado con vida, de que no poco se rió el canónigo, y
dijo que, con todo cuanto mal había dicho de tales libros, hallaba en
ellos una cosa buena: que era el sujeto que ofrecían para que un buen
entendimiento pudiese mostrarse en ellos, porque daban largo y espa-
cioso campo por donde sin empacho alguno pudiese correr la pluma,
describiendo naufragios, tormentas, rencuentros y batallas, pintando un
capitán valeroso con todas las partes que para ser tal se requieren, mostrándose prudente previniendo las astucias de sus enemigos, y elocuen-
te orador persuadiendo o disuadiendo a sus soldados, maduro en el consejo, presto en lo determinado, tan valiente en el esperar como en el

---

[1] *Preste... Indias:* véase nota 345 a *La ilustre fregona* y, más abajo, documento n.º 4.
[2] *responderles hía:* les respondería.
[3] *en quien:* en lo que.

acometer; pintando ora un lamentable y trágico suceso, ahora un alegre y no pensado acontecimiento; allí una hermosísima dama, honesta, discreta y recatada; aquí un caballero cristiano, valiente y comedido; acullá un desaforado bárbaro fanfarrón; acá un príncipe cortés, valeroso y bien mirado; representando bondad y lealtad de vasallos, grandezas y mercedes de señores. Ya puede mostrarse astrólogo, ya cosmógrafo excelente, ya músico, ya inteligente en las materias de estado, y tal vez le vendrá ocasión de mostrarse nigromante, si quisiere. [...]

– Y siendo esto hecho con apacibilidad de estilo y con ingeniosa invención, que tire lo más que fuere posible a la verdad, sin duda compondrá una tela de varios y hermosos lazos tejida, que después de acabada, tal perfeción y hermosura muestre, que consiga el fin mejor que se pretende en los escritos, que es enseñar y deleitar juntamente, como ya tengo dicho. Porque la escritura desatada[4] destos libros da lugar a que el autor pueda mostrarse épico, lírico, trágico, cómico, con todas aquellas partes que encierran en sí las dulcísimas y agradables ciencias de la poesía y de la oratoria; que la épica también puede escrebirse en prosa como en verso.[5]

> Miguel de Cervantes: *El ingenioso hidalgo Don Quijote de La Mancha*, I, ed. de Luis Andrés Murillo, Madrid, Castalia, 1982 (2.ª ed.), pp. 564-567.

2. *A la hora de ensayar una interpretación de las* Novelas ejemplares, *no podemos obviar el prólogo que Cervantes colocó al frente del volumen. Al fin y al cabo, él es el primer lector y crítico de su propia obra.*

PRÓLOGO AL LECTOR

Quisiera yo, si fuera posible, lector amantísimo, excusarme de escribir este prólogo, porque no me fue tan bien con el que puse en mi *Don Quijote*, que quedase con gana de segundar con éste. Desto tiene la culpa algún amigo, de los muchos que en el discurso de mi vida he granjeado, antes con mi condición que con mi ingenio; el cual amigo bien pudiera,

---

4 Debe prestarse atención a este concepto original que hace referencia a la variedad de la escritura.

5 Véase a este respecto nuestra Introducción, especialmente el apartado «Teoría y práctica de la novela».

como es uso y costumbre, grabarme y esculpirme en la primera hoja deste libro, pues le diera mi retrato el famoso don Juan de Jáurigui,[6] y con esto quedara mi ambición satisfecha, y el deseo de algunos que querrían saber qué rostro y talle tiene quien se atreve a salir con tantas invenciones en la plaza del mundo, a los ojos de las gentes, poniendo debajo del retrato: «Este que veis aquí, de rostro aguileño, de cabello castaño, frente lisa y desembarazada, de alegres ojos y de nariz corva, aunque bien proporcionada; las barbas de plata, que no ha veinte años que fueron de oro; los bigotes grandes, la boca pequeña, los dientes ni menudos ni crecidos, porque no tiene sino seis, y ésos mal acondicionados y peor puestos, porque no tienen correspondencia los unos con los otros; el cuerpo entre dos extremos, ni grande, ni pequeño; la color viva, antes blanca que morena; algo cargado de espaldas, y no muy ligero de pies; éste digo que es el rostro del autor de *La Galatea*[8] y de *Don Quijote de La Mancha* y del que hizo el *Viaje del Parnaso*, a imitación del de César Caporal Perusino,[7] y otras obras que andan por ahí descarriadas, y, quizá, sin el nombre de su dueño. Llámase comúnmente Miguel de Cervantes Saavedra. Fue soldado muchos años, y cinco y medio cautivo, donde aprendió a tener paciencia en las adversidades. Perdió en la batalla naval de Lepanto la mano izquierda de un arcabuzazo, herida que, aunque parece fea, él la tiene por hermosa, por haberla cobrado en la más memorable y alta ocasión que vieron los pasados siglos, ni esperan ver los venideros, militando debajo de las vencedoras banderas del hijo del rayo de la guerra, Carlo Quinto, de felice memoria». Y cuando a la deste amigo, de quien me quejo, no ocurrieran[8] otras cosas de las dichas que decir de mí, yo me levantara a mí mismo dos docenas de testimonios, y se los dijera en secreto, con que extendiera mi nombre y acreditara mi ingenio. Porque pensar que dicen puntualmente la verdad los tales elogios es disparate, por no tener punto preciso ni determinado las alabanzas ni los vituperios.

En fin, pues ya esta ocasión se pasó, y yo he quedado en blanco y sin figura, será forzoso valerme por mi pico, que aunque tartamudo, no lo será para decir verdades, que, dichas por señas, suelen ser entendidas. Y así te digo otra vez, lector amable, que destas novelas que te ofrezco, en

---

[6] *Don Juan de Jáurigui:* Juan de Jáuregui (1583-1641), poeta y pintor.

[7] Al escribir este prólogo, el *Viaje del Parnaso* aún no se había publicado. Saldría a la luz en 1614, y su modelo, como dice, es la obra *Viaggi di Parnaso* (1582) de Cesare Caporali de Perusa (1531-1601).

[8] *a la deste amigo no ocurrieran:* a la memoria de este amigo no se le ocurriera.

ningún modo podrás hacer pepitoria, porque no tienen pies, ni cabeza, ni entrañas, ni cosa que les parezca; quiero decir que los requiebros amorosos que en algunos hallarás, son tan honestos y tan medidos con la razón y discurso cristiano, que no podrán mover a mal pensamiento al descuidado o cuidadoso que las leyere.

Heles dado nombre de *ejemplares*, y si bien lo miras, no hay ninguna de quien no se pueda sacar algún ejemplo provechoso; y si no fuera por no alargar este sujeto, quizá te mostrara el sabroso y honesto fruto que se podría sacar, así de todas juntas como de cada una de por sí.

Mi intento ha sido poner en la plaza de nuestra república una mesa de trucos,[9] donde cada uno pueda llegar a entretenerse, sin daño de barras;[10] digo sin daño del alma ni del cuerpo, porque los ejercicios honestos y agradables antes aprovechan que dañan.

Sí, que no siempre se está en los templos; no siempre se ocupan los oratorios; no siempre se asiste a los negocios, por calificados que sean. Horas hay de recreación, donde el afligido espíritu descanse.

Para este efeto se plantan las alamedas, se buscan las fuentes, se allanan las cuestas y se cultivan, con curiosidad, los jardines. Una cosa me atreveré a decirte, que si por algún modo alcanzara que la lección destas *Novelas* pudiera inducir a quien las leyera a algún mal deseo o pensamiento, antes me cortara la mano con que las escribí, que sacarlas en público. Mi edad no está ya para burlarse con la otra vida, que al cincuenta y cinco de los años gano por nueve más y por la mano.[11]

A esto se aplicó mi ingenio, por aquí me lleva mi inclinación, y más que me doy a entender, y es así, que yo soy el primero que he novelado en lengua castellana, que las muchas novelas que en ella andan impresas, todas son traducidas de lenguas extranjeras, y éstas son mías propias, no imitadas ni hurtadas; mi ingenio las engendró, y las parió mi pluma, y van creciendo en los brazos de la estampa.[12] Tras ellas, si la vida no me deja, te ofrezco *Los trabajos de Persiles*,[13] libro que se atreve a competir con Heliodoro,[14] si ya por atrevido no sale con las manos en la cabeza; y

---

9 *mesa de trucos:* juego parecido al billar.

10 *daño de barras:* perjuicio a terceros.

11 *por nueve más y por la mano:* términos usados por los jugadores de naipes.

12 *estampa:* imprenta.

13 *Los trabajos de Persiles:* se refiere a su obra *Los trabajos de Persiles y Sigismunda,* que se publicaría póstumamente en 1617.

14 *Heliodoro:* novelista griego (s. III). Véase Introducción. En la primera edición se lee Cliodoro.

primero verás, y con brevedad dilatadas, las hazañas de don Quijote y donaires de Sancho Panza, y luego las *Semanas del jardín*.[15]

Mucho prometo, con fuerzas tan pocas como las mías; pero ¿quién pondrá rienda a los deseos? Sólo esto quiero que consideres, que pues yo he tenido osadía de dirigir estas novelas al gran Conde de Lemos,[16] algún misterio tienen escondido que las levanta.

No más, sino que Dios te guarde y a mí me dé paciencia para llevar bien el mal que han de decir de mí más de cuatro sotiles y almidonados. Vale.

> Miguel de Cervantes: *Novelas ejemplares*, facsímil de la primera edición, Madrid, Real Academia Española, 1981.

3. *No abundan los juicios contemporáneos a Cervantes. De hecho, hasta muy entrado el siglo XIX, la calidad de las* Novelas ejemplares *permaneció oculta tras el* Quijote. *Muchas de las aprobaciones que los libros debían incluir al comienzo no pasan de ser trámites burocráticos en los que el censor daba fe de que el contenido del libro no contenía ofensa alguna a la religión católica. Otras, sin embargo, constituyen verdaderos textos críticos. Éste es el caso de la escrita para las* Novelas ejemplares *por Fr. Juan Bautista en 1612.*

APROBACIÓN ·

Por comisión del señor doctor Gutierre de Cetina, vicario general por el ilustrísimo cardenal D. Bernardo de Sandoval y Rojas, en Corte, he visto y leído las doce *Novelas Ejemplares,* compuestas por Miguel de Cervantes Saavedra; y supuesto que es sentencia llana del angélico doctor Santo Tomás, que la eutropelia es virtud,[17] la que consiste en un entretenimiento honesto, juzgo que la verdadera eutropelia está en estas *Novelas,* porque entretienen con su novedad, enseñan con sus ejemplos a huir vicios y seguir virtudes, y el autor cumple con su intento, con que da honra a nuestra lengua castellana, y avisa a las repúblicas de los daños que de algunos vicios se siguen, con otras muchas

---

15 *Semanas del jardín:* obra inacabada y perdida.
16 *Conde de Lemos:* nombrado virrey de Nápoles en 1610. Cervantes intentó infructuosamente formar parte de la comitiva que marchó con él.
17 *eutropelia es virtud:* véase Introducción.

comodidades, y así, me parece se le puede y debe dar la licencia que pide, salvo etc.

En este convento de la Santísima Trinidad, calle de Atocha, en 9 de julio de 1612.

El padre presentado Fr. Juan Bautista.

Miguel de Cervantes: *Novelas ejemplares,* facsímil de la
primera edición, Madrid, Real Academia Española, 1981.

4.   *A continuación se ofrece el breve juicio que Alonso Fernández de Avellaneda,*
     continuador del Quijote, *incluyó en el prólogo de su libro, publicado en 1614.*

Y pues Miguel de Cervantes es ya de viejo como el castillo de San Cervantes, y por los años tan mal contentadizo que todo y todos le enfadan, y por ello está tan falto de amigos, que quando quiera adornar sus libros con sonetos campanudos avía de ahijarlos, como él dize, al preste Juan de las Indias[18] o al emperador de Trapisonda, por no hallar título quiçás en España que no se ofendiera de que tomara su nombre en la boca, con permitir tantos bayan los suyos en los principios de los libros del autor de quien murmura,[19] y ¡plegue a Dios aun dexe aora que se ha acogido a la iglesia y sagrado! Conténtese con su *Galatea* y comedias en prosa,[20] que esso son las más de sus novelas: no nos canse.

Alonso Fernández de Avellaneda: *Don Quijote de La*
Mancha, ed. de Martín de Riquer, Madrid, Espasa-
Calpe, 1972, I, p. 10.

En un formidable trabajo de Carlos Blanco Aguinaga sobre el realismo de
Cervantes encontramos las siguientes opiniones sobre las tres novelas de esta edición.

Así como el pícaro es un solitario, Berganza, al igual que otros personajes de Cervantes, lleva su pareja, [...] que se entromete constantemente en

---

18   *preste... Indias:* véase nota 345 a *La ilustre fregona* y, más arriba, documento n.° 1.

19   *el autor de quien murmura:* se refiere a Lope de Vega, cuyos libros se publicaban con
     muchas poesías laudatorias.

20   *comedias en prosa:* el valor del testimonio radica en este sintagma que nos indica el
     modo en el que se recibieron las *Novelas ejemplares:* sonaban a comedia de corral.

la narración de Berganza, y que si, como es lógico, no puede cambiar la vida que éste ya ha vivido, puede cambiar la forma de su presentación. [...] Gracias a este procedimiento de Cervantes, la alternancia no se da ya entre los contrarios presentados por oposición desde un punto de vista dogmático, sino entre dos puntos de vista, a veces contrarios, a veces no, sobre los que el novelista nunca juzga ni dice la última palabra. [...] Gracias a ello, toda la verdad absoluta, todo el desengaño con que pretende aleccionar Berganza, no pasa de ser un punto de vista en el gran coloquio del mundo. [...] Historia y ficción, hechos y fantasía, realidad de vela y realidad de sueño. La realidad lo es todo: «ojos del entendimiento» y «ojos del cuerpo». Todo cabe en el realismo de Cervantes, puesto que todo es del hombre. [...]

Lo notable es [en *La ilustre fregona*] que se nos dice ante todo y explícitamente que Diego no ha sido arrojado a la vida picaresca, sino que se ha lanzado a ella por su gusto, sin que nada en su prehistoria lo haya determinado. [...] La inclinación y no los rasgos hereditarios —bíblicos o no—, ni sólo el medio ambiente, es lo que lleva a los individuos a sus actos. El individuo siempre por encima del tipo.

> Carlos Blanco Aguinaga, «Cervantes y la Picaresca. Notas sobre dos tipos de realismo», *Nueva Revista de Filología Hispánica*, XI (1957) 313-342, pp. 332-339.

6. *El trabajo de Barrenechea sobre* La ilustre fregona *es uno de los más extensos e interesantes acerca de esta novela en particular.*

Debemos precavernos contra la tentación de ver la novela partida en dos mundos: ideal (Avendaño y Costanza) —real (Carriazo, criadas, mozos de mulas, etc.), inverosímil-verosímil, noble-bajo—. Basta considerar las peripecias que están encomendadas a Carriazo para comprender la complejidad de las situaciones. También el ámbito picaresco puede ser idealizado, también encontramos entre mozos de mulas y aguadores frases burlonas y paródicas que doblan los acontecimientos con el reparo que los vuelve a la realidad, entendida como experiencia cotidiana o sentido común, cada vez que se apartan de ella. [...] Los contrastes de escenas se entrecruzan en *La ilustre fregona*. En el diálogo de los dos amigos, el amor excepcional de Tomás recibe el contrapunto de las frases burlonas de Lope, pero el mismo Lope acepta que sus palabras no llevan hiel y reconoce la perfección de ese amor oponiéndole la monstruosidad y lascivia de la Argüello que lo acosa. [...] Cervantes estuvo siempre preocupado por resolver dos problemas estéticos fundamentales y nos ha dejado muchos pasajes que lo testimonian. Uno consistía en armonizar la unidad y la variedad en la fábula: es decir, lograr una narración equilibrada y unitaria, y al mismo tiempo enriquecida con matices diversos que atrajesen al lector. [...] La segunda dificultad se le presentaba al querer conciliar su preocupación por la verosimilitud, la capacidad de captación de la realidad, el sentido crítico de los convencionalismos que la deforman, con su concepto del arte como maravilla que debe de admirar y suspender el ánimo de oyente. [...] Al final de este análisis nos cabe afirmar que en *La ilustre fregona* Cervantes llegó al raro equilibrio de lo uno y lo vario, lo asombroso y lo verosímil que constituía su ideal estético largamente meditado.

> Ana María Barrenechea: «*La ilustre fregona* como ejemplo de estructura novelesca cervantina», *Filología*, VII (1961) 13-32, pp. 27-31.

7. *Bruce Wardropper fue el primer crítico que investigó a fondo la sugerencia del fraile Juan Bautista Capataz de que la eutrapelia era el principio unificador de las doce novelas cervantinas.*

Se ve que en los cuentos de Cervantes la tropelía nos expone una serie de entes de ficción que, a sabiendas o no, abdican de su condición propia para volver a ella, al parecer inevitablemente; [...] a pesar de que no actúan «como quienes son» vuelven a «ser quienes son». [...] No hay en ellas ninguna conversión auténtica ni de rango social, ni de personalidad, ni de especie biológica. Lo que pasa en ellas es que se quitan ilusiones. Cuando termina una función, el mágico de entretenimiento[21] manifiesta al público que la baraja es normal, con sus cuatro palos, y el número regular de naipes. Lo mismo hace Cervantes en sus novelas. En cada una no se limita el arte del ilusionista a los protagonistas y a los sucesos principales. Se extiende a la mayoría de los personajes y a sus actos. Los cuentos forman un tejido de ilusiones juguetonas e inocentes. La tropelía resulta ser el modo artístico escogido por Cervantes para expresar novelísticamente la eutrapelia.

> Bruce Wardropper: «La eutrapelia en las *Novelas ejemplares* de Cervantes», Actas del Séptimo Congreso de la Asociación Internacional de hispanistas, I, Roma, Bulzoni Editores, 1982, 153-159, p. 164.

---

21 *el mágico de entretenimiento:* el prestidigitador.

8.   *Uno de los mejores trabajos sobre* El casamiento engañoso *y* El coloquio de los perros *es el escrito por Antonio Rey Hazas, en el que profundiza en la idea de entender la ejemplaridad de las novelas como ejemplaridad estética.*

El casamiento engañoso y *Coloquio de los perros*, en fin, toma como punto de arranque la tradición genérica de la novela picaresca —sobre todo el *Guzmán* y *La pícara* [*Justina*]—, en primer lugar, y la de los relatos lucianescos en segundo término, con el fin de efectuar una meditación y una crítica sutil de ambos géneros —el primero, especialmente—, a los que supera con una clarividencia tal, que el resultado constituye una novela supragenérica, moderna y actual. [...] El entramado global de esta metanovela no sólo dice cómo no se construye una narración, sino que hace lo que dice, mediante la creación de una novela que cumple los requisitos exigidos por su propia poética implícita o explícita. [...] [Cervantes] configuró personajes en libertad siempre, sin dogmatismos previos que los condicionaran. Incluyó narradores que lo eran simultáneamente de su propia peripecia y de otros relatos, y lectores —receptores privilegiados de la narración— de gran espíritu crítico dentro del texto; todos ellos protagonistas del conjunto novelado, además. Pergeñó un relato verosímil estéticamente, basado en la más increíble de las ficciones, con el fin de indicar que la literatura crea su propia realidad dentro de la obra escrita, por mor de artificios e invenciones. Utilizó paralelismos, simetrías, contrastes, gradaciones, puntos de vista diferentes en el diálogo, ironía, distanciamiento... Mantuvo la unidad más absoluta y la coherencia más firme en una novela forjada con dos narraciones autónomas en buena medida y con multitud de episodios diferentes. Y, en lógica trabazón, trató temas variopintos, que se centraban en el de la realidad confusa y ambigua, en el mundo de la falacia, que presenta lo real como aparente y viceversa, porque así, hipócrita, falaz y tropelista era la sociedad en que le había tocado vivir. Demostró, en fin, que se podía mantener la unidad en la variedad sin necesidad de digresiones impertinentes y sermonarias; la verosimilitud sin concesiones a un supuesto realismo pedestre, verdaderamente más engañoso que la misma ficción literaria. [...] Demostró, en definitiva, que todos los resortes fundamentales de la que llamamos novela moderna estaban ya sabiamente utilizados antes de que nadie pensara en su posible existencia.

> Antonio Rey Hazas: «Género y estructura de *El coloquio de los perros* o cómo se hace una novela», *Lenguaje, ideología y organización textual en Las novelas ejemplares de Cervantes,* Madrid, Universidad Complutense, 1983, 119-144, p. 141.

9. *En la introducción de una reciente edición de las* Novelas ejemplares *encontramos una excelente explicación del mecanismo cervantino de verosimilización de disparates así como una justa evaluación del significado de Cervantes en la creación de la novela moderna.*

Campuzano liga la *admiratio* de los sucesos «nuevos» y «peregrinos» del *Casamiento* con el prodigio mucho más grande, que «excede a toda imaginación» del *Coloquio* Y, claro está, desde que Peralta relaciona la inverosimilitud de una novela con la de la otra. Pero lo significativo es que en dicho nexo, en la relación interna de estas narraciones se halla la clave verosimilizadora de las mismas. Porque se inicia entonces una cadena de relatos cuya verosimilitud depende, en cada caso, de las restantes «novelas», merced a un espléndido juego de espejos, que proyectan luces distintas e imágenes diferentes, según se aproxime o se distancie el objeto reflejado. A través de dicha óptica variable y cambiante, por obra de internas gradaciones y oposiciones, el «peregrino» matrimonio del soldado y Estefanía resulta un realísimo juego de niños, visto desde la lente fantástica y maravillosa del coloquio de dos perros inteligentes, dotados de la capacidad «divina» de la palabra articulada con sabiduría. Sobre todo si añadimos que Campuzano es el autor y Peralta el lector del diálogo, con lo que ambos adquieren vida frente al texto escrito por uno y leído por otro, frente a la literatura, en suma, en la medida en que la tenemos nosotros, desde fuera, frente a la novela cervantina. A su vez, este portentoso coloquio se ve dotado de verosimilitud, si proyectamos sobre él la luz absolutamente increíble del relato de Cañizares, conforme al cual una bruja, la Camacha, habría transformado a los hijos de Montiela en dos canes. Máxime cuando vemos que Berganza es el «escritor» de dicho relato, lo cual le lleva a tener «vida» con respecto a esa «literatura». Es más, como la Camacha había sido, en verdad, una famosa hechicera real de Montilla, procesada como tal por el Santo Oficio, resulta que hasta el fabuloso cuento de Cañizares se muestra bajo un ángulo de ilusión realista. [...] El conjunto formado por *Casamiento* y *Coloquio* [es] la más lograda formulación de la novela moderna dentro de las *Ejemplares,* donde el lector se ve dirigido por Peralta y Cipión, mediante una estructura de enmarque reduplicada, que amplía y exige, al mismo tiempo, su participación activa en la intepretación de la novela. ¿Son hombres convertidos en perros? ¿Son perros que hablan y piensan como los hombres? ¿Se trata de una pura ficción? ¿Es una argumentación simbólica y alegórica? ¿Es todo mentira?... Son preguntas que el lector debe contestar y contestarse, necesariamente, guiado por la espléndida construcción de enmarque reduplicado. [...] Porque ahí radica la extraordinaria habilidad cervantina, ahí su impar capacidad de concepción novelesca, en el hecho de haber sido capaz de pergeñar un marco implícito nuevo, diferente por completo a los habituales en su época, actual, moderno, que lleva derecho hacia la novela moderna, hacia nuestros días, en la medida en que los doce relatos configuran un todo coherente, uniforme y cohesionado, al mismo tiempo que mantienen la peculiaridad de cada uno de ellos. Cervantes, además, y es lo increíble, sabía perfectamente lo que estaba haciendo. Por eso advierte, previamente, a su lector: «si bien lo miras... de todas y de cada una de por sí...». Sólo él podía haber hecho algo así; sólo él lo hizo. No es de extrañar que sus contemporáneos no le entendieran. Habían de pasar muchos años para comprender tan audaz, magno e innovador avance de la práctica y de la teoría novelescas.

F. Sevilla y A. Rey Hazas: «Introducción» a Miguel de Cervantes: *Novelas ejemplares,* Madrid, Espasa-Calpe, 1993, pp. 31-55.

Orientaciones para el estudio de *La ilustre fregona, El casamiento engañoso* y el *Coloquio de los perros*

LA ILUSTRE FREGONA

La variedad

Al teorizar sobre la variedad y la unidad de las obras literarias, los preceptistas áureos recomendaban, como hemos visto en la Introducción, unidad de acción y evitar la profusión de digresiones. La fábula de *La ilustre fregona* es sencilla y poco original.

— ¿Qué recursos emplea Cervantes para proporcionar variedad a la fábula?
— ¿Cuál es la intriga central y cuáles las intrigas secundarias?
— Si la economía de recursos era una virtud, ¿qué sentido tiene la primera salida a las almadrabas de Carriazo?

La técnica de la novela corta exige, por definición, economía de recursos, brevedad. Por ello, tal vez sorprenda la inclusión de varios poemas en la novela.

— ¿Podría encontrarse explicación a este hecho o podemos despachar el asunto alegando que Cervantes simplemente quería exhibir su habilidad como poeta?
— En el poema de las esferas, Costanza es el centro del universo y alrededor de ella giran todos los planetas. ¿Existe alguna relación entre el tema de la canción y algún aspecto de la novela?

El desdoblamiento de Carriazo y Avedaño

Excepto en la novela ejemplar _El celoso extremeño,_ todos los protagonistas cervantinos tienen un compañero con el que hablan. Acudiendo al talento dialógico de Cervantes que se ha descrito en la Introducción,

— Explíquense las razones éticas y estéticas por las que Cervantes crea dos personajes. Analícese qué hubiese sucedido si sólo existiera uno de los dos: qué tipo de novela hubiese resultado, cuál habría sido su extensión, de qué manera se habría resentido la intriga, etc.
— En el caso de Carriazo y Avendaño ¿puede considerarse a alguno de los dos personaje más relevante que otro, o están los dos al mismo nivel?
— ¿En qué consiste la oposición entre Carriazo y Avendaño? ¿Cuáles son sus metas, sus ambiciones vitales? ¿Cuál es el carácter de los episodios que protagoniza cada uno?
— Analícese en este sentido la posible ironía del parlamento de Carriazo que comienza «Oh, amor platónico». ¿En qué consiste? ¿Podemos «oír» la voz de Cervantes tras las palabras de Carriazo? ¿Se burla de algo? ¿Mediante qué procedimiento? ¿Piensa Cervantes que el mundo picaresco de Carriazo y el mundo amoroso de Avendaño tienen algo en común?
— Además de funcionar como contrapunto al idealismo de Avendaño, ¿qué otras funciones tiene el personaje encarnado por Carriazo?
— Además de la pareja de Carriazo y Avendaño, ¿existe algún otro grupo de personajes que funcione de modo semejante al de Carriazo y Avendaño, es decir, sirviéndose del contrapunto?

Las relaciones entre *La ilustre fregona* y la picaresca

La ilustre fregona puede entenderse como una inversión de la novela picaresca, un rechazo de su realismo, un experimento que trata de modificar este subgénero de la *novela* fundiéndolo con el *romance*. Acudiendo a los rasgos genéricos del *romance* que se han esbozado en la Introducción,

> — ¿Qué elementos de *La ilustre fregona* podrían considerarse propios del *romance*?
> — ¿En qué aspectos *La ilustre fregona* se aleja de este modo narrativo?

Atendiendo a los rasgos genéricos de la novela picaresca especificados en la Introducción,

> — ¿En qué momentos Carriazo, o cualquier otro personaje que pueda considerarse perteneciente al universo picaril, se aleja del modelo genérico tradicional y se convierte en un personaje o elemento cervantino?
> — Léase con atención el parlamento de Carriazo que comienza «¡Oh, pícaros de cocina...!», y descríbase el mundo picaresco que allí se refleja.
> — ¿Qué relación existe entre el universo picaril cervantino y la letra de la canción que entona Carriazo mientras bailan los mozos a la entrada de posada?
> — Teniendo en cuenta **12**, y considerando que la amistad entre Carriazo y Avendaño puede considerarse una manifestación de amor, ¿por qué incluye Cervantes una trama de esta naturaleza en lo que hasta cierto momento parecía una novela picaresca?

Uno de los elementos que definían la novela picaresca era la relación del pícaro con su pasado y con su futuro: aquél condicionaba irremediablemente éste, creándose de ese modo un círculo cerrado del que no se podrá escapar (véanse **4** y **5**)

> — Analícese el pasado de Avendaño, Costanza y Carriazo, y la influencia de ese pasado en sus respectivos presentes y futuros.

— ¿Qué sentido tiene dotar a Carriazo de noble parentesco y afirmar que se marchó de casa por voluntad propia y no por necesidad?
— Otra de las características de la picaresca consiste en subrayar los aspectos más lúgubres y repugnantes de la vida. ¿Aparece la suciedad en la novela? ¿Por qué el universo cervantino no es tan lúgubre como el de la picaresca?

La casualidad también desempeña un papel esencial en el desarrollo de la novela, ya que a lo largo de ésta los deseos y los planes de muchos personajes se frustran, se malogran o se desvían por efecto de la casualidad o porque chocan contra los intereses de otros personajes.

— ¿De qué modo responde este fenómeno a la ideología picaresca?

En *La ilustre fregona*, Carriazo representa el pícaro cervantino: conserva la libertad de movimientos de cualquier héroe picaresco; pero ya no duerme en los pajares con el resentimiento de Guzmán, sino con gusto. Es verdad que Carriazo comparte características con los protagonistas picarescos: se va de casa, vagabundea y aprende su modo de vida; pero no lo es menos que carece de una prehistoria de padre borracho o madre prostituta, de un pasado que le obligue irremediablemente a ser pícaro. Carriazo —esto es esencial— conserva su libertad de elección, y vive como pícaro por propia voluntad (véase **2**).

— ¿Qué razones éticas y estéticas llevan a Cervantes a conservar la libertad aneja a la vida picaril?

Las descripciones de las almadrabas cervantinas están plagadas de contrastes. Tal vez el más paradójico y expresivo de ellos se produzca cuando las define como «suciedad limpia» (véase **3**).

— ¿Qué relación tiene esta descripción con el intento de fundir el idealismo del *romance* con el realismo de la *novela* y con el estilo dialógico cervantino?

La Argüello y la Gallega

Las pretensiones amorosas de la Argüello y de la Gallega hacia Carriazo y Avendaño resultan ridículas y patéticas, ya que éstos pertenecen a otra clase social. Admitiendo una primera intención puramente cómica,

> — ¿Tienen la Argüello y la Gallega alguna otra función en la novela?
> — ¿Qué información aportan la Argüello y la Gallega? ¿Sirven únicamente para hacer reír? ¿Con qué personajes tienen relación? ¿Estriba su razón de ser exclusivamente en su contraste con otros personajes o desempeñan también funciones independientes?

Diálogo

Ya hemos visto en la Introducción la importancia del diálogo en la obra cervantina, y nos hemos referido a la repugnancia intelectual que su autor sentía por las narraciones hechas desde un solo punto de vista, a causa de su modo de entender la realidad como diálogo, es decir, como mezcla de lenguajes sociales y confrontación de puntos de vista. Por eso, el diálogo es utilizado frecuentemente por Cervantes para caracterizar a sus criaturas. Sin embargo, el personaje que da título a la novela, Costanza, la ilustre fregona, habla muy poco a lo largo de la obra, sobre todo si la comparamos con Carriazo, Avendaño o la Argüello.

> — ¿Qué técnica emplea Cervantes para caracterizar a Costanza? Analícense los recursos empleados para que el lector obtenga una determinada idea de su persona.
> — ¿Qué diferencias hay entre las maneras de caracterizar a Carriazo, Avendaño, la Argüello o la Gallega?

La ilustre fregona está construida a base de contrastes como el que se ha señalado en **23**, donde la recitación de la poesía de las esferas, de tono tan elevado e intelectual, finaliza con el lanzamiento de ladrillos. El contraste (entre episodios, personajes, temas...) es una forma de diálogo en la que algo está contestado por su contrario.

> — ¿Existen otros contrastes como éste? Señálense pasajes, episodios o cualesquiera otros aspectos de la novela en los que pueda apreciarse este tipo de diálogo. ¿Cuáles son sus funciones?

En la Introducción se ha hablado de que el estilo de Cervantes consiste precisamente en no tenerlo. Su gran oído para los diferentes lenguajes sociales le permitió usar el diálogo como un modo efectivo de acción.

> — ¿Qué personajes están creados con diálogo?
> — Compárense los discursos directos de dos personajes que sean lo más diferentes posible entre sí, y que hayan sido creados mediante su modo de hablar.

La verosimilitud

Veíamos en **6** la aparición de una técnica narrativa que ya había sido utilizada por Cervantes en el *Quijote:* atribuir la responsabilidad de la historia a otro narrador, convirtiendo la voz que hasta ese momento nos ha relatado la historia en un mero re-creador de la novela.

> — ¿Con qué fin el narrador se distancia de la narración? ¿Tiene que ver con la verosimilitud? ¿Tiene alguna relación con la eutrapelia y la eutropelia?

Como se ha dicho en la Introducción, una de las metas estéticas de Cervantes era la de crear una ficción que fuera maravillosa, y que al mismo tiempo resultara verosímil. Y sin embargo en varias ocasiones los propios personajes se reprochan unos a otros la inverosimilitud de algunos sucesos.

> — Explíquese esta contradicción ¿Acaso haciendo notar insistente-
> mente la inverosimilitud de determinado suceso se consigue
> hacerlo verosímil?

Cuando se habla de hacer verosímil lo maravilloso, siempre se piensa en el hecho de que un noble se enamore de una
fregona: Cervantes eligió este imposible y lo hizo verosímil en
el interior de su novela. Sin embargo, en el otro extremo
tenemos un personaje que aparentemente debería resultar
igualmente increíble: Carriazo, un pícaro virtuoso, como lo
llama Cervantes, consciente de la paradoja que suponía unir
esas dos palabras. El episodio de la cola del asno, en el que
Carriazo es comparado por su generosidad a Tamorlán, resulta a estos efectos emblemático.

> — ¿Hay en este pasaje alguna insinuación cervantina respecto a su
> probable inverosimilitud desde el punto de vista de la experien-
> cia personal?
> — ¿De qué modo consigue hacer verosímil Cervantes un universo
> picaresco que él probablemente sabía inexistente en la vida real?
> — ¿Qué conclusiones pueden extraerse de este episodio respecto a las
> ideas que Cervantes tenía sobre las relaciones entre vida y literatura?

La eutrapelia

La olvidada virtud de la eutrapelia consistía, según los clásicos,
en la capacidad para abandonar las ocupaciones serias, divertirse con moderación y volver de nuevo al trabajo. Cervantes pretende proporcionarnos, como afirma en su prólogo, esta sana
diversión a través de la tropelía literaria (véase Introducción).

> — Analícese el primer párrafo de *La ilustre fregona* en términos de
> tropelía y eutrapelia. ¿En qué consiste la prestidigitación cervan-
> tina en esta novela?
> — ¿Qué relaciones se encuentran entre la canción que elogia el
> baile y la eutrapelia?

Se ha dicho que el universo de las *Novelas ejemplares,* es un universo tropélico, en el que nada es lo que parece y donde continuamente se están haciendo pasar unas cosas por otras.

> — Si entendemos la tropelía como un cambio aparente, ¿qué tropelías se encuentran en *La ilustre fregona?*

Teniendo en cuenta **1,** podríamos decir que el narrador de *La ilustre fregona* no pretende imitar la realidad, sino componer una ficción que resulte verosímil y produzca entretenimiento honesto (difícilmente, pensaba Cervantes, podría divertir con honestidad una narración inverosímil).

> — Compárese la actitud del narrador de *La ilustre fregona* con la de los diferentes narradores que aparecen en *El casamiento engañoso* y en el *Coloquio de los perros* (Miguel de Cervantes, narrador cervantino, Campuzano, Berganza, Cañizares, Camacha).

EL CASAMIENTO ENGAÑOSO
Y
COLOQUIO DE LOS PERROS

La relación entre *El casamiento* y el *Coloquio*

El Hospital de la Resurrección, que aparece al comienzo de la novela, es, sin embargo, el final de un trayecto. Allí termina el Alférez tras una vida de engaño. Allí es donde experimenta (oye o imagina oír) el *Coloquio de los perros.* Su salida del Hospital de la Resurrección parece expresar asimismo el comienzo de un proceso de regeneración vital tras su hundimiento en un mundo materialista y abyecto (véase **32**).

> — Explíquese en qué consiste esa regeneración o resurrección del personaje y qué papel desempeña en ella la experiencia del *Coloquio.* ¿En qué sentido el *Coloquio* purifica al Alférez? Contestar a esta pregunta supone responder a las siguientes:

> ¿Por qué son perros los que hablan? ¿Qué relación tiene la vida
> de Berganza con la de Campuzano? ¿Qué similitudes y diferen-
> cias hay entre los narradores y qué implicaciones éticas tienen
> ambas?

La mayoría de los críticos está de acuerdo en considerar
la unión entre *El casamiento engañoso* y el *Coloquio de los perros* como
una «meta-novela», es decir una novela cuyo tema principal es la
manera de escribir una novela. Parece evidente además que
la doble novela trata también del modo de leer y, en general,
de los distintos elementos y variados factores relacionados con el
fenómeno literario: los papeles del escritor, del lector y del crítico,
sus recíprocas influencias, las expectativas de estos últimos, etcétera.

> — Señálese de qué modo se representan en la doble novela todos
>   estos elementos y otros que estén asimismo relacionados con el
>   proceso de lectura y escritura.
> — Teniendo en cuenta **34**, ¿qué procedimientos narrativos utiliza
>   Campuzano para no decepcionar a quien le da de comer?
> — Teniendo en cuenta **38**, ¿qué idea tiene Cervantes del proceso
>   de lectura? ¿Qué importancia tiene en tal proceso el lector?
>   ¿Cuál es la función del escritor?

Las principales censuras que Cipión le hace a Berganza tienen
que ver con la murmuración, las digresiones y la brevedad.

> — ¿Por qué precisamente estas objeciones? ¿Cuál es la posición de
>   Cervantes respecto a ellas? ¿Las suscribe o, por el contrario,
>   debemos entender la conversación entre los perros como un
>   enfrentamiento entre el escritor y el teórico, del que sale vence-
>   dor aquél, ya que éste —Cipión— aunque conoce muy bien las
>   reglas, es incapaz de llevarlas a la práctica y de contar su propia
>   vida?

La estructura

Algunos críticos piensan que la estructura del *Coloquio de los
perros* refleja la de *El casamiento engañoso*.

— Dígase si se está de acuerdo con esta afirmación y, en caso afirmativo, señálense las coincidencias entre los narradores de ambas novelas, entre los personajes, entre las experiencias narradas por los personajes, entre la trayectoria social de Campuzano y Berganza, etc. Reflexiónese asimismo sobre el papel simbólico que en este reflejo desempeña el Hospital de la Resurrección. ¿Qué importancia tiene para Campuzano haber escuchado o imaginado el *Coloquio*? ¿Qué importancia tiene para los perros la existencia de Campuzano?

La estructura de la doble novela reproduce el efecto que obtenemos al enfrentar dos espejos.

— Hágase un esquema en el que se especifiquen las múltiples parejas narrador-lector.
— ¿Qué relación existe entre la vida de engaño llevada por el Alférez hasta ingresar en el hospital de Mahudes y su experiencia (real o imaginada) con los perros?
— ¿Que se pretende con esta estructura? ¿Qué implicaciones tiene en el asunto de la relación autor-escritor-texto?
— Varias señales nos indican que el relato de la bruja tiene para Berganza una importancia semejante a la que tiene el *Coloquio* para el Alférez (véase **74**). ¿En qué consiste esta equivalencia?

Como se dijo en la Introducción, el asunto de la unidad de las *Novelas ejemplares* ha sido muy discutido entre la crítica. Entre las opiniones más recientes destaca la de Sevilla y Rey, según la cual la unidad de la colección proviene de una serie de relaciones intertextuales que se establecen entre todas las novelas. De este modo, el mundo picaresco de Carriazo en *La ilustre fregona* conectaría con el ambiente del *Coloquio de los perros*.

— Señálense personajes, aspectos temáticos, detalles estructurales, etc. que conecten dos o las tres novelas que se presentan en esta edición.

Hemos señalado en la Introducción la insistencia de los teóricos áureos en que las fábulas fueran admirables y verosímiles. Al final de *El casamiento engañoso,* el Alférez y el Licenciado discuten sobre si el *Coloquio* es real o simplemente un sueño. Se diría incluso que Campuzano insiste demasiado en el hecho de que el *Coloquio* no respeta el precepto aristotélico de imitación de la naturaleza.

> — ¿Cómo ha de entenderse esta insistencia del Alférez?
> — ¿Se ha de entender el *Coloquio* como verdad o como sueño? ¿O tal vez esta pregunta es irrelevante a ojos de Cervantes?

Los narradores y los puntos de vista

Es una constante en las novelas cervantinas la escasa presencia de narradores en tercera persona en sentido estricto; los personajes casi siempre se presentan mediante sus propias palabras o sus actos. Cuando la función del narrador es necesaria, ésta suele ser desempeñada por algún personaje de la propia narración (véase **33**).

> — ¿Qué implicaciones ideológicas tiene esta actitud de dejar hacer y hablar a los personajes?

La definición perspectivista de Costanza coincide con su verdadero ser, ya que al final resulta ser de cuna noble. Por el contrario, la imagen que Estefanía construye de sí misma es fraudulenta. Mientras que la imagen múltiple y plurilingüe de Costanza es auténtica, Estefanía, como narradora en primera persona de su propia vida, resulta un embeleco. Por otra parte, Campuzano se reserva el derecho a no decir toda la verdad (véanse **41** y **42**).

> — ¿Qué conclusiones pueden extraerse respecto a las ideas de Cervantes sobre el punto de vista?

Así como Campuzano oculta hasta el último momento el fraude de sus joyas, y así como Berganza no explica cuando debe el episodio de la Cañizares, así el narrador cervantino relata el encuentro de Campuzano y Peralta antes que la boda y que la conversación entre los perros, pese a que éstos dos últimos sucesos ocurrieron antes que dicho reencuentro. Los tres narradores (Campuzano, Berganza y el narrador cervantino) administran la información de un modo artificial.

> — ¿Por qué se produce un comportamiento semejante en todos los narradores?
> — ¿De qué modo descubrimos la manipulación a la que nos somete cada uno de ellos?
> — En este sentido, algunos críticos han escrito que el *Coloquio de los perros* trata de la relación entre lenguaje y experiencia, es decir, de la dificultad de expresar con el lenguaje nuestras experiencias. ¿Qué sucedería si se relataran los acontecimientos en su orden cronológico?

Los libros de pastores

En el primer episodio, el de los carniceros, existe un contraste entre el ambiente materialista del matadero sevillano, al que pertenece la amiga de Nicolás el Romo, y el tipo de literatura de corte espiritual —libros de pastores— que ésta consume.

> — ¿Cómo puede entenderse esta contradicción?
> — ¿Qué relación existe entre ese contraste y las ideas de Cervantes sobre la función de la literatura? Véase texto n.° 2 de *Documentos y juicios críticos*.
> — Analícese la razón por la que Berganza es expulsado del universo materialista del Matadero, donde sólo existen la lujuria y la avaricia. Aventúrese una explicación simbólica y relaciónese con el destino final de Berganza (véanse **53** y **54**).

Berganza descubre que el universo idílico que mostraban los muy leídos libros de pastores era producto de un artificio literario, que nada tenía que ver con el mundo real de los pastores de carne y hueso. El universo pastoril es esencialmente espiritual, y allí lo material no tiene cabida. Por eso, aquel mundo ideal de verdes y frescos prados, donde los pastores, siempre enamorados, se pasan el día cantando y tañendo sus instrumentos, aunque le infundió a Berganza sensibilidad para percibir la belleza, se disuelve rápidamente al contacto con la realidad. Es muy cervantino (el *Quijote* está plagado de ejemplos) este mostrar la ficcionalidad de un tópico literario mediante el procedimiento de enfrentarlo con su modelo real.

— ¿Ha de entenderse esta evidencia como una crítica a algún aspecto de los libros de pastores?
— ¿Qué relación puede establecerse entre esta observación acerca del género pastoril y las que implícitamente se vierten sobre el picaresco en *La ilustre fregona*?

El episodio del mercader

Uno de los temas que aparecen en el tercer episodio del *Coloquio,* el del rico mercader, es la radical separación que existe en el mundo entre las ambiciones materiales y las tendencias espirituales. En este contexto, y teniendo en cuenta **21, 23** y **24,**

— ¿Cómo podría relacionarse con este tema el cuarto episodio, y en especial el engaño al bretón?
— ¿En qué sentido puede decirse que las *Novelas ejemplares* están escritas desde una posición opuesta a la que se denuncia en este episodio? Acúdase al texto n.° 2 y a las explicaciones de la Introducción sobre la eutrapelia.

La crítica social del *Coloquio*

El dibujo social que traza Berganza es bastante desolador: un mundo donde los poderosos se alían contra los débiles para no perder sus privilegios. La situación es especialmente desazonante en el episodio del mercader y del magistrado—. El *Coloquio* parece terminar con un tono muy pesimista: los que buscan la salvación social y personal —como los tertulianos del Hospital—

son seres superfluos, cuyas sugerencias no son escuchadas por los poderosos —como le sucede a Berganza con el magistrado—. Los deseos de trascendencia espiritual o de cultivo intelectual están radicalmente divorciados del poder que proviene de la riqueza y que hace insolentes a los seres mediocres, como la perrita que muerde a Berganza. La estructura social que sustenta esta situación se mantiene a su vez con hipocresía, totalmente desconectada de las fuerzas espirituales, que podrían renovarla. Tras haber presenciado las verdades nocturnas, llega el día, los ricos siguen ricos, y los pobres siguen pobres, y los perros dejan de hablar. Algunos investigadores han hablado de la sutil crítica social de Cervantes.

— ¿Deja entrever Cervantes alguna propuesta que remedie tanto mal?
— ¿Qué papel desempeña en todo esto el conjuro de la Camacha?
— ¿Se podrían agrupar los diferentes episodios de la vida de Berganza según algún criterio que ayudara a comprender mejor la selección de los tipos sociales que protagonizan cada episodio?
— Aunque es cierto que, llegado el día, los perros perros son, no lo es menos que, gracias a nuestra lectura, Cipión y Berganza se han convertido momentáneamente en hombres, y que siempre que leamos el *Coloquio* los perros discurrirán como seres humanos. ¿Tiene esto alguna relevancia para la significación social del *Coloquio*?

El casamiento, el *Coloquio* y la picaresca

Es evidente que Cervantes hace uso de las estrategias narrativas picarescas en el *Coloquio de los perros.* Lo que resulta original es que ni la propia picaresca escapa de su crítica. La objeción más importante es su rechazo de la primera persona del singular como punto de vista exclusivo. No se trata simplemente de un desacuerdo formal, como hemos visto, sino ético, ya que para Cervantes la verdad se encuentra precisamente en la confrontación de puntos de vista y voces narrativas, en la variedad dialógica e ideológica del mundo. Se afirmaba en la Introducción que el pícaro no dialogaba realmente con los demás hombres a causa de una recíproca desconfianza. Cervantes se dio cuenta de que la libertad en el relato picaresco brillaba por su ausencia. No sólo se había eliminado la del lector, a quien el autor-protagonista imponía su punto de vista, sino también la de los personajes, cuyo destino, al contrario de lo que sucedía en la vida real, estaba cerrado desde el principio.

La otra gran objeción tiene que ver con el problema de la verosimilitud, que, según Cervantes, no dependía de la relación entre la literatura y la realidad, sino que era un problema interno, un asunto de técnica literaria. Cervantes pensaba que se podía entretener al lector con sucesos que fueran al mismo tiempo dignos de admiración y verosímiles, sin necesidad de acudir a técnicas naturalistas, y sin necesidad tampoco de limitarse a la idea aristotélica de narrar sólo sucesos que fueran posibles y naturales. Cualquier suceso, por disparatado que fuera, podía presentarse, según él, con propiedad, es decir, de un modo creíble: bastaba con unas sencillas manipulaciones literarias. La virtud de la eutrapelia, la diversión moderada que persigue Cervantes, sólo puede conseguirse, como en los juegos de manos, haciendo verosímiles sucesos disparatados.

— ¿Cuáles son los elementos de la picaresca que utiliza Cervantes en el *Coloquio de los perros*?
— ¿Cuáles son los recursos empleados por Cervantes para mostrar su desacuerdo literario e ideológico con la picaresca? Para contestar pueden usarse como guía las siguientes cuestiones: a) ¿Tiene Berganza abolengo picaril? b) ¿Cómo se combate la visión unívoca de una biografía picaril? c) ¿Cuales son los métodos empleados para incluir diferentes puntos de vista? d) ¿Cuáles son las principales objeciones que le hace Cipión a Berganza?
— ¿Qué sucesos o episodios de las tres novelas podrían resultar inverosímiles si hubieran sido narrados de modo independiente, y cuáles son las manipulaciones empleadas por Cervantes para «mostrar con propiedad» tales desatinos?